Y0-BCC-889

LA PEUR

Genèses. Structures contemporaines. Avenir.

Collection

HÉRITAGE ET PROJET

Cette collection regroupe des ouvrages se situant à deux niveaux d'écriture : un niveau de rigueur scientifique en des champs de recherche qui correspondent aux requêtes de la société et de l'Église contemporaines ; un niveau de vulgarisation rendant accessibles à un assez large public des matériaux et un contenu de réflexion théologique substantiels et pertinents. Elle est ouverte à la diversité des positions et des approches.

HÉRITAGE ET PROJET rassemble en numérotation continue des ouvrages appartenant aux secteurs suivants : Foi chrétienne — Éthique chrétienne — Histoire chrétienne — Études bibliques — Pratique ecclésiale — Sciences humaines et Religion.

LA PEUR

Genèses. Structures contemporaines. Avenir.

Actes du Congrès de la Société canadienne de théologie
tenu à Montréal du 21 au 23 octobre 1983

Publié sous la direction d'Arthur Mettayer
et de Jean-Marc Dufort

HÉRITAGE ET PROJET
30

fides

Données de catalogage avant publication (Canada)

Société canadienne de théologie. Congrès (1983 : Montréal, Québec)

La Peur : genèses, structures contemporaines, avenir : Actes du congrès de la Société canadienne de théologie tenu à Montréal du 21 au 23 octobre 1983 / publié sous la direction d'Arthur Mettayer et Jean-Marc Dufort.

(Héritage et projet; 30)
Bibliogr. :

2-7621-1281-8

1. Peur — Aspect religieux — Congrès I. Mettayer, Arthur II. Dufort, Jean-Marc, 1925 — III. Collection

BF575.F2P48 1985 241'.3 C85-094091-5

Dépôt légal: 3e trimestre 1985, Bibliothèque nationale du Québec.

Composition et mise en pages: Helvetigraf, Québec

Achevé d'imprimer le 18 septembre 1985, à Montmagny,
par les travailleurs des ateliers Marquis Ltée,
pour le compte des Éditions Fides.

Liminaire

Cet ouvrage contient les principaux travaux du Congrès de la Société canadienne de théologie, tenu à Montréal du 21 au 23 octobre 1983.

La peur, à quoi la reconnaître? où commence-t-elle? comment la circonscrire et la gérer? quelles sont les attitudes et comportements de héros devant la peur? et Jésus de Nazareth, a-t-il eu peur? la Société «technicienne» contemporaine engendre-t-elle de nouvelles angoisses religieuses? que penser, que dire, que faire face à toutes ces peurs produites par les nouvelles religions et contre-peurs des mouvements anti-cultes? Devant ces interrogations et d'autres qui surgissent, quand on se met à l'écoute de nombreux discours passés et actuels, les membres de la Société canadienne de théologie ont senti, pour ainsi dire, le besoin de trouver des réponses. Pour se rassurer eux-mêmes? Peut-être. En tout cas, ce n'est pas là le but avoué des textes que contient cet ouvrage collectif. Ce qui ne veut pas dire qu'on n'y trouvera pas des prises de position courageuses.

D'entrée de jeu, les organisateurs du Congrès n'ont pas voulu imposer une approche particulière pour aborder le thème de la peur. D'une part, c'était encourager la diversité, autrement dit, c'était renoncer à l'établissement d'un programme uniformément ordonné. Mais d'autre part, c'était laisser aux théologiens et autres chercheurs des sciences de la religion une double spontanéité dans le choix des documents et de la méthode d'analyse et de réflexion.

Le mélange qui s'ensuivit se retrouve aussi dans ce livre. On peut y lire des textes qui, au gré des auteurs, se déroulent dans des perspectives scientifiques différentes: philosophie, histoire, sociologie, psychanalyse, exégèse. Voilà certes une façon de faire constater que la recherche théologique n'est plus aujourd'hui tout à fait ce qu'elle était, il y a vingt-cinq ans. Le théologien, en tant que «croyant cherchant à comprendre» utilise maintenant une plus grande variété d'instruments que jadis.

Dans la première partie de ce livre, nous avons regroupé des travaux portant sur la peur ressentie par des «héros»: *La peur d'Arjuna dans la Bhagavad Gītā* (par André Couture); *La peur face à la mort: le héros grec et Jésus de Nazareth* (par Rodrigue Bélanger); *Jésus et la peur* (par Arthur Mettayer). Outre ces travaux, nous avons jugé utile d'insérer les commentaires de Paul-Eugène Chabot sur le texte d'André Couture, ainsi que la réponse de Réginald Richard au texte d'Arthur Mettayer.

La deuxième partie de ce livre comprend des travaux portant, soit sur l'appréhension d'une résurgence des peurs qui ont envahi l'Occident depuis la fin du moyen âge, soit d'une façon plus particulière sur l'émergence de nouvelles peurs dans la société contemporaine, soit sur les façons de gérer ces peurs. Parmi les principaux travaux de cette deuxième partie, citons: *L'historicité de la peur en Occident: l'oeuvre de Jean Delumeau* (par Louis Rousseau); *Angoisse et religion: un syndrome de société contemporaine* (par Raymond Lemieux); *La peur dans les sectes bibliques* (par Richard Bergeron); *Une peur contemporaine et sa double gestion: le mouvement anti-cultes et l'univers savant* (par Roland Chagnon); *La foi qui assume la peur: la foi comme courage d'être d'après Paul Tillich* (par Jean Richard). En rapport avec ces travaux, mentionnons quelques-unes des principales interventions: le commentaire de Michel Despland sur le texte de Louis Rousseau; *La peur des nouvelles sectes: un phénomène d'incompréhension interculturel*, par Fernand Ouellet, en réponse à Roland Chagnon; la réponse d'André Couture, également sur le texte de Roland Chagnon; et enfin deux commentaires sur le texte de Jean Richard: *Les deux sources du caractère paradoxal de la foi en la Providence*, par Jean-Pierre Béland, et *Le courage d'être comme expression du salut*, par Jean-Pierre Le May.

En troisième partie de ce livre, nous avons regroupé d'abord les principaux travaux de nos collègues sur l'apocalyptique et la peur. On y trouvera *La peur dans la règle de la guerre de Qumrân* (par Jean Duhaime); *La peur dans les apocalypses de la fin du premier siècle: Jean, Esdras, Baruch* (par Gérard Rochais); *L'apocalyptique médiévale; Joachim de Fiore et les tensions eschatologiques* (par Yvon-D Gélinas); *L'apocalypticien d'aujourd'hui a-t-il peur?* (par Maurice Boutin), suivi de deux des principales interventions sur ce texte. La première est de François Gloutnay: *Panique et silence chez les jeunes*. La seconde est de Guy Paiement: *La peur chez les milieux populaires*. Enfin, nous avons pensé clore ce livre avec un texte d'Isabelle Prévost, tout imprégné de la dimension spirituelle qui échappe souvent aux théologiens: *Angoisse de la mort, vie de la foi*.

Arthur Mettayer,
président

Jean-Marc Dufort,
secrétaire

PREMIÈRE PARTIE

APPROCHES PSYCHO-RELIGIEUSES: ANGOISSE, PEUR ET CONTRE-PEUR

La peur d'Arjuna dans la Bhagavad-gītā

André Couture

Un texte de théâtre indien, le *Pratāparudrīya* de Vidyānātha, définit la peur (*bhaya*) «l'appréhension d'un malheur devant un spectacle terrible»[1]. Conformément à une longue tradition qui remonte au *Nāṭya-śāstra* de Bharata (époque indéterminable), l'auteur voit dans la peur l'un des états émotionnels durables pouvant être représentés par un acteur sur un théâtre[2], celui qui suscite chez le spectateur l'expérience esthétique intense (*rasa*) de la peur ou de l'effroi (*bhayānaka*). «Le *rasa* de l'effroi, note un autre texte, le *Daśarūpaka* de Dhanañjaya[3], naît de la vue de choses ou de l'audition de sons altérés (des balbutiements, etc.), a pour état émotionnel durable la peur, est

1. *Le Prataparudriya de Vidyanatha*. Traduction, introduction et notes par Pierre-Sylvain Filliozat, Pondichéry: Institut français d'indologie, 1962, p. 142.

2. Pour Bharata, il y a huit sentiments esthétiques fondamentaux. Les quatre premiers sont les sentiments érotique (*srngara*), furieux (*raudra*), héroïque (*vira*), et odieux (*bibhatsa*); chacun de ces quatre sentiments donne naissance aux quatre autres sentiments suivants, le comique (*hasya*), le pathétique (*karuna*), le merveilleux (*adbhuta*) et le terrible (*bhayanaka*). S'est ajouté par la suite le *rasa* apaisé (*santa*).

3. Cité par P.-S. Filliozat, *op. cit.*, p. 143.

caractérisé par un tremblement de tout le corps, la sueur, le dessèchement, le changement de couleur, est nourri par l'affliction, l'agitation, l'égarement, l'épouvante». La peur ressentie par un héros peut s'accompagner d'une tristesse capable de provoquer l'éclosion du sentiment de compassion pour celui qui souffre ou encore se doubler d'une horreur susceptible de faire éprouver au spectateur le *rasa* odieux. Mais en tant que telle, la peur n'en demeure pas moins un état émotionnel distinct. Il surgit de la menace d'un danger[4], peut s'étendre de la simple inquiétude jusqu'à l'angoisse la plus profonde, et provoquer toutes sortes de réactions comme le trouble, la panique, la fuite, etc.

La *Bhagavad-gītā* [BhG] nous présente Arjuna aux prises avec la tristesse, la désolation, l'horreur. Dans la situation sans issue où il se trouve, ce héros appréhende aussi un malheur terrible et il est alors assailli par un violent sentiment de peur qui l'incite à vouloir fuir le combat. Nous commencerons donc par relire la BhG sous cet angle de la peur. La deuxième partie de cette étude montrera le caractère bien védique des arguments proposés par Kṛṣṇa pour vaincre l'effroi d'Arjuna. Mais la tradition la plus ancienne n'explique pas tout. Pour saisir le sens de la terrible vision dont Kṛṣṇa gratifie son dévot, pour comprendre également comment la peur finit dans la tradition Bhāgavata par recevoir une valence franchement positive au moins dans certaines conditions et par conduire au salut, il faudra revenir au théâtre indien d'où nous venons d'emprunter quelques définitions et prendre conscience que, dans une vision du monde qui s'en inspire, il est peut-être possible à l'homme de découvrir même dans la peur une voie authentique de libération.

I - *Arjuna, un héros confronté à la peur*[5]

L'armée des Pāṇḍava et celle des Kaurava se trouvaient l'une en face de l'autre sur le champ de bataille du Kurukṣetra. Au terme de longs et vains efforts de conciliation, Kṛṣṇa avait

4. *Bhaya*, de la racine BHI, craindre, désigne à la fois le sentiment de crainte, de peur, d'effroi, de frayeur et le péril, le danger, la détresse qui le suscite.

5. La *Bhagavad Gita* sera citée dans la traduction de ANNE-MARIE ESNOUL et OLIVIER LACOMBE (Paris, Seuil, 1976), avec parfois de légères adaptations.

choisi de donner son appui aux Pāṇḍava: il serait le cocher d'Arjuna. Duryodhana, celui-là même qui avait usurpé la royauté en trichant aux dés et avait acculé ses beaux-frères à un exil de douze années en forêt et à une treizième année de séjour incognito au pays du roi Viraṭa, s'approcha de Droṇa, son maître d'armes, pour lui confier sa fierté de combattre auprès de tant de valeureux guerriers sous la sauvegarde de l'aïeul Bhīṣma. En entendant cela, Bhīṣma émit un rugissement de lion et souffla dans sa conque. Puis, ce fut toute l'armée qui fit résonner conques et tambours. À ce vacarme assourdissant se joignirent aussitôt les conques de Kṛṣṇa, d'Arjuna et des autres grands guerriers Pāṇḍava dont les sons déchirèrent le coeur de leurs rivaux. «Arrête mon char, dit soudain Arjuna à Kṛṣṇa, [...] le temps de considérer ces futurs combattants ici rassemblés, désireux qu'ils sont de satisfaire dans la guerre les desseins chéris de l'absurde fils de Dhṛtarāṣṭra (i.e. Duryodhana)» (1, 22-23). Et quand Arjuna, debout, vit dans les deux armées adverses «ses père, grand-père, maîtres, oncles maternels, frères, fils, petits-fils ou compagnons, beaux-frères et amis» (1, 26), il fut envahi d'une profonde pitié et prononça ces paroles:

> Ô Kṛṣṇa, quand je vois les miens désireux de combattre, préparés [à le faire], mes membres défaillent, ma bouche se dessèche, le frisson s'empare de mon corps, mes poils se hérissent, mon arc Gāndhiva me tombe des mains, ma peau est toute brûlante, je ne puis tenir debout et mon esprit semble pris d'un vertige (1, 28-30).

Arjuna avoue son épouvante. Il ne désire plus une royauté ou des richesses qui de toute façon seraient inutiles quand tous les siens seront morts. Et pourtant, le crime qu'il s'apprête à commettre est cruel et infâme. Mieux vaudrait se faire lui-même tuer que de perpétuer une action aussi abominable. Et après avoir ainsi exprimé son effarement, ce grand héros laissa tomber son arc et ses flèches et s'assit au fond de son char, l'esprit égaré par le chagrin (1, 47). Il était décidé à se retirer d'un tel combat, à s'abstenir d'y participer. Mais Kṛṣṇa intervient.

Le voyant abandonné à la détresse, Kṛṣṇa rappelle à Arjuna quelques grandes vérités. Celui-ci devrait savoir que les corps meurent, mais non point l'âme qui est immortelle. Il n'y a donc pas lieu de s'apitoyer sur des âmes que l'on ne pourra jamais frapper à mort et sur des corps qui renaîtront. Puis, il y a la loi du devoir d'état (*svadharma*). Arjuna est un guerrier: il ne peut refuser de livrer de justes combats. De plus, ses amis ne comprendront pas son sentiment de compassion et ils le mépriseront en disant que c'est la peur du danger (*bhaya*) qui l'a fait fuir (2, 25). Un autre argument qui vise la pratique ascétique: l'ancienne tradition védique encourageait l'homme à satisfaire ses désirs en multipliant les actions (gestes ou rites) appropriées; elle valorisait la jouissance (*bhoga*) et l'acquisition de puissance (*aiśvarya*) (cf. 2, 44). Or, un parfait yogin agit sans s'attacher aux fruits de ses actes: «Tu es commis à agir, mais non à jouir du fruit de tes actes. Ne prends jamais pour motif le fruit de ton action» (2, 47). Au contraire, il faut cultiver la discipline (*yoga*) qui conduit à l'équanimité (*samatva*). La méthode de vigilance spirituelle (*buddhiyoga*) concourt à stabiliser l'esprit humain naturellement agité et inconstant et le rend indifférent au succès et à l'insuccès. «L'esprit d'un tel homme ne connaît pas d'appréhension dans les souffrances; il est libre de [tout] attachement aux plaisirs, affranchi de la convoitise, de la crainte (*bhaya*) ou de la colère» (2, 56). Voilà l'attitude que doit développer en lui Arjuna s'il veut atteindre à la sérénité suprême (*prasāda, śānti*).

Arjuna rêve de s'abstenir de toute action (*karman*), croyant pouvoir ainsi se libérer des actes horribles que son devoir lui enjoint. Kṛṣṇa doit donc insister. C'est pure fantaisie que de penser demeurer fût-ce un seul instant sans accomplir quelque action. Malgré soi, chacun est contraint de s'activer sur l'effet des trois qualités-forces de la matière (*guṇa*, cf. 3, 5). S'il est vrai que l'action est inévitable, il n'en reste pas moins que la seule action qui libère l'homme au lieu de l'asservir est celle qui est accomplie dans un but sacrificiel (3, 9 sq.; 4, 23). Et après avoir proposé le modèle de sages comme Janaka qui sont parvenus à la perfection uniquement par l'action rituelle (*karman*), Kṛṣṇa se donne lui-même en exemple.

> Il n'est dans les trois mondes, ô fils de Pṛthā [i.e. Arjuna], rien que je doive ou aie besoin de faire, ni rien à obtenir que je ne possède déjà. Pourtant, je ne cesse d'agir.
>
> En vérité, si je n'étais toujours infatigablement engagé dans l'action, fils de Pṛthā, les hommes, de toutes parts, s'engageraient à ma suite dans la même voie [que moi].
>
> Les mondes s'effondreraient si je n'accomplissais mon oeuvre. C'est moi qui serais cause de la confusion universelle et j'anéantirais ces créatures.

> C'est par attachement à l'acte que les ignorants agissent, [...] le sage doit agir tout pareillement, mais sans attachement, ne visant que l'intégrité de l'univers (3, 22-25).

Kṛṣṇa se dit totalement engagé dans l'action cosmique, dans le sacrifice de la création. En célébrant ainsi son action désintéressée et indéfectible, il s'identifie clairement au Puruṣa primordial de l'hymne X, 90 dur *Ṛg-veda* qui a émis tous les êtres en se sacrifiant lui-même. De même que Kṛṣṇa en tant que Seigneur de l'univers ne cesse jamais de se donner lui-même en un perpétuel sacrifice au profit de tous les vivants, de même Arjuna devra lui aussi s'insérer dans le même mouvement en s'abandonnant (*tyāga*) tout entier au Seigneur et en lui dédiant (*prapatti*) toutes ses actions. «Affranchi de tout désir comme de tout esprit de possession», sa «fièvre apaisée» (3, 30), alors il agira tout simplement selon sa nature et accomplira son *dharma* de guerrier en combattant. Comme beaucoup d'autres sages, il sera libéré du désir passionné, de la peur (*bhaya*) et de la colère; n'ayant de refuge et d'appui qu'en Kṛṣṇa, il accèdera à sa condition (cf. 4, 10). Ce faisant, il imitera également Kṛṣṇa lui-même lorsque, par un effet de son pouvoir magique (*māyā*), comme un acteur divin sur le théâtre cosmique, il apparaît périodiquement sur la terre pour y rétablir l'ordre défaillant (cf. 4, 5-9).

Cette maîtrise de soi qui permet de vaincre tous les couples de contradictoires (froid et chaud, plaisir et douleur, honneur et déshonneur, 6, 7) est une voie difficile qui réclame de la constance et un effort ascétique soutenu. En réponse aux doutes d'Arjuna qui craint d'être toujours incapable d'une telle ascèse, Kṛṣṇa répond: «Mieux encore, celui qui, entre tous les *yogin*, demeure en moi et, du plus profond de son âme m'adore plein de foi, celui-là, je le considère comme ayant atteint le sommet de l'union yogique» (6, 47). La dernière partie du discours de Kṛṣṇa (ch. 18) insistera sur cette dévotion totale envers le Seigneur que la BhG préconise comme étant la voie la plus aisée et la plus parfaite. Au Seigneur il faut «dédier mentalement tous ses actes» (18, 57); en lui il faut garder fixée sa pensée (18, 58), et c'est lui qu'il faut prendre comme refuge (18, 62).

Pour permettre à Arjuna de comprendre davantage sa situation dans le monde, Kṛṣṇa déclare qu'il y a en lui comme en chacun des vivants une double nature: une nature inférieure constituée par les divers principes matériels et une nature supérieure qui est celle des âmes individuelles vivantes (7, 5). Cette nature inférieure est une magie mise en oeuvre par le pouvoir yogique du Seigneur. C'est ainsi que «le Seigneur se tient chez tous les êtres dans la région du coeur, les faisant tourner par sa magie à la façon d'automates» (18, 61). Cette magie aveugle ceux qui s'y laissent enfermer. Au contraire, ceux qui savent s'abandonner au Seigneur vont au-delà de cette magie (7, 14) vers le Seigneur lui-même. Et Kṛṣṇa précise que ces êtres qui procèdent de l'indistinct et s'y résorbent déterminent une succession de jours et de nuits cosmiques qui rythment l'interminable flux des naissances et des morts (cf. ch. 8 et 9). Mais Arjuna n'est pas pour autant satisfait. Il demande à voir de ses yeux la forme souveraine du Seigneur suprême. Et cette grâce insigne lui est aussitôt accordée. Arjuna est envahi par l'étonnement , puis son poil se hérisse de frayeur.

> Je te vois sans commencement, ni milieu ni fin, dit-il à Kṛṣṇa, avec ton énergie infinie, tes bras en nombre infini, le Soleil et la Lune pour tes deux yeux, ta bouche étincelante qui dévore les oblations, échauffant l'univers de ton ardeur.
>
> Car, cette région intermédiaire entre le ciel et la terre, et tous les orients, tu les occupes à toi seul. Voyant cette tienne forme merveilleuse et terrible le triple monde s'effraie, ô grand Être! (11, 19-20).
>
> Voyant ta grande forme aux multiples visages et aux yeux multiples, ô (Seigneur) aux grands bras, ta forme aux multiples bras, jambes et pieds, aux multiples ventres, (rendue) effroyable par tes nombreux crocs, les mondes tremblent, et moi aussi.
>
> Et certes, en voyant tes bouches, effroyables par leurs crocs semblables au feu du temps, je ne peux plus m'orienter et je parviens à trouver aucune protection. Fais grâce, Seigneur des dieux, toi qui fais de l'univers ta demeure! (11, 23-25).
>
> De même que les multiples eaux des fleuves au courant rapide coulent tête la première dans l'océan, ainsi ces héros du monde des hommes pénètrent dans tes bouches et s'y embrasent.
>
> Comme des papillons se précipitent, pour leur perte, dans la flamme brillante, ainsi, pour leur perte, les gens se précipitent dans tes bouches.
>
> De tes bouches enflammées, tu lèches, tout en les dévorant, les mondes entiers en remplissant la totalité de l'univers de tes ardeurs, tes splendeurs terribles les consument, ô Viṣṇu! (11, 28-30).

Cette forme terrifiante sous laquelle le Seigneur s'est fait voir, c'est celle du «Temps qui fait dépérir les mondes» (11, 32). Elle provoque d'abord en Arjuna une sorte d'ébahissement, puis un effroi incontrôlé, celui que tous les êtres ressentent devant la destruction et la mort. Mais le Seigneur rassure son protégé.

> Par ma faveur, ô Arjuna, et grâce à ma puissance, je t'ai montré cette forme suprême, de nature ardente, universelle, infinie, primordiale, qui est mienne et qui n'a, jusqu'à ce jour, jamais été vue par un autre que toi.
>
> Ce ne sont ni les Veda ni les sacrifices ni les études savantes ni les aumônes ni les oeuvres rituelles ou les austérités qui rendent possible à tout autre que toi de me contempler sous cette forme dans le monde des hommes, [...].
>
> Ne tremble pas, ne tombe pas dans l'égarement à la vue de cette mienne forme redoutable. Libre de crainte, l'esprit joyeux, contemple derechef cette forme qui est bien la mienne (11, 47-49).

Et il lui montra sa forme corporelle bénigne à quatre bras, celle qui comble le coeur de tous les dévots.

Kṛṣṇa est resté calme tout au long de la scène. Arjuna a au contraire éprouvé un effroi qui dépasse tout ce qu'il avait expérimenté jusque là. Kṛṣṇa l'encourage à ne pas craindre, mais ne lui reproche pas son émotion. Il lui propose seulement de contempler, d'aimer une forme plus facile de lui-même. Si l'on voulait résumer la BhG, il serait sans doute incomplet, mais pas faux de dire qu'elle est un discours provoqué par la peur, une peur existentielle, celle qu'éprouve un héros compatissant affronté à la rigueur de son devoir et que ce sentiment culmine en un effroi plus grand encore qui semble avoir la vertu de faire se résorber toutes les angoisses de la vie. C'est ce paradoxe qu'il nous faudra maintenant approfondir.

II - *Une peur à surmonter*

A - *Peur de la mort et valeurs sacrificielles*

«À l'exception des oeuvres accomplies pour un but sacrificiel, rappelle Kṛṣṇa à Arjuna, l'action est ce qui enchaîne en ce monde» (3, 9). Voilà bien de quoi nous rappeler à nous aussi, s'il en était besoin, que ce classique de la dévotion hindoue est le fidèle héritier d'une tradition brâhmanique axée sur le sacrifice.

Et qu'est-ce que le sacrifice pour les brâhmanes? Essentiellement une «cession (*tyāga*) de matières oblatoires (*dravya*) à des divinités (*devatā*) en vue de l'obtention d'un certain bien (littéralement d'un fruit, *phala*)»[6]. Le sacrifice est fondé sur un échange de prestations entre les hommes et les dieux. «Par lui, réalisez le bien-être des dieux et que les dieux réalisent votre bien-être; ce service réciproque vous fera obtenir le bien suprême» (3, 11). Celui qui jouit des satisfactions que les dieux lui procurent sans rien leur donner en retour n'est qu'un voleur, ajoute Kṛṣṇa (3, 12). Mais le sacrifice n'est pas uniquement un échange de bons procédés entre deux partenaires qui ont tout intérêt à s'accorder; il n'y a pas de sacrifice véritable si l'homme ne s'abandonne pas lui-même (*ātman*) tout entier à la divinité. Le sacrifice est d'abord le don de toute sa personne; le sacrifiant réalise ce don de façon symbolique par les jeûnes, les purifications, etc., de l'initiation sacrificielle (*dīkṣā*), la matière oblatoire offerte ensuite n'apparaissant alors que comme un substitut à la personne même du sacrifiant et une sorte de subterfuge permettant d'étaler le sacrifice tout au long de la vie[7]. L'idéal proposé ici par Kṛṣṇa est fidèle à la problématique brâhmanique; Kṛṣṇa cherche seulement à étendre cet idéal, à le généraliser à toute la vie[8]. Faire de chacune de ses actions un sacrifice, c'est refuser d'agir dans un intérêt égoïste, c'est ne rien garder pour soi parce que l'on a conscience de vivre dans un monde habité par des forces qui dépassent l'humain et avec lesquelles il est préférable de vivre en harmonie.

Kṛṣṇa va plus loin encore: pour lui, le sacrifice est ce qui libère l'homme: «Ô Arjuna, pour ce but (sacrificiel), libre de tout attachement, acquittes-toi de tes oeuvres» (3, 9cd). Comment est-il possible d'accomplir un sacrifice censé produire un résultat et en même temps de se détacher des fruits de ce sacrifice? D'où vient cette idée d'agir sacrificiellement, c'est-à-dire, comme on le dit en 3, 20, «uniquement en vue de l'intégrité de l'univers»? Cela vient, semble-t-il, de ces rites *nitya*,

---

6. Cf. MALAMOUD, «Cuire le monde», *Purusartha*, Vol. 1, p. 101.

7. Cf. SYLVAIN LÉVI, *La Doctrine du sacrifice dans les Brahmanas*, Paris, P.U.F., 2e éd., 1966, pp. 132 sq.; également M. BIARDEAU, «Le Sacrifice dans l'hindouisme», dans: M. BIARDEAU et CH. MALAMOUD, «*Le Sacrifice dans l'Inde ancienne*, Paris, P.U.F., 1976, p. 19.

8. Sur cette généralisation du sacrifice, comme aussi du yoga, à tout acte humain, cf. BIARDEAU, *ibid.*, *passim, praes.* 129 sq.

«obligatoires et permanents»[9], que doit accomplir tout Ārya. Les docteurs brâhmaniques soutiennent en effet qu'à la différence des rites optionnels (*kāmya*) exécutés pour obtenir des fruits particuliers, ceux-là sont accomplis simplement parce qu'ils sont nécessaires à la conservation du monde et sans égard pour les résultats secondaires qu'on peut aussi en tirer. Ce sont les sacrifices les plus parfaits, ceux qui possèdent la qualité du *sattva* (connaissance parfaite et luminosité). «Le sacrifice offert par qui n'en attend aucune récompense et l'accomplit en considération de la règle sacrée, l'esprit concentré sur cette seule pensée: 'Il faut sacrifier', sans rien de plus, voilà le sacrifice sâttvique» (17, 11). Quand Kṛṣṇa conseille à Arjuna de faire de son devoir d'état un sacrifice désintéressé, c'est sans doute à ces rites *nitya* qu'il pense: c'est eux qui, dans son esprit, sont spontanément les modèles d'une action faite, non en vue d'un intérêt égoïste, mais pour assurer le bon fonctionnement de la machine cosmique. Ce que Kṛṣṇa propose à Arjuna, c'est de considérer son travail de *kṣatriya* comme un sacrifice obligatoire et permanent, un don de lui-même au Seigneur des mondes, un don sur lequel il n'y a pas à revenir pour la simple raison que les choses sont ce qu'elles sont. Et les naissances (*jāti*) aussi: quand on naît guerrier, l'on doit consacrer toute sa vie à cette noble fonction.

Il n'est pas dit dans la BhG qu'en vivant en harmonie avec les forces cosmisques et qu'en s'affranchissant de ses vains désirs, Arjuna surmontera aussi sa peur. Mais ceci est d'autant plus évident que le sacrifice est précisément vu en Inde comme le stratagème conçu par les dieux pour vaincre leurs peurs. Les traités védiques d'exégèse rituelle, les *Brāhmaṇa*, fourmillent d'histoires de peur vaincue grâce à la découverte par les dieux du rituel approprié. «Les dieux, raconte le *Satapatha-brāhmaṇa* (X 4, 3, 3-8), eurent peur de la mort qui est la fin, qui est l'année, qui est Prajāpati. Pourvu qu'avec les jours et les nuits elle n'aille pas conduire notre vie à sa fin! Ils firent des sacrifices et ils n'obtinrent pas l'immortalité. Ils firent d'autres rites... et ils n'obtinrent pas l'immortalité». Prajāpati enseigna alors aux dieux les rites adéquats et, en les accomplissant, les dieux devinrent immortels[10]. Pour vaincre les ténèbres démoniaques, il

9. CH. MALAMOUD, *Le Svadhyaya, récitation personnelle du Veda. Taittiriya-aranyaka, livre II*, Paris, De Boccard, 1977, p. 21.
10. Cf. SYLVAIN LÉVI, *op. cit.*, p. 41.

faudra que les dieux découvrent un rite pertinent et c'est en vain que leur chef «Indra les interpelle: Allons, qui va venir avec moi poursuivre et disperser les Asuras et la nuit? Il ne trouva pas de compagnon entre les dieux, car ils avaient peur de la nuit, des ténèbres, de la mort»[11]. Ou d'une façon plus radicale encore, l'angoisse fut jadis le lot de Prajāpati lui-même quand, mû par le désir de se multiplier, il eût émis toutes les créatures en un immense sacrifice de tout son être. «Prajāpati gisait épuisé, vieux, faible d'esprit; il pensa qu'il était pour ainsi dire vidé (*riricaña*), il eut peur de la mort»[12]. Pour le guérir les dieux apportèrent le feu sacrificiel: Prajāpati le sacrifice primordial allait être guéri par le sacrifice qu'il avait lui-même émis. Le désir de s'étendre et de créer des choses nouvelles apparaît donc dans ces textes anciens comme étant d'abord lié à la peur de se diviser et de mourir. Mais, au-delà du désir et de la peur, venant combler tout désir et apaiser toute crainte, il y a l'activité rituelle du brâhmane qui sait articuler des totalités sans failles. C'est par cette activité et par la connaissance totale qu'elle suppose que le sacrifiant rassemblera toutes les énergies de sa personne (*ātman*) et c'est grâce à tout cela que se maintiendront solidement en place les différentes parties de la roue du monde[13]. En vivant la guerre comme un sacrifice obligatoire et permanent, Arjuna lui aussi contribuera à l'ordre cosmique. Son activité est nécessaire et il n'en doit ressentir aucun effroi.

B - *La peur d'Arjuna et son devoir de guerrier*

Arjuna doit donc combattre. Il est un guerrier et les traités sont là-dessus d'accord, le rôle de tout guerrier, et en particulier celui du roi, est de protéger les habitants du royaume[14]. Il est vrai que c'est un métier dangereux (*bhayakāraṇa*). Le guerrier doit être prêt à affronter tous les périls, à vaincre sa propre peur de la mort. «Héroïsme, fougue, fermeté, adresse, [refus de] fuir dans le combat, libéralité, autorité, tels sont, du fait de leur

11. *Loc. cit.*, pp. 50-51.
12. Cité par L. SILBURN dans *Instant et Cause*, Paris, Vrin, 1955, p. 52.
13. Sur tout ceci, cf. L. SILBURN, *op. cit., passim.*
14. *Dharmo rajnah palanam bhutanam, Vasistha-smrti* 19, 1-2. Texte dans *Dharmasastra-samgraha* (Vachaspati Upadhyaya, ed., New Delhi, Navrang, 1982), p. 762. Cf. P.V. KANE, *History of Dharmasastra* III, Poona, B.O.R.I., 1973, pp. 56 sq.

nature, les devoirs du kṣatriya» (18, 43). Mais ajoute la *Vasiṣṭha-smṛti*, ce que le *kṣatriya* doit craindre par-dessus tout, c'est de mal protéger son royaume et de devenir inutile [15]. Fidèle à l'enseignement de Kṛṣṇa, Arjuna devra donc se donner à son devoir sans arrière-pensée, car le combat au risque de sa vie est pour lui le meilleur, l'unique *dharma*, l'unique façon de s'intégrer à l'ordre du monde et d'y contribuer équitablement. Et c'est, ajoute la *Gītā*, «une porte ouverte sur le ciel» (2, 32). Qu'il gagne ou qu'il perde, c'est en accomplissant la tâche pour laquelle il est né qu'il parviendra à l'issue suprême. Accomplir le devoir d'un autre, c'est au contraire se vouer au péril et à l'angoisse (*paradharmo bhayāvahaḥ*, 3, 35). Peu de *kṣatriya* ont en fait l'occasion de se donner ainsi complètement à leur devoir, de risquer leur vie et c'est pour eux une chance à ne pas manquer.

Ce devoir de *kṣatriya* a pourtant sa part d'ambiguïté. Arjuna a pitié des siens et craint de tuer, ce que Kṛṣṇa lui reproche. Les commentateurs ont discuté de la légitimité de la violence préconisée par Kṛṣṇa dans un discours qui parle aussi de non-violence (10, 5; 13, 7; 16, 2; 17, 14). L'injonction de tuer pour un *kṣatriya* semble en effet contredire celle de ne pas tuer les brâhmanes qui figure dans la *śruti*. On peut arguer que cette seconde injonction se situe au niveau du *dharma* et qu'elle dépasse de ce fait n'importe quelle prescription empirique relevant du profit matériel (*artha*) ou du désir (*kāma*) [16]. Mais l'argumentation de la BhG, on vient de le voir, consiste précisément à assimiler le devoir du guerrier à un rite *nitya*, obligatoire et nécessaire au bon ordre de l'univers, et qu'il y aurait démérite à ne pas faire. Par conséquent, l'injonction de faire la guerre pour un *kṣatriya* est tout à fait dharmique. Il y a de plus des rites *nitya* (vg. le sacrifice à Agni et à Soma) qui comprennent des sacrifices d'animaux et les docteurs védiques ont toujours soutenu la légitimité de ces sacrifices. «Puisque le sacrifice a été institué pour le bien de l'univers, le meurtre dans le sacrifice n'est pas un meurtre» [17]. Et l'on ira jusqu'à affirmer que la mort

15. *Tasya bhayam apalanad asamarthyac ca.*

16. Cf. MADHUSUDANA SARASVATI, *ad* BhG 2, 31.

17. *Yajnasya bhutuai sarvasya tasmad yajne vadho 'vadhah, Manusmrti* V. 39; cf. G.U. THITE, *Sacrifice in the Brahmana-Texts*, Poona, University of Poona, 1975, p. 148.

dans les conditions rituelles purifie l'animal, lui confère une vie nouvelle, et lui donne l'immortalité[18]. Une fois le devoir du *kṣatriya* assimilé à un rite animal *nitya*, il suffit d'appliquer aux meurtres impliqués dans ce métier le raisonnement déjà élaboré pour les rites animaux pour soutenir que le métier de *kṣatriya* ne comporte logiquement aucune violence véritable[19].

Mais Arjuna doit faire un pas de plus s'il veut surmonter totalement sa peur de combattre. Il doit accepter son devoir comme un sacrifice, mais également accepter que l'ensemble du drame cosmique s'inscrive dans un sacrifice. En Kṛṣṇa se poursuit le sacrifice cosmique du Puruṣa primodial (cf. *Ṛg-veda* X 90) qui a donné naissance à toutes les créatures, aux instruments du sacrifice ainsi qu'aux quatre grandes catégories de vivants: brâhmanes, *kṣatriya, vaiśya* et *śūdra*. Le Seigneur Kṛṣṇa est identique à l'Homme-Sacrifice; c'est le Prajāpati dont lui, Arjuna, est issu, et c'est en sacrifiant à son tour, c'est-à-dire en se donnant tout entier à la tâche pour laquelle il est né, conformément à l'ordre du monde, qu'il reconstruira à son tour un Prajāpati vidé de lui-même et craignant la mort. La foi (*śraddhā*) nécessaire à l'accomplissement des anciens sacrifices, la confiance que cela réussira sera également la condition *sine qua non* pour prendre part active au sacrifice cosmique du Seigneur de l'univers (cf. 3, 31: 4, 39; 7, 21-22; 9, 23; 12, 2; 17, 2-3; 17, 17; 18, 71).

C - *Le Brahman inaccessible à la peur*

Le thème du sacrifice conduit directement à la Réalité qui sous-tend l'activité du brâhmane et la légitime en quelque sorte, le Brahman. «Sache que les actes rituels (*karman*) procèdent du Brahman et que le Brahman émane de la syllabe (Om). Il s'ensuit que le Brahman omniprésent est tout spécialement présent dans le sacrifice» (3, 15). Le savoir secret des anciennes *Upaniṣad* est né en contexte sacrificiel et c'est toujours pour exorciser la peur que sont apparues les nouvelles expériences dont ces textes témoignent. Des sages, peut-être lassés des complexités du rituel ou tout simplement doués d'un tempérament plus intuitif, cherchent à s'affranchir des désirs qui incitent à

18. Cf. G.U. THITE, *op. cit.*, pp. 147-151.
19. C'est ce que fait explicitement RAMANUJA *ad* BhG 2, 31.

multiplier les rites et de toutes les craintes éveillées par ces désirs. Mais plutôt que de croire à la valeur des rites morcelés dans le temps, ces sages sont tout entiers mobilisés par l'Un (*eka*). Ils sont prêts à tout abandonner pour expérimenter ce qui dépasse toutes dualités (*a-dvaita*). Ils cherchent à découvrir d'abord à l'intérieur d'eux-mêmes (*ātman*), dans leur coeur, une Réalité totale, plus grande que tout ce que laissait pressentir le rituel. Et cette Réalité, cet *ātman*, identifié d'emblée au Brahman, apparaît comme un lieu inaccessible à la peur de la douleur et à l'angoisse des morts répétées. Après avoir expliqué comment il courait de mort en mort celui qui se complaisait dans la pluralité (*Bṛhad-Āraṇyaka-Upaniṣad* IV 4, 19), Yājñavalkya poursuit: «Tel est, en vérité, le grand Ātman, inaccessible à la naissance, à la vieillesse, à la mort, immortel, inaccessible à la peur (*abhaya*), le Brahman. En vérité, le Brahman est inaccessible à la peur et il devient Brahman inaccessible à la peur, celui qui sait ainsi» (*ibid.* IV 4, 25). Prajāpati craignait la mort, sa propre mort; approfondissant ses vues, le sage des *Upaniṣad* qui a accédé à l'*ātman*, dit être délivré non seulement de la mort, mais de tout devenir (*saṃsāra*).

Pour arriver à ce savoir ultime, la BhG préconisera, s'inspirant pour cela des *Upaniṣad* et de l'ancien Sāṃkhya, un effort de discernement entre le corps et l'âme immortelle, entre le principe matériel (*pradhāna* ou *prakṛti*) et le témoin spirituel (*puruṣa*). Elle parlera d'identification au Brahman, d'apaisement en Brahman, d'extinction en Brahman (cf. 5, 24-26), sans pour autant mentionner l'*abhaya brahman* et faire explicitement le lien entre le Brahman et l'absence de peur. Ce rapport n'est est pas moins implicitement présent chaque fois que Kṛṣṇa conseille à son adorateur de venir à lui, de s'abandonner à lui, de s'en remettre à lui (cf. 7, 14.18. 23; etc.). Plus tard, et tout en respectant l'esprit de la *Gītā*, le *Bhāgavata-puraṇa* ne pourra se priver de parler de Kṛṣṇa ou de Hari comme d'un être inaccessible à la peur (*abhaya-*, *nirbhaya-*, cf. BhP II 1, 5.11.13; 9, 9; III 9, 6; X 3, 37; etc.) ou comme un séjour inaccessible à la peur (*abhayaṃ padaṃ hareḥ*, V 19, 23). Mais ce souvenir plus ou moins direct de la formule upaniṣadique ne doit pas nous faire oublier que le sacrifice n'est plus d'abord ce rite complexe nécessitant l'aide de techniciens brâhmanes, mais le *svadharma*, le devoir de chacun, et que l'Absolu des brâhmanes (le Brahman) n'est pas non plus ici la seule voie de libération. La libération peut passer par la découverte du Brahman, c'est vrai; mais c'est en premier lieu la vie tout entière de tous les hommes bons ou méchants, purs ou impurs, vécue pleinement et accordée à la bonne marche de l'univers, qui conduit désormais au Bhagavant. Le salut que Kṛṣṇa suggère est bien un lieu suprême inaccessible à la peur comme l'est l'*abhaya Brahman*, mais c'est aussi et surtout Personne (*Puruṣa*) à l'intérieur de laquelle tous les êtres retournent (8, 22) en dépit de la variété de leurs fonctions.

D - *Le yoga et la peur de la mort*

Il ne suffit pas d'avoir foi dans le sacrifice et dans le pouvoir du Brahman, ni de connaître l'*ātman* comme étant le Témoin suprême. Arjuna sent bien (6, 37) qu'à cette foi doit s'ajouter une discipline de soi très exigeante comportant une ascèse régulière que la tradition indienne appelle le yoga. L'ascète doit se retirer à l'écart, se recueillir sans cesse, contrôler son esprit et son souffle, maîtriser ses opérations mentales et sensorielles (cf. 6, 10-14). «Le yoga, ô Arjuna, n'est pas pour qui mange trop ni pour qui ne mange pas du tout, ni pour qui a l'habitude de trop dormir ou qui [au contraire] demeure [toujours] éveillé. Qui règle convenablement ses repas et ses délassements, ses efforts dans l'action et la part qu'il fait au sommeil et à la veille, à celui-là appartient le yoga destructeur de la souffrance» (6, 16-17). L'enseignement de Kṛṣṇa est fidèle à l'esprit de la tradition du yoga que Pantañjali résumera en des aphorismes concis (les *Yoga-sūtra*, vers le 2e s. après J.-C.). Il aboutit, surtout si on l'isole, à une sorte de quiétisme qui supprime toute peur. «Celui devant qui le monde ne tremble pas de peur et qui n'a pas peur du monde, qui est affranchi de la joie, de la colère et de la crainte, celui-là m'est cher» (12, 15).

Le yoga considère en effet le mental non pas comme une réalité structurée, comme un donné arrêté (seul le principe spirituel, le *puruṣa*, est une réalité permanente), mais comme un flux perpétuel. Arjuna est contraint de l'avouer à son Seigneur: «Ce mental est inconstant, ô Kṛṣṇa, harceleur, puissant, obstiné; à mon avis, ajoute-t-il, il est comme le vent, très difficile à subjuguer» (6, 34; cf. 2, 67). Le psychisme est une des formes que prend la matière au cours de son développement (*parināma*). Il est lui-même affecté de constantes modifications (*vṛtti*). Selon Patañjali, la cognition juste, la cognition erronée, l'imagination, le sommeil et la mémoire sont les cinq modes sous lesquels se présente l'activité mentale. Qu'ils soient en état de sommeil ou de veille, les humains sont toujours sujets aux fluctuations de leur mental (*citta-vṛtti*). Il y a en outre cinq dispositions psychiques innées qui conditionnent l'agir humain: ce sont des facteurs, des tendances qui sont présentes au mental et marquent chacune de ses expériences. Patañjali distingue l'ignorance, le sentiment d'individualité, l'attachement, l'aversion ou le sentiment d'opposition, et le désir de vivre ou la peur de mourir. Ce sont des *kleśa*, des sources d'affliction. En effet, le yogin discerne dans ces forces inconscientes des explications de sa vie pénible et douleureuse.

Or, ce que se propose la discipline du yoga, c'est de contrôler par une série de techniques appropriées (postures, contrôle de la respiration, etc.) ces forces psychiques qui rendent l'homme esclave de lui-même. On ramènera d'abord les sens tendus vers des objets extérieurs vers l'intérieur du mental (comme une tortue rétracte ses pattes sous sa carapace); on recherchera ensuite, par une méditation assidue (*dhyāna*), à apaiser les perturbations du psychisme et à bloquer les dynamismes jugés négatifs. Enfin, grâce à des *samādhi* de plus en plus poussés, le yogin dit parvenir à réduire ces forces à leur état subtil pour finalement les éliminer complètement en les dissolvant dans l'indifférence du principe spirituel. Tout le processus décrit ici rapidement vaut en particulier pour l'*abhiniveśa*, le vouloir-vivre ou la peur de la mort. Cette peur est tellement enracinée dans le psychisme, et elle est si omniprésente (Vyāsa dans son commentaire aux *Yoga-sūtra* la constate tant chez l'homme que dans le ver ou le petit enfant) qu'elle paraît impliquer immédiatement une expérience précédente de la mort dans des vies antérieures. Quoi qu'il en soit de la valeur de ce recours à la transmigration pour expliquer la peur de la mort, on remarquera qu'en contexte de yoga comme dans les grandes *Upaniṣad* anciennes, la mort est indissociable d'un cycle de vies et de morts. Le désir de vivre et la peur de la mort sont des termes corrélatifs qui se rapportent en fait à une même réalité, l'épreuve du *saṃsāra*. Ce double sentiment provient de l'ignorance où les vivants sont plongés et il est tellement ancré dans le psychisme qu'il persiste même chez les sages, et qu'il est extêmement difficile de l'éliminer (cf *Yoga-sūtra* 2, 9). La peur de la mort est ainsi jointe à celle de la naissance parce que naissance et mort font partie d'un même enchaînement, d'un même flux, celui du *saṃsāra*, de l'incessante transmigration. Pour les yogin, comme pour les sages des *Upaniṣad*, la peur n'est pas limitée au fait brutal de la mort (bien qu'on y insiste). Ce qui provoque l'angoisse, c'est plutôt le cycle où s'enferme celui qui met toute sa confiance dans l'agir. Tandis que le brâhmane met tout son espoir dans le rite qui, comme un navire, fait traverser le périlleux océan de la vie et de la mort, celui qui possède la vraie connaissance (*jñānin*) dit avoir été ébloui par une intuition fulgurante qui libère de la roue infernale des renaissances. Le yogin, lui, défie la peur de la mort en mettant en oeuvre une technique progressive de discipline psychique qui lui permettra de vaincre les inerties du mental et de se hausser hardiment jusqu'à l'Absolu.

S'approcher de Kṛṣṇa, accepter la discipline yogique qui est la sienne, c'est donc être libéré de la peur des incessants retours à la vie et accéder à ce lieu d'où l'on ne renaît plus. Le yoga de la BhG comprend aussi bien une discipline sacrificielle, une illumination cognitive qu'une technique de maîtrise psychosomatique. Pour Kṛṣṇa, le yoga est une discipline très générale qui s'applique à toute action. Il est évident que bien des passages de son discours où il conseille au vrai yogin de se retirer en lui-même, de se déprendre des agitations du mental pour viser à une équanimité qui affranchit de toute convoitise et de toute peur dépendent directement de la pratique du yoga au sens où l'entend Patañjali (*praes.* 2, 56, déjà cité; 5, 26-28; 4, 10; 5, 20; 6, 14; etc.). Mais, de même que la *Gītā* ne demande pas à tous de devenir des techniciens du sacrifice ou des adeptes de la connaissance du Brahman, ainsi ne recherche-t-elle pas à faire de tous des hatha-yogin. Elle assimile plutôt l'esprit de ces techniques et vise à en tirer le meilleur parti au profit de tous.

III - *La peur et le jeu cosmique de la divinité*

A - La frayeur d'Arjuna dans la BhG

Tout semble parfaitement limpide dans la façon dont la BhG réagit face à la peur. Le sacrifice permet de dépasser la mort et la peur qu'elle suscite; des sages imbus de rituel invitent leurs disciples à regarder en eux-mêmes (*ātman*) pour rejoindre directement le Brahman inaccessible à la peur. Des adeptes du yoga utilisent des techniques de redressement du psychisme pour atteindre à une parfaite égalité spirituelle qui favorise l'union à l'Absolu: eux aussi savent craindre leurs désirs et leurs peurs. Mais Kṛṣṇa ne propose pas à Arjuna de devenir un *jñānin* ou un adepte du haṭha-yoga. Il ne semble pas déprécier ceux qui se sentent capables de se retirer du monde pour vivre la vie de renonçants, mais il les avertit qu'il serait faux de viser au non agir alors que chacun s'agite du fait même de sa constitution naturelle. Arjuna devra faire pleinement la tâche pour laquelle il est né, mais il devra la faire autrement que le commun des mortels; il devra agir en esprit de sacrifice, avec vigilance et sans se laisser lier par ses actes. En honorant ainsi le dharma de *kṣatriya*, Kṛṣṇa légitime et consacre en fait le danger et la peur. C'est vrai que tuer n'est pas tuer quand on agit dans une visée sacrificielle; c'est vrai aussi que le danger et la peur ne sont plus le danger et la peur pour qui s'est affranchi de toutes les dualités. «Abandonnant tout attachement au fruit de l'acte, éternellement satisfait, ne cherchant nul appui [extérieur], il a beau s'engager dans l'action, il [le parfait yogin] ne 'fait' absolument rien» (4, 20). Plus encore, après avoir stigmatisé la peur au nom du yoga, le Bienheureux Seigneur dira que tout, la crainte (*bhaya*) comme la sécurité (*abhaya*), viennent de lui. «Jugement, connaissance, savoir exempt d'illusion, patience, vérité, maîtrise de soi, plaisir et douleur, existence et non-existence, crainte et sécurité, non puissance, équanimité, contentement, austérité, libéralité, honneur et déshonneur, toutes ces manières d'être (*bhāva*), dans leur diversité comme dans leur singularité, viennent de moi» (10, 4-5). Comment peut-on à la fois bannir toute crainte et accepter un métier basé sur le danger et la peur? Et surtout, comment justifier le moment d'effroi qu'éprouve Arjuna quand il contemple le Seigneur sous sa forme terrible, sous la forme où il avale les créatures et brûle les univers? Outre les justifications que le sacrifice peut apporter, on peut se demander s'il n'y aurait pas deux façons de vivre la peur, un sentiment de peur grossier qu'il faut supprimer et un sentiment de peur vécu et accepté dans un nouvel esprit. Et pourquoi pas aussi deux façons de vivre l'amour, la haine, la compassion, etc.? Il me semble que c'est précisément une distinction comme celle-là qui permet de comprendre ce qui se passe dès la BhG, et peut-être aussi de mieux saisir certains paradoxes à l'oeuvre dans un texte plus tardif, mais de même tradition, comme le *Bhāgavata-purāṇa*.

Il est une façon simple d'entrer dans la nouvelle vision du monde suggérée par la BhG, et elle consiste à s'interroger sur la représentation qu'elle se fait de la divinité. En effet, le Dieu suprême n'est plus ici un Brahman neutre et impassible, ou un pur yogin divin qui aurait dépassé toutes les dualités de sentiment. Kṛṣṇa est un Mahāyogin, un Yogin cosmique «qui sait voir dans l'agir le non-agir et dans le non-agir l'action» (4, 18). Il reprend à son compte les valeurs héritées du sacrifice brâhmanique tout en étant le Dieu de l'univers, le Personne suprême, Celui qui a abandonné son être tout entier en un sacrifice cosmique et que le sacrifice des hommes reconstruit. Et plus qu'un sacrifiant primordial, ce Seigneur apparaît comme le possesseur d'une *yoga-māyā*, d'une magie produite par son yoga. Il est le Māyāvin, le suprême Magicien qui fait apparaître les mondes et les résorbe en lui au rythme de ses concentrations et de ses déconcentrations yogiques. Il émet les mondes et les fait disparaître. Et parce que ce Dieu est avant tout un yogin qui privilégie le retour à l'intériorité, sa magie créatrice prend un coefficient d'illusion. Les mondes apparaissent non pas pour demeurer, mais pour retourner à celui qui les émet. Ils sont des sortilèges, des *māyā* des *yoga-māyā*[20].

L'image du magicien (*māyāvin*) qui multiplie sur la scène les sortilèges de son art (*māyā*) a été utilisée dès les *Upaniṣad* pour rendre compte des relations du Dieu suprême avec le monde. «Il faut savoir que la magie, c'est la nature, et le magicien le Suprême Seigneur [Siva]» (*Svetāśvatara Upaniṣad* I, 10). La *Maitry Upaniṣad* disait aussi que l'âme élémentaire (ou individuelle) était la proie des ténèbres et des rêves, qu'elle était inconsistante comme la moelle du bananier, que son vêtement changeait sans cesse comme celui d'un acteur et que son charme était aussi menteur qu'une peinture murale (IV 2). Ces comparaisons, dont plusieurs puisent au domaine théâtral, insistent sur l'aspect factice, artificiel, de la réalité matérielle dans laquelle l'âme est enfermée. Elles sont censées favoriser une prise de conscience de la nécessité de découvrir la seule vérité véritable: l'Ātman suprême. Quand ces images sont relues par un strict vedântin comme Maître Śaṅkara qui n'attache d'importance qu'au Brahman, ces analogies restent un peu lointaines.

20. Sur le Dieu suprême de la *bhakti* conçu comme un yogin, cf. M. BIARDEAU, *op. cit.*, pp. 97 sq.

On peut les interpréter de la façon suivante: la peinture murale ou le théâtre ne sont que constructions artificielles et captieuses à ne pas confondre avec la réalité extérieure; en appliquant un raisonnement similaire à toute réalité, l'on dira qu'elle n'est, elle aussi, à un autre point de vue, qu'une image, qu'une représentation dont il faut dissiper l'artifice pour appréhender le Paramātman comme seul fondement véritable de toutes choses. Il arrivera que l'on précise ces comparaisons en assimilant le Paramātman au canevas du tableau, l'apprêt, l'esquisse et les couleurs n'étant que des surimpositions, ou encore l'on essaiera de faire discerner le magicien lui-même derrière ses tours de magie, etc.[21]. Mais ce sera toujours pour aboutir en définitive à l'irréalité des phénomènes qui nous entourent. Par contre, quand Rāmānuja commente le mot *māyā*, il insiste pour dire que les artifices suscités par le magicien sont des effets réels, bien qu'ils soient pour le spectateur qui se laisse prendre au spectacle une source d'égarement et de confusion. Le monde peut être dit *māyā* parce qu'il est réellement vu par un témoin qui ne sait pas qu'il manque de réalité objective. «Le mot *magie* (*māyā*), commente Rāmānuja (*ad* BhG 7, 12), ne signifie donc pas proprement ce qui est objectivement faux. Même dans le cas des jongleurs et personnages de ce genre, l'emploi du mot *magicien* (*ṁāyāvin*) dénote leur pouvoir de susciter par le moyen de quelque formule d'incantation, drogue, etc., des représentations réelles en elles-mêmes bien que portant sur un contenu objectif faux. [...] C'est cette magie réelle du Bienheureux, composée des trois qualités primordiales, dont il est fait mention en des textes comme celui-ci: 'Or donc, il faut savoir que la magie c'est la nature, et le magicien le Suprême Seigneur'. Elle a pour effet de cacher la forme propre du Bienheureux et d'engendrer la pensée que sa forme propre à elle est désirable comme objet d'expérience affective»[22]. Cette interprétation paraît très fidèle à l'esprit premier de la BhG. Kṛṣṇa y est vu comme le suprême Māyāvin qui produit le monde par sa *māyā*, par son pouvoir yogique. Un magicien est un homme de spectacle: il divertit des spectateurs sur un théâtre, de même qu'un danseur, un acteur,

21. On pourra consulter la *Pancadasi* de VIDYARANYA dont le ch. VI est consacré à développer l'illustration du tableau *(chitra-dipa)*, et le ch. X, celle du danseur *(nataka-dipa)*.

22. Cité et traduit par OLIVIER LACOMBE, *L'Absolu selon le Vedanta*, Paris, Geuthner, 1966, p. 308.

un musicien. Toutes ces comparaisons ou ces analogies jouent sur un même registre: elles suggèrent que le monde est un spectacle de théâtre. Les *māyā*, illusions ou sortilèges, produites par le *māyāvin*, tout comme les acteurs et le décor d'une pièce de théâtre, existent vraiment, mais leur vérité peut porter à faux, si le spectateur, en l'occurence le *jīva*, oublie qu'ils sont l'artifice de quelqu'un[23].

On pourrait poursuivre cette étude du rôle que joue le théâtre dans les mythes hindous et montrer par exemple que les *avatāra* sont peut-être étymologiquement parlant des «descentes» du Seigneur Viṣṇu sur la terre, mais que l'on devrait compléter en disant qu'ils sont aussi des «entrées en scène» de la divinité dans un monde essentiellement conçu comme un théâtre (*raṅga*)[24]. Mais ce qui nous intéresse plus immédiatement, ce sont les *rasa*, les sentiments que le spectateur éprouve à la vue d'un spectacle, sentiments que l'acteur doit également susciter chez le spectateur par un jeu approprié. Nous avons vu que l'amour et la haine, la peur et la sécurité, etc. étaient des sentiments qu'un vrai yogin devait dépasser pour atteindre à l'égalité et à l'apaisement. Ces pulsions incontrôlées, ces impressions grossières sont le produit des *citta-vṛtti*, des turbulences du psychisme laissé à lui-même. Mais, Arjuna est un guerrier qui doit jouer le rôle que sa naissance lui a dévolu. Il doit faire face à la peur avec héroïsme et équanimité. Kṛṣṇa lui recommande surtout la dévotion (*bhakti*) constante à celui qui est le Seigneur de l'univers. C'est cette dévotion sans partage, et la détermination qui doit l'accompagner, qui permet à tous les vivants de remplir parfaitement la fonction qui est la leur et de retourner au Seigneur (12, 30-34). Ceci vaut autant pour ceux dont la tâche est jugée bénéfique que pour les grands criminels, pour ceux dont la naissance est bonne que pour les femmes, les artisans ou les serviteurs (12, 32). Le parfait yogin est celui qui se donne tout entier au Seigneur; il oublie toutes ses autres préoccupations pour ne regarder que le Dieu qui se donne en spectacle au monde, et c'est alors qu'il se met, non plus à éprouver des

23. L'Inde a beaucoup réfléchi sur le statut ontologique d'un spectacle de théâtre, et il est difficile de savoir qui, des théologiens ou des théoriciens du théâtre, ont été les premiers à proposer une solution. Sur le point de vue des théoriciens du théâtre, cf. P.-S. FILLIOZAT, *op. cit.*, *praes*, pp. 317-318.

24. *Rangavatarana* est le terme technique pour dire «entrée en scène». Ce thème nous semble important et nous espérons y revenir ailleurs.

sentiments communs, mais à goûter (*rasa*) le spectacle divin dont il peut jouir et à expérimenter les sentiments d'un spectateur qui se laisse prendre au spectacle. La *Gītā* ne vas pas jusqu'à dire que la peur et la haine sont des sentiments qui peuvent conduire l'homme à la libération, mais elle le suggère en insistant sur le devoir d'état et en indiquant que toutes les manières d'être (*bhāva* qui signifie aussi les émotions) proviennent du Seigneur.

Pour faire comprendre à Arjuna le paradoxe de toute action, Kṛṣṇa dit être lui-même engagé dans l'action et pourtant rester au-delà de l'action (cf. 3, 21-24, déjà cité). «J'ai émis les quatre castes, chacune avec son dosage particulier de qualités dynamiques (*guna*) et d'activités (*karman*). Sache que tout en étant leur auteur, je demeure au-dessus de l'action et du changement» (4, 13). Kṛṣṇa agit également en prenant appui sur une base susceptible de fonder son action (*prakṛti*) et grâce à un pouvoir qui lui est propre, sa *māyā*: «Bien que je ne sois pas assujetti à naître [puisque] mon essence est immuable, bien que je sois le Seigneur des êtres [venus à l'existence], en usant de la nature mienne (*prakṛtiṃ svam*), je viens à l'existence par mon pouvoir magique (*ātma-māyayā*)» (4, 6). Et encore plus loin: «Enveloppé de la magie de mon pouvoir yogique (*yoga-māyā*), je ne suis pas visible à tous. Ce monde égaré ne me reconnaît pas comme le Non-né, immuable» (7, 25). Seuls ceux qui s'abandonnent à lui et qui connaissent son identité «vont au-delà de cette magie» (7, 14) vers le possesseur de la *māyā*. Or, c'est cette *māyā* que Kṛṣṇa fera contempler à Arjuna au ch. 11. Tout ce qui défile devant son regard sidéré, c'est le jeu divin lui-même; c'est le spectacle d'un Dieu qui émet les êtres hors de lui et les y ramène. Arjuna est ahuri et Kṛṣṇa, qui est aussi bien metteur en scène (*sūtradhāra*) qu'acteur (*naṭa*), change aussitôt de tableau, permettant ainsi à son protégé de respirer à nouveau la paix que confère sa forme bénigne.

Mais c'est dans un autre texte de la même tradition, le *Bhāgavata-puraṇa*, que l'on pourra mieux saisir les prolongements possibles d'une telle vision du monde et de Dieu en ce qui concerne la peur.

B - *Le rôle de la peur dans le BhP*

Le BhP n'apporte à mon avis rien de vraiment nouveau sur le sentiment de peur. Il va dans le sens de la *Gītā*, mais explicite un enseignement qui n'avait pas été porté à ses ultimes conséquences.

Le BhP y insiste, tout dans le monde est fondé sur le *karman*, sur l'action lourde de conséquences: «C'est à l'action (*karman*) que l'homme doit de naître, c'est à l'action qu'il doit de mourir. Plaisir et douleur, sentiment de peur et de sécurité, c'est uniquement par l'action que tout cela se produit» (X 24, 13). Le *karman*, en enchaînant l'homme à son agir, l'emprisonne dans la roue du temps. Et c'est parce que les hommes se sentent toujours menacés par les successions de jours et de nuits, de quinzaines claires et de quinzaines noires de mois et de saisons, qu'ils accomplissent des rites qui assureront l'intégration parfaite des périodes temporelles. «C'est à cause de Kāla, le Temps, que les gens font le bien», dira encore le BhP (III 29, 4), parce qu'ils en ont peur. Le monde émis par Prajāpati était fondé sur la peur de l'année; dans le monde du Bienheureux Kṛṣṇa, tout repose encore sur la crainte: «C'est parce qu'il a peur de moi que souffle le Vent, dira le Seigneur; c'est parce qu'il a peur de moi que brille le Soleil; et si Indra déverse ses pluies, si Agni brûle et que Mṛtyu (la Mort) rôde, c'est [toujours] par crainte de moi» (III 25, 42). Kṛṣṇa incarna le Temps (cf. BhG 11, 32). L'effroi que ce Dieu suscite fait évoluer le monde comme il est avec tous ces êtres qui le composent et qui y jouent des rôles spécifiques (cf. BhP III 29, 37-45). On croirait que ce jugement porté sur le monde est sans appel; pourtant, le Bienheureux Kṛṣṇa est aussi celui qui dépasse toutes choses, il est l'essence de tous les êtres et il est le seul à pouvoir supprimer la peur intense suscitée par le *saṃsāra* (cf. III 25, 41). Kṛṣṇa est le Temps de la peur; il est également Celui que craint même la Peur (*yad bibheti svayaṃ bhayam*, I 1, 14).

Kṛṣṇa, dans la *Gītā*, disait ne jamais cesser d'agir (3, 22) bien qu'il n'était pas lié par son action. Ce Dieu sous-tendait le Temps de l'agir tout en en dépassant tous les conditionnements. Le BhP se plaît à résumer la vie d'*avatāra* de Kṛṣṇa en multipliant de semblables paradoxes. Une question du sage Uddhava inclut dans ces paradoxes le fait que Kṛṣṇa ait vécu la peur alors qu'il ne devrait pas y être soumis. «Tu es dans l'action alors que tu es hors du champ de l'action, tu es né alors que es sans naissance, tu as fui par peur de l'ennemi et es allé te réfugier dans la forteresse [de Dvārakā] alors que tu es l'essence du Temps [qui détruit tout], tu as épousé dix mille jeunes femmes alors que tu [es la Béatitude suprême et] prends plaisir en toi-même: voilà bien de quoi intriguer l'esprit des sages de ce monde!» (III 4, 16). Pendant son enfance chez les bouviers, l'espiègle petit Kṛṣṇa sera vertement réprimandé par sa mère Yaśodā. Pour le punir, elle l'attache avec une corde à un gros mortier. Faisant allusion à cet épisode, le BhP fera cette réflexion: «Quand la bouvière (Yaśodā) que tu venais d'offenser prit une corde [pour t'attacher], je le constate avec confusion, toi que même la Peur craint, dans ta crainte tu penchais la tête et montrais des yeux où se mêlaient larmes et collyre» (I 8, 31). Mais le contraire est aussi vrai. Tandis que bouviers et bouvières étaient saisis de terreur en apercevant la cadavre de l'ogresse Putānā que le petit Kṛṣṇa venait de terrasser, lui Kṛṣṇa il jouait sur sa poitrine sans manifester aucun signe de frayeur (*akutobhayam*, cf. X 6, 17-18).

Kṛṣṇa agit donc sans agir, il naît alors qu'il n'est point né, il aime sans avoir besoin de le faire, il craint et est étranger à la peur. Mais l'on peut aussi regarder les choses du point de vue des méchants qui s'opposent à Kṛṣṇa, le BhP ne s'en prive pas. Kṛṣṇa est venu sur terre pour tuer le roi Kaṃsa, une réincarnation de l'Asura Kālanemi. Cet être pervers a usurpé le trône d'Ugrasena et il est un péril pour tous les Yadu du royaume de Mathurā. Il s'acharne d'abord sur les six premiers fils de Vasudeva et de Devakī qu'il tue impitoyablement tandis que Saṃkarṣaṇa et Kṛṣṇa échapperont à la mort grâce à un subterfuge de Vasudeva. Kaṃsa sait que le danger viendra du huitième des fils de Vasudeva (X 1, 60). Avec ses pareils, il met tout en oeuvre pour tuer Kṛṣṇa à tel point que les dieux même prennent panique (X 4, 34). À mesure que passent les années, Kaṃsa se sent de plus en plus menacé par la force de Kṛṣṇa et de son aîné (X 36, 23). Quand il apprend que ces deux enfants ont brisé son arc, c'est la terreur qui l'habite et il ne peut plus dormir (X 42, 27-31). Ceux-ci, à l'invitation du roi, montent sur le théâtre que l'on a disposé pour ce genre de jeux, défont les lutteurs qui leur sont opposés. Soudain, Kṛṣṇa fond sur son ennemi, le renverse de son trône en l'empoignant par la chevelure et traîne son cadavre dans l'arène. Kṛṣṇa triomphe, on s'y attendait; ce qui surprend, c'est que cette défaite assure à Kaṃsa sa libération. «Parce que Kaṃsa, toujours tremblant au fond du coeur à la pensée de l'Être suprême, soit qu'il bût ou qu'il mangeât, qu'il se promenât, qu'il dormît ou qu'il respirât, l'avait vu face à face, le disque à la main, il a obtenu la faveur bien rare de se réunir à sa divine essence» (X 44, 39). Kaṃsa devint l'exemple par excellence de celui qui a vécu dans la phobie et pour qui cette phobie s'est muée en moyen de salut. Quand il explique à Yudhiṣṭhira pourquoi Śiśupāla, après avoir été tué par Kṛṣṇa qu'il haïssait, avait gagné d'être réuni à sa substance, Nārada élargit le problème et englobe dans sa réponse tous ceux qu'une passion totale a rapprochés de Kṛṣṇa.

> C'est ainsi que les adversaires du bienheureux Kṛṣṇa, qui est le Seigneur caché sous l'apparence trompeuse d'un homme, purifiés de leurs fautes pour avoir songé à lui avec des sentiments de haine (*vaira*), se sont réunis à sa substance.
>
> Ils sont nombreux ceux qui ayant porté leur pensée sur le Seigneur par un sentiment d'amour (*kāma*) ou de haine (*dveṣa*), de crainte (*bhaya*), d'attachement (*sneha*) ou de dévotion sincère (*bhakti*), ont obtenu, purs de ces souillures, le salut qui vient de lui.
>
> Les bouvières s'unirent à lui par l'amour (*kāma*), Kamsa par la crainte (*bhaya*), le roi de Cedi (*Śiśupāla*) et les autres princes par la haine (*dveṣa*), les Vṛṣṇi par les liens de la parenté (*saṃbandha*), toi et les tiens par l'affection (*sneha*); nous, seigneur, c'est la dévotion (*bhakti*) qui nous a identifiés avec lui (VII 1, 28-30).

Et pourquoi en est-il ainsi? Quand on ne distingue pas le principe spirituel du principe matériel, poursuit Nārada qui veut ainsi réduire les doutes de Yudhiṣṭhira concernant le salut du roi de Cedi, on s'expose à tout confondre et surtout on s'imaginera qu'il faut poser des jugements sur les conduites des gens, les blâmer, les louanger, les mépriser ou les respecter. L'Être suprême, quand bien même il punit, n'éprouve pas de haine. Il laisse tout simplement s'exercer les forces internes à la nature, les dynamismes naturels des actes.

> Aussi l'inimitié comme l'absence de haine, la crainte comme le désir, effet de l'affection, sont également des moyens de s'unir à lui; il n'y fait pas de différence.
>
> Oui, j'en ai la ferme conviction, l'homme ne s'identifie pas aussi sûrement à la nature de Bhagava par la pratique de la dévotion que par le sentiment de la haine (VII 1, 25-26).

Le sage Sūka dira de même au Livre X: «Quiconque en effet éprouve pour Hari amour (*sneha*), colère, crainte ou affection, quiconque lui est uni et dévoué, toujours celui-là s'identifie avec lui» (X 29, 15). Si Kṛṣṇa ne fait pas de différence entre ces divers sentiments, c'est qu'ils s'enracinent tous dans le *svadharma* de chacun; c'est que ces sentiments correspondent au rôle que chacun doit jouer dans le monde. De ce point de vue, la pratique de la dévotion n'est pas un plus sûr moyen de s'unir à la divinité que le sentiment de haine le plus total. Dévotion, haine, amour ou peur correspondent à la tendance fondamentale qui définit un être particulier, une catégorie spécifique de vivants. Il n'y a plus ici d'opposition irréductible entre bons et mauvais, entre purs et impurs, entre Deva et Asura. Tous concourent au bien de l'univers et tous méritent s'ils accomplissent leur devoir du plus profond d'eux-mêmes de retourner au Seigneur suprême.

Mais il faut aller plus loin dans la réflexion et comprendre que toutes les créatures bonnes et mauvaises, douces et cruelles, ne sont dans cette perspective que des *rūpa*, des aspects que peut prendre la divinité au cours de son jeu cosmique. Quand Vasudeva, le père de Kṛṣṇa, cherche à s'expliquer pourquoi Kaṃsa a pu se montrer si implacable envers lui et envers ses fils, il dira: «Sous l'empire du chagrin, de la joie, de la crainte, de la haine, de la cupidité, de l'aveuglement et de l'orgueil qui les possèdent, ceux qui ne voient que les êtres particuliers ne voient pas que c'est l'Être suprême (*bhāva*) qui se frappe lui-même par la main des êtres (*bhāvaiḥ*)» (X 4, 27). Peut-être plus clairement au Livre VII, il est dit: «Quoique Bhagavant, l'être incréé et insaisissable aux sens, qui est supérieur à la Nature, soit exempt de qualités, il a, en s'unissant à un des attributs de sa Māyā, pris le rôle de meurtrier des coupables» (VII 1, 6). Kṛṣṇa est présent dans tous les êtres bien qu'il les dépasse infiniment. On peut dire qu'il joue sur la scène du monde tous les rôles, bien que la plupart des êtres restent prisonniers des sortilèges de sa *māyā* et n'ont pas conscience de leur relation au Bhagavant.

Conclusion

Le paradoxe du Dieu qui a peur et qui en même temps demeure inaccessible à la peur tient en fait à la façon dont les théologiens hindous ont réfléchi sur les rapports entre Dieu et les hommes. Ils ne parlent pas d'un Dieu qui cherche à faire alliance avec l'homme; ils conçoivent d'emblée leur Dieu comme un Acteur, comme l'Acteur suprême ou le Danseur suprême et assimilent le monde à un théâtre où celui-ci peut se manifester à son gré et de multiples façons. Le symbolisme théâtral permet de traduire à la fois la distance qui sépare Dieu et le monde, et la présence de ce même Dieu au monde. Kṛṣṇa intervient dans le monde, il s'y manifeste (*avatāra*) sous des costumes divers, des déguisements sans nombres, des maquillages variés. Mais Kṛṣṇa n'est pas à confondre avec le monde: il est la Personne suprême (Puruṣottama) que le sage discerne sous les personnages qu'il s'amuse à jouer sur la scène cosmique. Autant le théâtre indien utilise le mythe comme inspiration, autant le mythe s'abreuve au théâtre dont il reprend subtilement le vocabulaire, la technique, les thèmes.

D'autre part, on comprend mieux ce que Kṛṣṇa dans la *Gītā* propose comme solution à Arjuna qui a peur. Arjuna doit se débarrasser de ce sentiment grossier. Un être noble, un héros comme lui, ne saurait s'abandonner à la peur comme un Kaṃsa ou à la haine comme un Śiśupāla. Cela contredirait son devoir d'état. Mais la dévotion amoureuse, l'abandon total qu'il réclame de lui, comme la frayeur qu'il lui fait éprouver au ch. 11 sont de ces sentiments épurés (*rasa*) qui supposent une acceptation du Seigneur et de son jeu dans le monde. Expérimentant la *māyā* du Seigneur sans se laisser aveugler par elle, Arjuna jouera son rôle de guerrier avec héroïsme, vaincra des ennemis faits pour se complaire dans la peur et dans la haine de Kṛṣṇa, et recevra comme eux au terme de cet immense jeu cosmique de retourner auprès du Maître du spectacle.

Commentaires sur «La Peur d'Arjuna»

Paul-Eugène Chabot

Un spécialiste des religions orientales discuterait sans doute de la justesse et de la finesse de l'interprétation de l'auteur. Mon propos est plus modeste. Je me contenterai d'établir quelques parallèles «à première vue», plus précisément quelques contrastes entre l'hindouisme et le christianisme face à la peur.

1. La première peur dont il est question, c'est la peur face à Dieu. Lorsque Krisna se révèle tel qu'il est, comme dévorant le monde, il est source d'effroi pour le héros. Krisna n'arrive à le rassurer qu'en lui montrant une image de lui atténuée, si l'on peut dire.

Il en va tout autrement dans le christianisme. Sans doute, la crainte de Dieu n'est pas éliminée dans le Nouveau Testament. C'est le cas par exemple lors de la transfiguration, une scène qui n'est pas sans rappeler la manifestation de Krisna au héros sous deux formes différentes: «À cette voix [de Dieu], ils tombèrent la face contre terre, tout effrayés». Mais les disciples sont finalement rassurés par Jésus qui leur dit: «N'ayez pas peur». De façon générale, toute la ligne du Nouveau Testament est de révéler un Dieu Père selon une image qui n'est pas une représentation atténuée de Dieu, mais au contraire plus vraie.

Dans le même sens, on peut noter que dans l'évangile les disciples ont peur de Jésus lorsqu'ils le prennent pour un fantôme, et que leur peur disparaît lorsqu'ils reconnaissent que c'est lui. Le contraste est donc assez manifeste avec le cas de Krisna.

2. À côté de la peur face à Dieu, le texte parle de la peur face aux choses et aux personnes. Krisna essaie d'atténuer la peur du héros en lui montrant que le réel sensible est magie et théâtre, qu'il n'est pas la réalité vraie.

C'est une vision des choses qui me semble bien différente de celle du christianisme. Sans doute, les Pères de l'Église, dans l'interprétation de l'Écriture, vont dire que les réalités sensibles sont signes de réalités plus profondes. Mais la réalité des choses sensibles n'est pas niée ou diminuée pour autant. Dans le christianisme le plus traditionnel, l'assurance face au monde présent vient plutôt du fait que le monde présent doit laisser la place à un autre monde dont il est l'amorce. Dans le christianisme en effet, le temps n'est pas cyclique, et il embraye sur l'éternité, sans qu'il soit question d'une suite de naissances: «Aujourd'hui même tu seras avec moi en paradis».

L'approche chrétienne est-elle moins efficace que la vision hindouiste pour atténuer la peur? Chose certaine, l'évangile ne craint pas d'affirmer que Jésus lui-même a eu peur: «Il commença à ressentir tristesse et angoisse».

En conclusion, il me semble que le christianisme nous laisse bien davantage que l'hindouisme avec nos peurs. En ce sens, cette remarque de Marc sur la montée à Jérusalem me semble prophétique: «Jésus marchait devant et ils avaient peur». Comme d'ailleurs le christianisme nous laisse avec nos autres sentiments. L'apathie en terre chrétienne n'a guère été prônée que dans le courant illustré par les pères du désert. Le christianisme en effet n'atténue pas notre vision de la réalité. Il nous invite plutôt à changer la réalité en luttant contre la faim, la maladie et la mort et en changeant l'ordre social. Sans doute, les chrétiens n'ont pas toujours suivi un telle attitude en pratique. Il n 'en reste pas moins que c'est la vision des choses qui doit être la leur.

La peur face à la mort: le héros grec et Jésus de Nazareth

Rodrigue Bélanger

Introduction

Depuis quelques décennies, psychologues et psychanalystes s'appliquent à moduler la gamme des sentiments et des émotions qui s'échelonnent entre l'angoisse et le peur. On doit reconnaître avec Paul Diel que la psychologie classique avait toujours maintenu ces deux concepts dans la confusion [1]. Il semble que Kierkegaard ait été le premier à esquisser une distinction au siècle dernier lorsqu'il écrivait:

> On ne voit presque jamais le concept de l'angoisse traité en psychologie, je fais donc remarquer sa complète différence avec la crainte et autres concepts semblables qui renvoient toujours à une chose précise, alors que l'angoisse est la réalité de la liberté parce qu'elle en est le possible [2].

---

1. Cf. *La Peur et l'angoisse*. Paris, Petite bibliothèque Payot, 1968, pp. 31-73.

2. *Le Concept de l'angoisse*. Trad. Paris, Gallimard, 1969, p. 46. Dans sa réflexion, Kierkegaard donne un contenu existentiel et théologique à l'angoisse, à la différence d'Aristote, des Stoïciens et de S. Thomas qui se limitaient à la présenter comme une «passion de l'âme».

La distinction s'est considérablement affirmée et affinée depuis Kierkegaard. On peut en effet le constater à la lecture des nombreux ouvrages spécialisés qui abordent la question [3]. Il suffira, pour les besoins du sujet à traiter ici, de garder à l'esprit quelques éléments de distinction mis en relief par P. Diel:

> Le trait distinctif de l'angoisse «est précisément qu'elle envisage le mal futur et possible et qu'elle est, de ce fait — comme tous les sentiments — sous-tendue de représentations vives [4].

À quelque théorie qu'on se réfère — psychanalytique ou existentielle [5] — on est forcé de reconnaître que l'angoisse reste le plus souvent *sine materia*, qu'elle n'est pas, à proprement parler, structurée autour d'un objet défini ou identifiable; elle se présente essentiellement comme un état qui maintient le sujet dans un sentiment d'insécurité ou d'insatisfaction. En plus de la dimension du «futur» et du «possible» évoquée par Diel, il faudrait sans doute prendre en compte la référence à l'événement révolu dans la mesure où il a été déclencheur de frustration. En abrégeant à la limite, on peut retenir que l'angoisse garde toujours des contours imprécis dans ses causes et dans ses manifestations et qu'elle est habituellement reliée aux réalités existentielles problématiques telles que l'exercice de la liberté, le mal, la solitude de l'être et la finitude dans le devenir.

La peur, de son côté, renvoie à des concepts beaucoup plus précis et plus circonstanciés. Selon P. Diel, on peut la définir comme «la réplique émotionnelle à un traumatisme actuel provoqué par un danger réel» [6]. La prise de conscience s'établit ici à partir d'un danger objectif, imminent et généralement menaçant pour la conservation. Sans doute, ce danger peut revêtir un caractère plus ou moins cataclysmique et il peut faire l'objet d'une erreur d'appréciation de la part du sujet mais en

---

3. Retenons quelques titres majeurs: P. DIEL, *Op. cit.*, G. DELPIERRE, *La Peur et l'être*. Toulouse, 1974, J. BOUTONNIER, *L'Angoisse*. Paris, PUF, 1945. A. LE GALL, *L'Anxiété et l'angoisse*. Paris, PUF, 1976. M. ORAISON, *Dépasser la peur*, Paris, DDB, 1972. On trouvera aussi dans ces ouvrages les précisions qui s'imposent entre les manifestations dites «normales» et les manifestations dites «pathologiques» de l'angoisse et de la peur.

4. *Op. cit.*, p. 53.

5. Cf. M. ECK, *L'Homme et l'angoisse*. Paris, Arthème Fayard, 1964, pp. 29-69.

6. *Op. cit.*, p. 53.

général, il tombe sous le sens d'une façon non équivoque et aux yeux du sujet, il prend une forme bien incarnée *hic et nunc*.

Ces quelques éléments caractéristiques de la peur suffiront pour baliser la présente réflexion sur «la peur face à la mort». Le phénomène sera d'abord étudié à partir des attitudes et du comportement que la littérature de l'antiquité a prêtés au héros grec. Dans un deuxième temps, notre regard se portera sur les récits évangéliques qui nous font voir Jésus de Nazareth devant la perspective de sa mort prochaine.

Profil du héros grec

Le héros grec cumule en quelque sorte les traits moraux du courageux et du magnanime que nous présente Aristote dans *L'Éthique à Nicomaque*[7]. Ce portrait du héros restera même le modèle privilégié dans la culture occidentale: reproduit siècle après siècle à travers la morale ecclésiastique, il a gardé les mêmes attributs jusque dans les tragédies de Corneille et de Racine.

Doté d'une multitude de qualités, le courageux est, «au sens propre du mot, celui qui reste sans peur en face d'une belle mort et de toutes les conjonctures où il court le risque immédiat d'une telle mort, conjonctures qui se rencontrent par excellence à la guerre[8]...» Et pour faire exemple, Aristote cite alors *L'Iliade* en nous renvoyant aux figures de Diomède et d'Hector[9].

Le magnanime, de son côté, «est l'homme des grands dangers, et quand il affronte un danger, il n'est pas ménager de sa vie, car il pense que la vie ne mérite pas qu'on la conserve à tout prix»[10].

Le héros grec, comme le courageux et le magnanime, est par-dessus tout l'homme (*anèr*) de l'action, de cette action de qualité commandée par une noble cause ou par le Destin et qui

7. *L'Éthique à Nicomaque*. Introduction, traduction et commentaire de R.A. GAUTHIER et J.Y. JOLIF, Paris-Louvain 1958, liv. III, c.9-12, (pp. 74-83) et liv. IV, ch. 7-9, (pp. 102-109).

8. *Op. cit.*, p. 75.

9. *Op. cit.*, pp. 78-80.

10. *Op. cit.*, p. 105.

se joue le plus souvent à la frontière de la vie et de la mort [11]. Il dépasse ainsi l'existence du commun, voué qu'il est à établir sa véritable performance dans l'événement dramatique qui se prête à l'excès dans l'action.

Courage, grandeur d'âme, débordement dans l'action, mépris égal de la vie et de la mort, tels sont les traits saillants qui marquent le portrait du héros grec. Il faut noter par ailleurs, que le concept du héros reste à maints égards un concept polysémique. La magnanimité et le courage, par exemple, ne sont pas dans l'Antiquité l'apanage exclusif du héros guerrier ou du héros de l'exploit physique. Le sage partage en effet des attitudes communes avec le héros: l'un et l'autre se mesurent en définitive aux forces de la vie et de la mort, l'un et l'autre se heurtent aux vicissitudes du Destin. Ils se rejoignent dans le même idéal du «vivre et mourir en homme» [12], dans le refus de la vie diminuée, frappée d'indignité face au devoir et à l'honneur. Pendant que le sage montre sa grandeur dans le culte du *logos* et l'attention au décret divin, le héros se distingue dans le culte du *ponos*, de l'effort, et l'audace devant le décret divin [13]. Au mépris que le sage affiche devant le Destin, le héros ajoute l'effort physique et moral pour maîtriser le Destin. En somme, le héros et le sage se rejoignent et se complètent dans l'intensité du rapport qu'ils entretiennent chacun à sa façon avec la vie, la souffrance et la mort.

Le héros grec sur les chemins de la peur

J. Delumeau a bien montré comment la peur a été taxée d'infamie tout au long de l'histoire [14]. La peur est là présente à travers les guerres, les invasions, les épidémies, les calamités naturelles et les méfaits de la sorcellerie, mais elle reste occultée au nom du courage, du patriotisme et de la noblesse des sentiments. G. Delpierre démasque cette ambiguïté jusque dans le comportement individuel: «Le mot 'peur', affirme-t-il, est

---

11. Voir, en se sens, le lumineux portrait du héros grec esquissé par A.J. FESTUGIÈRE dans son petit ouvrage: *La Sainteté*. Coll. «Mythes et religions» no 9, Paris, PUF, 1949, pp. 27-68.

12. A.J. FESTUGIÈRE, *Op. cit.*, p. 48.

13. *Id. loc.*, pp. 61-62.

14. *La Peur en Occident*, Coll. «L. de Poche», no 8350, Paris, Fayard, 1978, pp. 11-21.

chargé de tant de honte que nous la cachons. Nous enfouissons au plus profond de nous la peur qui nous tient aux entrailles»[15]. On ne peut que penser ici à l'attitude de Tom dans *Le Mur* de Sartre: condamné au peloton d'exécution, il parvient à contenir sa peur devant ses deux camarades et devant son gardien, mais il ne parvient pas à retenir sa vessie[16].

L'histoire de la peur n'est finalement autre chose que l'histoire d'une magistrale feinte répétée siècle après siècle devant la vie, le danger, la souffrance et la mort. L'idéal du héros grec qui «marche sur sa peur» a trouvé des répliques légendaires dans l'intrépidité altière de Roland le preux chevalier et dans la désinvolture belliqueuse de Bayard, «le chevalier sans peur et sans reproche». La peur a été et est restée une sorte de non-lieu de la vie, un espace déchu de l'héritage historique et de la condition humaine.

L'Antiquité présente sur ce chapitre de nombreux exemples éloquents. Le héros donne l'impression de se mesurer davantage à la puissance aveugle et aux caprices des dieux qu'aux situations dramatiques de la vie et aux forces déchaînées de ses congénères. Il se doit justement, au dire de la reine Didon exaltant le courage d'Énée, «d'être de la race des dieux» et d'ignorer la crainte puisque «la crainte décèle des âmes viles»[17].

Le héros grec se dresse ici comme une figure de proue qui trouve tout son relief dans les personnages d'Achille et d'Héraclès. Festugière campe leur attitude respective dans les perspectives suivantes: le premier «aime mieux mourir que trahir un ami ou une noble cause»; le second «accepte de vivre même au milieu des épreuves, car il prouve ainsi son héroïsme»[18]. Ces deux modèles tiendront le premier plan dans notre réflexion, non pas tant à travers la grandeur de l'exploit recherché et accompli qu'à travers le spectre de la peur qui les guette à chaque rebondissement de l'action et qui plane en permanence sur leur entourage.

Dans *L'Iliade*, la volonté de vaincre et le sens de l'honneur habitent également Achille et Hector, même si les enjeux et les

15. *La Peur et l'être*. Toulouse, 1974, p. 7.

16. *Le Mur*. Coll. «Folio» no 68, Paris, Gallimard, 1972, p. 25.

17. *L'Énéide*, IV,13. Trad. M. RAT, Paris, Garnier Frères, 1955, t.1, p. 149.

18. *Op. cit.*, p. 37.

embûches se présentent autrement pour l'un et pour l'autre. Les deux héros consultent, calculent, hésitent, au risque de s'enfermer dans leur stratégie et dans leurs travers humains; d'escarmouche en escarmouche, d'assaut en assaut, l'issue du combat demeure incertaine. Dans les deux camps, on s'exhorte au courage, on appelle la faveur des dieux à travers clameurs et suppliques; mais par-dessus tout, on essaie de conjurer la peur qui hante les troupes et qui menace à chaque mouvement de dégénérer en flirt fatal avec la défaite.

Tout au long du siège, une multitude d'interventions se succèdent pour endiguer la peur et éviter la honte de la déroute. Ainsi, Ulysse qui veut inciter ses chefs au combat affirme qu'on ne peut faire peur qu'aux lâches [19]; Agamemnon renchérit devant un groupe de soldats en les prévenant que la divinité ne soutient ni les fourbes ni les pleutres [20]; Diomède, déjà blessé, se conforte à l'approche de deux Troyens redoutables en se rappelant que la divinité ne permet au héros ni de trembler ni d'esquiver le danger [21]; à nouveau, Ulysse, qui affronte seul un groupe de Troyens, déclare: «Grand est le mal, si je fuis devant le nombre, par peur... Je sais que les lâches s'écartent de la lutte; mais qui excelle au combat doit tenir pied vaillamment, qu'il soit frappé ou frappe l'adversaire» [22]; enfin, c'est dans le danger immédiat «surtout que se reconnaît la valeur des guerriers, là que le lâche et le brave apparaissent» [23].

L'action se noue vraiment au moment où Achille, jusque-là endurci dans sa querelle avec Agamemnon, apprend la mort de son ami Patrocle. Dépouillé de ses armes, il gît accablé par la douleur. C'est Iris, venue de la part d'Héra, qui le rappelle au devoir de l'honneur et de la vengeance: «Debout! Ne gis plus là, inerte! Que la honte gagne ton coeur, à la pensée de Patrocle devenant la jouet des chiennes de Troie. Quel opprobre pour toi, si ce cadavre, outragé, nous quitte» [24].

À partir de cet instant, Achille retourne au combat et se prépare à l'affrontement décisif avec Hector. En dépit de ses

19. *L'Iliade*. Trad. EUGÈNE LASSERRE, Paris, Garnier Frères, 1960, chant II, p. 24.

20. *Id. loc.*, ch. IV, pp. 63-68.

21. *Id. loc.*, ch. V, p. 80.

22. *Id. loc.*, ch. XI, pp. 194-195.

23. *Id. loc.*, ch. XIII, p. 229.

24. *Id. loc.*, ch. XVIII, p. 336.

talents de guerrier et de son courage, ce dernier suppute ses chances, car il sait d'expérience que «toujours l'esprit de Zeus est plus fort que celui d'un homme»[25] et que la peur peut à nouveau l'envahir comme une malédiction divine pour le «tourner vers la fuite»[26]. C'est dire que la bravoure qui fait honneur au héros est soumise elle-même aux «balances sacrées» des dieux qui peuvent à l'improviste «envoyer une défaillance»[27]. La peur fait alors surface comme une sorte de message mortel qui vient ruiner toutes les chances du héros.

Achille et Hector se retrouvent face à face pour une première rencontre. Chacun s'efforce d'établir son mérite et de faire bonne contenance devant l'adversaire. Encore là, il importe par-dessus tout de se montrer affranchi de la peur. Hector met ainsi le fils de Pélée en garde: «Ne vas pas, par des paroles, comme si j'étais un enfant, espérer me faire peur»[28]. On se mesure alors brièvement dans quelques passes d'armes, mais Achille décide soudainement de diriger sa fureur vers d'autres Troyens en prévenant toutefois Hector qu'une «autre rencontre» lui sera fatale[29].

En dépit des avertissements répétés qu'on lui a prodigués, Hector marche une deuxième fois contre Achille. Au coeur de l'engagement, il prend conscience que Zeus l'abandonne encore et que la mort le guette. La mauvais sort ne l'empêche pas cependant d'afficher une fière assurance: «Maintenant, voici près de moi la mort; elle n'est plus loin; plus de refuge... Pourtant, ne périssons pas sans courage, ni sans gloire, mais après quelques grands exploits, qui passent même à la postérité»[30].

Ce sont là les dernières paroles d'Hector avant l'assaut qui lui vaudra une blessure mortelle. Pour lui comme pour Achille, le sens de cette rencontre ultime s'est progressivement déplacé dans la perspective suivante: menée *d'abord* au *service de la patrie* ou par devoir *d'amitié*, l'action s'est finalement centrée

25. *Id. loc.*, ch. XVI, p. 302-303
26. *Id. loc.*, ch. XVI, p. 302.
27. *Id. loc.*, ch. XVI, p. 302.
28. *Id. loc.*, ch. XX, p. 374. Achille a déjà entendu ce propos textuellement dans la bouche d'Énée: ch. XX, p. 367. Antérieurement, on avait pu lire que la peur est le lot de «l'enfant gâté»: ch. XIII, p. 235.
29. *Id. loc.*, ch. XX, pp. 374-375.
30. *Id. loc.*, ch. XXII, p. 403.

sur la performance des deux héros et sur leur idéal du «vivre, combattre et mourir en homme» au *bénéfice de la gloire*.

Ce bref survol de *L'Iliade* nous aura fait voir que la peur côtoie le plus souvent l'acte de courage mais qu'elle est noyée dans le mépris, qu'elle reste en toutes circonstances un réflexe honni par le héros et par ses pairs.

L'*Héraclès* d'Euripide nous met en présence d'un héros qui s'est couvert de gloire dans une multitude d'exploits solitaires et qui se retrouve soudain face à lui-même, aux intrigues de la cour et à la vindicte des dieux. Au début, Lycos qui craint de voir les fils d'Héraclès monter un jour sur son trône ironise sur les hauts faits de ce héros chasseur: «Quel exploit si imposant a donc accompli ton époux en tuant l'hydre du marais ou la bête de Némée?... Il s'est acquis une réputation de bravoure — lui un homme de rien — à lutter contre des bêtes. Jamais il n'a tenu de bouclier à son bras gauche, ni affronté une lance; mais portant un arc, la plus lâche des armes, il était toujours prêt à la fuite» [31].

On sait comment Héraclès, revenu auprès des siens, parvient à les soustraire à la cruauté de Lycos, qu'il exécute ensuite de sa main. Mais c'est là que se joue le paradoxe de son destin tragique: après tant d'exploits, il risque maintenant d'éclipser les dieux et ainsi «l'humanité aura la puissance, s'il n 'est pas puni» [32]. Il se voit aussitôt livré à l'empire maléfique d'Héra, l'épouse de Zeus, et dans un accès de démence où il croit frapper la progéniture d'Eurysthée, il tue lui-même ses trois fils et sa femme [33].

Après un moment de somnolence, Héraclès, hébété, comprend progressivement l'ampleur de son geste meurtrier. Son premier réflexe en est un d'anéantissement de lui-même [34]. Son courage de héros s'est affaissé et le suicide lui apparaît comme l'issue logique de son infortune.

Survient alors son ami Thésée qu'il a sauvé jadis de l'Hadès. Le dialogue s'engage autour de ce «destin contraire» qui a frappé. Héraclès crie sa révolte contre la divinité qui «le brave» et argue que «la mesure est comble», qu'«il y a une

---

31. EURIPIDE, *Théâtre complet*, Paris, Garnier-Flammarion, 1966, t. 3, p. 169.

32. *Id. loc.*, p. 187.

33. *Id. loc.*, pp. 187-192.

34. *Id. loc.*, pp. 195-197.

limite au courage»! Thésée le reprend sévèrement en lui rappelant qu'«un mortel bien né supporte les coups portés par les dieux et sait s'y résigner» et que parler de suicide dans son cas, c'est «tenir le langage d'un homme du vulgaire» [35]. Finalement, le héros abandonne son dessein et comprend que sa réputation de courage lui interdit de se laisser terrasser par les mauvais coups du sort et les machinations des dieux:

> Je crains, tout accablé de maux que je sois, d'être accusé de lâcheté si je renonce à la lumière. Celui qui ne sait pas supporter les infortunes ne pourrait pas non plus affronter l'arme d'un ennemi. J'attendrai la mort de pied ferme [36].

On aura remarqué chez Héraclès deux réflexes successifs, comme le souligne bien Festugière:

> Tout d'abord Héraclès se révolte. C'est le réflexe premier de l'homme qui souffre, dès là qu'il voit la cause de son mal dans l'arbitraire d'un dieu personnel...
>
> Ce réflexe de l'instinct fait place à un second mouvement, celui-ci du vouloir, où apparaît l'essence même de l'héroïsme. Qui se nomme Héraclès, qui a vécu comme Héraclès, ne peut agir comme le premier venu. Celui qui a pris sur soi tant d'épreuves ne peut faire figure de peureux. Alors, après un dernier adieu à son père et aux cadavres, qui gisent à ses pieds, de sa femme et de ses enfants, le héros se relève, sans espoir, sans illusion, bien assuré que jusqu'au dernier jour sa vie ne sera plus que souffrance, mais conforté par la pensée qu'il ne se trahit pas lui-même, qu'il ne trahit pas son idéal [37].

Héraclès se situe ici au-delà de la peur qu'il a vaincue à travers ses aventures périlleuses; son courage se mesure maintenant à la douleur qui le brise, aux limites de sa condition d'homme et à la fidélité qu'il se doit à lui-même et qui le lie à son idéal héroïque.

Sur unc trame dramatique différente, *L'Iliade* d'Homère et l'*Héraclès* d'Euripide présentent, nous semble-t-il, des figures de héros assez ressemblants. S'ils s'efforcent ou s'ils feignent de triompher de la peur, ils le font d'abord dans un idéal centré sur eux-mêmes: rester fidèles à sa renommée, tremper son courage, accroître son capital de gloire. Les autres considérations, si

---

35. *Id. loc.*, pp. 200-202.
36. *Id. loc.*, p. 204.
37. *Op. cit.*, pp. 55-56.

nobles soient-elles, jouent en définitive un rôle subsidiaire et viennent en écho conférer une portée plus populaire à leurs exploits.

Il serait intéressant, dans une perspective élargie, d'explorer les courants de la sagesse antique pour analyser la conception de la peur qui s'y fait jour et les différentes voies proposées pour l'exorciser. Il est certain que la figure du héros a inspiré la réflexion [38]. On remarque par ailleurs que le sage prend progressivement ses distances par rapport au diktat des dieux. Il méprise la peur au nom du courage qu'il puise en lui-même et de la liberté qu'il se donne devant les contingences de la vie. Dans le *Phédon*, le philosophe prend le pas sur le héros quand Socrate le propose comme le modèle du bien vivre et du mourir sans peur: «Les vrais philosophes s'exercent à mourir et ils sont, de tous les hommes, ceux qui ont le moins peur de la mort» [39]. Cela, parce que, selon les propos même de Socrate à ses juges, «la mort est un bien...», la mort fait qu'on «est délivré de toute peine» [40].

Pour terminer avec l'épicurisme et le stoïcisme, on peut sans doute, en évitant de disqualifier la distinction préalablement établie, appliquer à la peur ce que M. Eck dit à propos de l'angoisse:

> Épicurisme et stoïcisme furent des réactions en face de l'angoisse qui poursuit l'homme de sa naissance jusqu'à la mort. Les buts poursuivis sont identiques mais les moyens proposés radicalement différents. On pourrait presque essayer une comparaison biologique. Épicure agit en évitant le contact avec l'angoisse et la mort: il évite la contagion, la contamination. Les stoïciens agiront à l'inverse en se désensibilisant à l'angoisse de la mort par le fait d'être toujours en présence d'elle. Zénon vaccine pour immuniser le patient, Épicure préfère le préserver par l'élimination de l'agent contaminant. Épicuriens et stoïciens disposent tous deux d'un même mot pour désigner l'état de paix sans

38. Voir, entre autres références, ARISTOTE évoquant le courage de Diomède et d'Hector dans *L'Éthique à Nicomaque*, trad. Gauthier et Jolif, pp. 78-80 et PLATON qui cite en modèle les figures d'Alceste et d'Achille dans *Le Banquet,* trad. L. ROBIN, Coll. «Liv. de poche classique» no 2186, Paris, Gallimard, pp. 116-117.

39. *Phédon*, XII, p. 116 dans *Apologie de Socrate, Criton, Phédon*. Trad. et notes par E. CHAMBRY, Paris, Garnier-Flammarion, 1965.

40. *Apologie de Socrate* XXXII et XXXIII, *Id. loc.*, pp. 53 et 54-55.

angoisse: l'ataraxie. C'est le but qu'ils poursuivent par des chemins opposés [41].

Jésus de Nazareth devant l'éventualité de sa mort

La vie terrestre de Jésus nous est rapportée dans les textes évangéliques à travers des récits et des témoignages qui laissent dans l'inconnu une large part de son expérience intérieure. Il peut ainsi devenir illusoire de forcer la recherche sur ses intentions et sur les sentiments qui ont inspiré son action. Sur ce terrain plus que sur tout autre, il faut donc consentir à composer avec les exigences de la critique littéraire. Les précautions qui s'imposent dans l'approche des sources ne sauraient toutefois donner entièrement raison au *non possumus* bultmannien:

> La gêne la plus grande qu'éprouve celui qui veut tenter de reconstruire le portrait moral de Jésus tient au fait que nous ne pouvons pas savoir comment Jésus a compris sa fin, sa mort... Lui a-t-il trouvé un sens? Et si oui, lequel? Nous ne pouvons pas le savoir [42].

Certes, il serait vain de vouloir éclairer l'attitude profonde de Jésus face à sa mort en prenant uniquement appui sur un tri de textes prélevés dans les récits de la Passion, ces textes fussent-ils savamment homologués dans leur authenticité pré-pascale. Le sens que Jésus a pu donner à sa mort violente ne peut en effet émerger que dans un retour attentif sur l'ensemble de sa prédication et de son action. Ce «parti pris» permet, croyons-nous, de nuancer l'idée qui veut que la mort de Jésus n'ait été que la réponse inconditionnelle au dessein éternel de Dieu, par delà la liberté humaine du Fils et les médiations historiques qui ont jalonné son itinéraire terrestre.

Les études menées dans cette perspective ont donné des résultats nettement positifs [43]. Le bref aperçu que nous en don-

---

41. *L'Homme et l'angoisse*. Paris, Arthème Fayard, 1964, pp. 136-137.

42. R. BULTMANN, *Das Verhältnis der urchristlichen Christusbotschaft zum historischen Jesus* (AAH, H.3). Heildeberg, p. 11, cité par H. SCHÜRMANN, *Comment Jésus a-t-il vécu sa mort?* Coll. «Lectio divina» no 93, Paris, Cerf, 1977, p. 21.

43. Pensons, par exemple, à quelques publications récentes telles que: J.-L. CHORDAT, *Jésus devant sa mort*. Coll. «Lire la Bible», no 21, Paris, Cerf, 1970; X. DE CHALENDAR, *Mort sous Ponce Pilate mais toujours vivant*. Paris, Fayard, 1971; H. SCHÜRMANN, *Op. cit.*; X. LÉON-DUFOUR, *Face à la mort de Jésus et Paul*. Paris, Seuil, 1979; P. GRELOT, *Dans les angoisses l'espérance*. Paris, Seuil, 1983.

nons ici servira d'arrière-plan à la question plus précise qui nous intéresse sur la peur de Jésus face à sa mort prochaine.

Au point de départ, on se ralliera aisément à la conclusion suivante proposée par H. Schürmann, au terme d'une analyse nuancée de l'activité publique de Jésus et des oppositions qu'il a rencontrées dans son milieu:

> La mort de Jésus était donc inscrite déjà dans son activité, comme la conséquence de celle-ci; en tant que résultat final, il faut donc l'expliquer par tout un ensemble de facteurs qui, pris isolément (comme des moments dangereux), étaient déjà chargés de menaces. Lorsqu'on fait la somme des dangers qui viennent d'être signalés, on est en droit de conclure que Jésus pouvait — et à vrai dire devait — compter sérieusement sur l'éventualité d'une mort violente... c'est là un point qui est largement reconnu par la recherche actuelle [44].

Le sens que Jésus a voulu donner à cette mort violente éclate dans la tradition néo-testamentaire d'abord et avant tout à travers la lumière de la résurrection. Car la résurrection s'impose d'emblée comme le sens ultime attestant l'agrément de Dieu pour le projet de Jésus. Ce n'est pas dire pour autant que ce «sens ultime» a échappé à Jésus lui-même au cours de sa vie terrestre, encore moins qu'il a vécu la perspective de sa mort dans une sorte de fatalité, sans s'efforcer de concilier ce destin absurde avec sa mission. Au contraire, l'exégèse des textes évangéliques conduit à une tout autre position:

> non seulement Jésus a regardé sa mort en face et exprimé sa ferme espérance de la vie avec Dieu au-delà de la mort et de la résurrection «au troisième jour», mais il a explicitement *donné un sens* à cette mort qui semblait contredire sa mission de façon absurde [45].

Ce serait déborder le cadre de notre propos que d'étayer ici cette conclusion partagée à quelques nuances près par plusieurs exégètes [46]. Qu'il suffise de retenir, au terme de cette enquête menée en survol, que *Jésus a été en mesure de prévoir sa mort*

---

44. *Op. cit.*, p. 41.

45. P. Grelot, *Op. cit.*, pp. 195-196. C'est l'auteur qui souligne son affirmation.

46. Cf. J.-L. Chordat, *Op. cit.*, pp. 59-79; X. De Chalendar, *Op. cit.*, pp. 37-133; H. Schürmann, *Op. cit.*, pp. 21-81; X. Léon-Dufour, *Op. cit.*, pp. 73-144; P. Grelot, *Op. cit.*, pp. 167-213. C'est Schürmann qui se montre le plus réservé sur la question: il «considère absolument comme «possible» ou

violente, qu'*il lui a donné un sens explicite* et que *ce sens* s'éclaire dans une démarche exégétique à même les trois grands thèmes de *l'annonce du Royaume*, de *la fidélité au Père* et du *salut de l'humanité pécheresse.*

Jésus traqué entre vie et mort

Les données recueillies jusqu'ici permettent d'en venir maintenant à l'attitude de Jésus au moment où il est confronté à la mort imminente. Si le sens que Jésus a voulu donner à sa mort se dégage tout au long de sa vie publique pour culminer dans les annonces de la Passion et les paroles de la dernière Cène, c'est à l'épisode de Gethsémani qu'il faut recourir pour mesurer l'intensité du drame intérieur qu'il a vécu face à sa mort.

En Jean (18,1-11), le caractère dramatique de l'événement est estompé pour garder en scène un Jésus parfaitement maître de la situation. «Sachant tout ce qui allait lui arriver» (v. 4), il se montre fermement déterminé à «boire la coupe» qui s'offre devant lui (v.11). C'est davantage en 12,23-36 que Jean nous laisse entrevoir les sentiments qui ont habité Jésus devant sa mort prochaine[47]. Dans le cadre d'un dialogue avec la foule, il déclare que son «heure» est venue: cette heure est tragique puisqu'elle sonne l'échéance inévitable de la mort, mais dans la perspective théologique qui domine ici, c'est le thème de la gloire à venir qui est maintenu au premier plan pour faire contrepoids au paradoxe «de la perte de la vie» en ce monde (vv.24-26). À un moment de son propos pourtant, Jésus laisse revenir l'idée de sa mort et il confesse que «son âme est troublée» (v.27); cet aveu rappelle dans les termes mêmes la réaction enregistrée par Jean devant le tombeau de Lazare (11,33). Même ordonnée à la gloire, la mort demeure la grande ennemie de la race humaine, le spectre hideux qui dégrade les plus beaux projets. À ce point

peut-être même comme «vraisemblable» d'une certaine manière que Jésus ait attribué une signification salutaire à sa mort qu'il prévoyait, même si nous renonçons à interroger les paroles de la Cène et celle relative au *lytron* sur le contenu historique qu'elles peuvent avoir», p. 66.

47. Ce passage de Jean est régulièrement mis en parallèle avec l'épisode de Gethsémani dans les synoptiques.

que Jésus lui-même ne parvient pas à dissimuler son désir d'être «sauvé de cette heure» (v.27)[48].

Par delà l'inspiration théologique qui marque le texte de Jean, une chose nous apparaît certaine: c'est que Jésus n'a pu voir venir son «heure» dans une totale sérénité, sans ressentir ce «trouble» de l'âme qui exprime la solitude et l'angoisse du Fils rejeté des siens, trahi par un compagnon et injustement condamné à une mort infamante.

Les textes des synoptiques nous rapportent l'épisode de Gethsémani dans un vocabulaire qui traduit plus explicitement les sentiments humains de Jésus et le conflit intérieur qui a opposé sa volonté à celle de son Père. De nombreuses réserves ont été exprimées sur l'historicité du récit et plusieurs découpages ont été proposés pour classer les matériaux propres à chacun des livrets évangéliques[49].

On attribue généralement à Marc le noyau le plus ancien du récit en raison des sémitismes fréquents qu'on y retrouve; même en faisant la part d'un travail rédactionnel important chez Marc d'abord et dans les autres synoptiques, on est en droit d'affirmer que «ce récit n'est pas pure invention. Les premiers chrétiens savaient que Jésus avait réellement éprouvé l'agonie à la veille de sa Passion, sans toutefois briser le lien qui l'unissait au Père»[50]. L'essentiel est là, consigné avec des variantes dans les quatre évangiles et repris en écho fidèle dans un passage de l'épître aux Hébreux (5,7-9).

Les textes s'accordent donc pour nous présenter sans artifice un Jésus en situation d'«agonie»[51], en proie à la tristesse et à l'angoisse (Mc et Mt), secoué par un mouvement d'«effroi»

48. Sur les difficultés de ce texte, voir P. GRELOT, *Op. cit.*, pp. 203-204.

49. On peut consulter à titre d'exemple: A. FEUILLET, *L'Agonie de Gethsémani: enquête exégétique et théologique*. Paris, Gabalda, 1977; R. SCHNACKENBURG, *L'Évangile selon saint Marc*. Paris, Desclée, 1973, T.2, p. 271 s.; X. LÉON-DUFOUR, *op. cit.*, pp. 113-144.

50. X. LÉON-DUFOUR, *Op. cit.*, p. 117.

51. Le terme *agônia* qui est propre à Lc (22,44) évoque l'idée de combat, d'angoisse, de tribulation intérieure, Cf. F. ZORRELL, *Lexicon graecum Novi Testamenti*. Paris, Lethielleux, 1961, col. 21-22. Cet état pourrait sans doute se comparer au trac qui saisit quiconque doit donner une performance dans le risque et le danger.

(Mc)[52]. Luc, de son côté, dramatise encore davantage la scène en faisant intervenir l'image de la sueur de Jésus qui «devint comme des caillots de sang qui tombaient par terre» (22,44)[53]. Il associe directement le phénomène à la prière de Jésus pour en bien souligner et l'intensité et la difficulté au paroxysme d'une situation aussi déchirante.

On peut résumer les éléments importants, retenus dans l'ensemble des textes, en accord avec P. Grelot:

> La scène de Gethsémani manifeste ainsi le tiraillement entre la répugnace humaine ressentie par Jésus devant la perspective de la mort, et son amour filial que traduit un acte résolu d'obéissance: c'est à partir de cette obéissance, et non par une manifestation de puissance, que Jésus montrera ce que c'est pour lui que d'être *Fils* de Dieu[54].

À ce point de notre réflexion, il est important de reconnaître qu'en rendant compte de la tradition, les narrateurs de l'épisode de Gethsémani n'ont pas cherché à camoufler ou à travestir au profit de la divinité l'attitude humaine de Jésus face à sa mort. Au contraire, en dépit de l'embarras qu'ils ont pu ressentir dans le contexte apologétique qui était le leur, ils ne se sont pas refusé à parler de «tristesse», d'«angoisse» et d'«effroi» — disons franchement de peur — pour décrire la réaction humaine, réelle et normale de Jésus devant le supplice qui l'attendait. Bien avant nous, ses disciples ont ainsi trouvé avantage à faire connaître un Jésus à la fois «profondément humain et parfaitement fidèle»[55].

On doit convenir que devant ce drame de Gethsémani, l'équilibre humain-divin de Jésus inscrit dans les textes mêmes à travers les pôles résistance-fidélité demeure tout à fait fondamental pour une juste approche du mystère; la formule dogmatique «vrai homme et vrai Dieu» y trouve en effet son compte et sa vérité. D'autant plus que la subtilité théologique ne

52. L'expression *ekthambeisthai* se retrouve uniquement en Mc (14,33). Le verbe *ekthambéô* ajoute à la tristesse et à l'angoisse l'idée de *stupeur* (A. BAILLY, *Dictionnaire grec-français*. Paris, Hachette 1950), de perte de maîtrise de soi (préfixe *ek*), d'*horreur* et de *terreur* (F. ZORREL, *Op. cit.*, col. 397).

53. Ce détail, naguère suspect, est tenu maintenant pour authentique par la critique.

54. *Op. cit.*, p. 208.

55. X. LÉON-DUFOUR, *Op. cit.*, p. 116.

peut que conduire en ce cas à un double piège: on maquille d'abord habilement le réalisme de l'humanité de Jésus pour dériver dans un docétisme grossier qui nie jusqu'à la mort même en croix et, au bout du compte, on se retrouve en présence d'un misérable Dieu qui ne sait même pas se tenir devant la mort.

Ce genre d'exercice «théologique» n'est malheureusement pas absent de la tradition: X. Léon-Dufour se plaît à en rappeler quelques-uns [56]. On est finalement porté à croire qu'aux raisons idéologiques qui ont prévalu historiquement pour faire de la peur le lot des manants et des «âmes viles», sont venues tout simplement s'ajouter les raisons théologiques qui ont contribué à occulter les traits humains de Jésus — y compris la peur — dans l'intention dévote de ne pas faire échec à sa divinité.

Conclusion

La comparaison menée jusqu'ici parallèlement entre l'attitude du héros grec et l'attitude de Jésus devant la mort demande à être reprise plus brièvement dans une lecture synchronique. Trois points majeurs retiendront notre attention.

Tout d'abord, chez le héros grec comme chez Jésus, le danger réel de la mort est appréhendé dans une conscience vive. La lucidité exacerbée vient en quelque sorte ajouter au tragique du combat intérieur. Si la peur affleure chez le héros grec, tout est mis en oeuvre pour la dénier, tandis que chez Jésus, elle s'offre comme le miroir de la conscience aux prises avec l'horreur de la souffrance et le mal suprême de la mort. On remarque par ailleurs, de part et d'autre, que l'intensité du drame est telle qu'elle s'accommode mal de la solitude: on se retranche dans la communication pour atténuer la tension, on cherche recours dans la présence de conseillers et d'intimes.

Les différences s'affirment plus franchement au niveau du langage. La mort du héros grec se solde dans un discours où s'emmêlent le defi de la mort, l'idéal de la gloire et l'imprécation. La mort héroïque vient donner raison à la méfiance envers les dieux, envers le *Fatum* et elle consomme la rupture entre l'homme et la divinité. Chez Jésus, l'adversité et la perspective de la mort sont affrontées dans un langage où se lisent en

---

56. *Id. loc.*, pp. 139-140.

même temps la résistance humaine et la recherche de communion avec le Père. Finalement, c'est la prière qui l'emporte et la mort-rupture trouve son sens ultime dans l'obéissance et l'alliance avec Dieu.

À un autre niveau, la différence entre le héros grec et Jésus se laisse percevoir à la lumière des motivations exprimées dans l'initiative intrépide. L'action du héros grec s'inscrit dans un ordre de fins qui ramènent le sujet sur lui-même: le mouvement va de la noblesse de la cause au dépassement de soi, à la recherche de la gloire et, pour finir, à l'auto-contemplation. M. Oraison a sans doute bien campé cette attitude quand il parle de «retour contemplatif sur soi-même... En effet, ajoute-t-il, le héros donne sa vie pour une *idée* qui est la *sienne*»[57]. La mort de Jésus, au contraire, se situe dans l'ordre du don de soi, comme expression de la fidélité à son propre projet et au Père qui l'a envoyé. En effet, le projet du salut de l'humanité dans l'Alliance renouvelée et la soumission à la volonté du Père viennent supplanter son désir légitime de vivre ici-bas et l'exaltation de sa volonté personnelle.

---

57. *Dépasser la peur*. Paris, DDB, 1972, p. 51. C'est l'auteur qui souligne son texte.

Jésus et la peur

Arthur Mettayer

La littérature universelle abonde de récits où les héros ne semblent pas affectés par la peur. Sans se démentir, ils sont courageux, braves, intrépides. Par contre les gens ordinaires et en particulier les ennemis des héros font preuve de faiblesse, de poltronnerie ou de lâcheté. Les récits évangéliques, nous le constaterons, reprennent en gros le schéma de ces données un peu simplistes. Une analyse plus approfondie de quelques textes évangéliques nous permettra cependant de déceler que pour Jésus, il y a peur et peur, et surtout que, tout en n'étant pas un peureux, Jésus a quand même eu peur. À ce sujet, nous ne présenterons pas la peur de Jésus comme l'effet d'un affrontement prochain avec le réel, mais comme la sensation d'une menace qui surgit d'un conflit entre deux désirs, et nous verrons comment le corps de Jésus, se faisant lui-même discours, réussit à faire échec au conflit et à la peur.

Pour les besoins de notre analyse, nous n'aurons pas à reprendre les codifications de la peur, comme l'ont fait les philosophes, ni à prendre en considération les implications éthiques de la peur sur le volontaire et sur le libre, à la façon des moralistes. Pour notre propos, la peur se manifeste comme mécanisme de défense du moi et surgit non seulement devant les menaces du monde extérieur, mais aussi devant le Surmoi[1]. Ainsi décrite, c'est de l'angoisse que la peur se trouve à être la manifestation: angoisse qui «n'est pas sans objet», et peur qui ne trompe pas puisqu'elle s'origine dans la «sensation du désir de l'Autre», selon des expressions de J. Lacan dans son Séminaire sur l'Identification[2]. Mais avant de nous étendre sur ce point d'où surgit la peur de Jésus, ainsi que sur son mécanisme fonctionnel, revenons d'abord au schéma général qui peut permettre de classer les personnages des récits évangéliques en peureux et en non peureux, et voyons comment Jésus réagit aux comportements et attitudes de peur manifestée en particulier chez les apôtres.

Les méchants et les ennemis de Jésus, conformément aux données universelles de la littérature, connaissent la peur à un moment ou l'autre des récits évangéliques. Hérode — un méchant — craignait Jean (cf. *Mc* 6,20); les grands prêtres et les anciens — des ennemis de Jésus — avaient peur de la foule (cf. *Mt* 21, 26.46); le centurion et ceux qui gardaient Jésus prirent peur à la vue du séisme et de ce qui se passa, tant à la mort (cf. *Mt* 27, 51-54) qu'à la résurrection de Jésus (cf. *Mt* 28,4). Les gens ordinaires, les Géraséniens par exemple (cf. *Mc* 5,15), les gens du peuple, femmes ou hommes (cf. *Lc* 1,11; *Mt* 2,22; *Mc* 5, 33.36) et, en de multiples occasions, les disciples eux-mêmes (cf. *Mt* 8,25s; 14, 26-27, 17, 6s; *Jn* 6,19, etc.) font tous partie du tableau évangélique des peureux.

Dans le tableau des courageux, des braves et des intrépides, outre le Père céleste qui pourrait terroriser n'importe qui (cf. *Mt* 10, 28-31) et intervenir décisivement pour renverser à son gré toute situation (cf. *Mt* 26,53), il y a probablement les anges, Jean le Baptiste (cf. *Mt* 3,7; *Mc* 6,18; *Mt* 26,53) et certainement Jésus qui, non seulement se rendit à Jérusalem pour accomplir sa mission, tout en prévoyant qu'il y souffrirait une mort horrible (cf. *Mt* 16,21), mais qui se laissa arrêter sans combattre (cf. tous les comptes rendus des évangélistes). Pierre lui-même n'a pu fléchir sa détermination (cf. *Mt* 16,22s).

Partout dans les récits évangéliques, on sent que Jésus détestait la peur. D'emblée, il cherchait à la déloger dès qu'il en reconnaissait les signes chez ses disciples. Ainsi, après un appel

1. Cf. A. FREUD, *Le Moi et les mécanismes de défense*, Paris, P.U.F., 1964, pp. 51s.
2. Ce Séminaire inédit eut lieu durant l'année universitaire 1961-1962.

au secours de ses disciples, Jésus s'empressa de les rabrouer: «Pourquoi avez-vous peur (*deilos*)?» (cf. *Mt* 8, 26). En d'autres occasions, Jésus chercha plutôt à rassurer ses disciples. Une fois, croyant voir un fantôme, les disciples s'étaient mis à pousser des cris d'effroi. Mais Jésus les calma en leur disant: «Rassurez-vous, c'est moi, n'ayez pas peur (*phobos*)!» (cf. *Mt* 14,27). Une autre fois, alors que ses disciples étaient envahis de stupeur en présence de forces surnaturelles, Jésus leur dit: «Relevez-vous et n'ayez pas peur (*phobos*)!» (cf. *Mt* 17,7).

Nous ne saurions dire cependant si Jésus détestait davantage la peur (*deilos*) inconsidérée des éléments naturels, que la foi devrait vaincre facilement, ou la peur (*phobos*) qui se traduit en panique ou en stupeur. Tout ce que nous pouvons dire, c'est que si Jésus admet plus volontiers qu'on craigne «Celui qui peut perdre dans la géhenne à la fois l'âme et le corps», il avertit quand même ses disciples de ne pas avoir peur de Celui-là: «Soyez donc sans crainte (*mè oun phobeisthe*)», car pour lui, vous avez beaucoup de valeur (cf. *Mt* 10, 28.31).

Jésus n'en reconnaît pas moins, qu'occasionnellement, il est censé de fuir. «Si l'on vous pourchasse dans telle ville, fuyez dans telle autre, et si l'on vous pourchasse dans celle-là, fuyez dans une troisième», dit-il à ses disciples (cf. *Mt* 10,23). Que votre fuite pourtant ne soit pas une concession à *phobos*, la peur (cf. *Mt* 10,26). Ce que Jésus exprime ici, c'est qu'il y a peur et peur. S'il est lâche de succomber à la peur qui ne cesse d'être fuite, il peut s'avérer sage de se dérober pendant quelque temps à un rapport inégal des forces. Pendant quelque temps seulement, car lorsque viendra le moment — et il viendra ce moment — de faire face au danger, c'est alors qu'il faudra vaincre la peur et, si possible, l'adversaire. Cette volte-face peut en effet permettre de retourner une situation: l'effrayé peut devenir effrayant à son tour. Une telle ambivalence de la peur, si fréquente dans les combats armés, comme l'a remarqué Nicole Loraux[3], n'est qu'insinuée dans les récits évangéliques. C'est le cas par exemple des persécutions dont les disciples auront à souffrir. Poursuivis, ils fuiront. Mais pris et traduits pour être jugés, ils auront à témoigner, et leur témoignage apportera la confusion chez leurs adversaires. «Mettez-vous bien dans

3. Cf. N. LORAUX, «Crainte et tremblement du guerrier», dans *Traverse*, no 25, 1982, p. 119.

l'esprit, leur dit Jésus, que vous n'avez pas à préparer votre défense; car je vous donnerai moi-même un langage et une sagesse à quoi nul de vos adversaires ne pourra résister ni contredire [...]. Vous sauverez vos vies par votre constance» (cf. *Lc* 21, 12-18).

Les récits de la tempête apaisée (cf. *Mc* 4, 37-41) et de l'arrestation de Jésus (cf. *Jn* 18, 3-6) nous font peut-être aussi assister à une situation semblable où l'effrayé produit la frayeur. Le récit de la tempête apaisée nous montre Jésus menaçant le vent et calmant la mer. Nous reviendrons plus loin sur cet épisode. Pour le moment, il suffit de remarquer qu'après avoir menacé le vent et rabroué ses disciples de leur peur (*deilos*), ceux-ci furent plus effayés encore (*phobon mégan*), non plus du vent, mais maintenant de Jésus: «Alors ils furent saisis d'une grande crainte et ils se disaient entre eux: qui est donc celui-là, que même le vent et la mer lui obéissent?» (cf. *Mc* 4,41).

Le récit johannique de l'arrestation de Jésus nous montre aussi un Jésus qui paraît faire peur à toute une cohorte romaine — ce qui n'est pas peu dire — et à des gardes envoyés par les grands prêtres et les pharisiens. «Qui cherchez-vous?» leur demanda Jésus en s'avançant vers eux. Ils lui répondirent: «Jésus le Nazaréen. C'est moi, leur dit-il [...]. Quand Jésus leur eut dit: c'est moi, ils reculèrent et tombèrent à terre» (cf. *Jn* 18, 3-6).

Est-ce la peur du terrorisé qui propage sa terreur? Peut-être. Mais les textes évangéliques ne nous permettent pas de répondre à cette question avec certitude. Si Jésus n'avait pas eu d'agonie à souffrir, nous ne pourrions même pas dire qu'il ait ressenti quelque moment de peur durant sa vie. Sans doute, certains ont pu conclure que Jésus n'avait jamais vraiment eu peur, puisque aucun évangéliste ne l'a affirmé expressément. Les évangélistes laissent plutôt entendre le contraire. Non seulement Jésus détestait la peur, mais il osait se montrer en public avec les pécheurs et enfreindre d'autres lois et coutumes reçues par tout le peuple. Seuls les récits de l'agonie nous permettent d'induire que Jésus, sans pour cela être taxé de peureux, a quand même ressenti la peur. Et encore convient-il de souligner que c'est peut-être la peur des disciples eux-mêmes qui, inconsciemment, se profile dans ces récits. Prenons pourtant les récits pour ce qu'ils donnent à entendre. Nous pouvons y relever des sentiments comme la tristesse, l'inquiétude et même la stupeur (*ekthambeisthai*) de Jésus, peu avant son arrestation. La peur elle-même n'y est pas nommée comme sentiment ayant affecté Jésus. Mais les sentiments de tristesse, d'inquiétude et de stupeur indiquent que Jésus n'a pas été exempt de processus de défense.

Plus haut, nous avons pu affirmer que, pour Jésus, il y avait peur et peur. Si la peur faite fuite est lâcheté, dans certains cas la fuite peut être sagesse, à condition de ne pas être peur d'acquiescer à la réalité. Outre les récits des affrontements de Jésus avec les vents, avec la cohorte et les gardes venus l'arrêter, nous aurions pu signaler aussi le comportement de Jésus, quand ses concitoyens le poussèrent hors de Nazareth et «le conduisirent jusqu'à un escarpement de la colline sur laquelle leur ville était bâtie, pour l'en précipiter. Mais lui, passant au milieu d'eux, allait son chemin» (cf. *Lc* 4,29s).

Dans toutes ces situations, il y a une discordance foncière entre le vécu et les conduites. Jésus vit des moments qu'on pourrait qualifier de troublants, que ses conduites ne laissent pas percevoir.

D'autres situations révèlent une discordance inverse. Lorsque Jésus se déroba aux Juifs qui voulaient le lapider (cf. *Jn* 8,59) et leur échappa de nouveau quand ils voulaient l'arrêter (cf. *Jn* 10,39), ses conduites révèlent un trouble émotif qui ne semble pas affecter la vie qu'il voulait mener: il se déroba, sortit du temple et, voyant un homme aveugle de naissance, prit le temps de le guérir (cf. *Jn* 8,59 et 9,1ss); il leur échappa lorsqu'ils voulurent l'arrêter. Mais peu après, il décida de retourner en Judée, malgré la suggestion à la prudence de la part de ses disciples (cf. *Jn* 10,39 et 11, 7s). Jésus, on le sait par les récits évangéliques, repoussa cette suggestion, en introduisant dans le champ de la discordance l'élément «lumière», dont les effets sont supposés donner au sujet une image suffisamment claire de la réalité pour qu'il puisse éviter de se casser la figure (cf. *Jn* 11,9). Cet élément «lumière», qui se laisse aussi percevoir comme réformateur de l'unité perturbée du vécu et de la conduite, ne transforme pourtant pas le champ lui-même qui tient sa discordance, d'abord et avant tout, des rapports du moi à l'autre et non de la réalité ni des rapports entre le vécu et la conduite, ces derniers n'étant que des façons de neutraliser, autant que possible, ce que les rapports du moi à l'autre peuvent engendrer d'opposition ou de médiation, dans l'espace réel ou dans l'espace imaginaire.

Nous sommes ici au carrefour de notre propos. Le point en effet auquel nous sommes arrivés peut conduire vers une connaissance plus approfondie du sujet en ce que, s'il y a discordance, on la doit à la résistance du moi à n'être qu'un moi dont l'être sujet se réalise toujours ailleurs. Ce point nous amène aussi à explorer les moyens que peut prendre le moi pour transformer la réalité qui l'inquiète. C'est cette dernière voie que nous voulons explorer.

Nous l'avons dit plus haut, la lumière a beau éclairer la réalité, elle ne la transforme pas. Les rapports du vécu et de la conduite ont beau être neutralisés par une effet imaginaire de la lumière, le champ de la discordance, lui, reste tel quel. Thomas, appelé Didyme, semble avoir compris que la lumière n'est pas du tout homogène avec ce qui se passe à la surface du champ, mais qu'elle a un rapport vital ou contre-vital avec le sujet. Il conclut en effet: «Allons-y nous aussi et nous mourrons avec lui» (cf. *Jn* 11,16). En tout cas, si ce sont là des moyens pour se convaincre qu'on n'a pas peur, ce ne sont pas ceux que l'on utilise, du moins quand la peur subsiste, malgré leur emploi. Alors, c'est en agissant directement sur les rapports du moi à l'autre qu'on cherche à transformer la réalité, et cette action se fait par l'identification, comme l'explique Anna Freud [4].

Une première forme que peut prendre cette action est l'identification directe avec l'action de l'objet redouté. Il s'agit de se transformer de menacé en menaçant ou d'attaquer l'autre de qui on attend une agression. Ainsi par exemple, si l'on a peur des fantômes, on peut s'imaginer leur faire peur en jouant soi-même au fantôme et en poussant des cris (cf. *Mt* 14,26). Et si l'on se sent menacé par la force du vent, il s'agit de s'approprier sa colère et de se faire aussi menaçant que lui (cf. *Mt* 4, 37.39).

Une autre forme plus complexe est l'identification, non plus à l'agression, mais à l'agresseur. Ici, Anna Freud distingue deux processus de défense. L'un à caractère pathologique, l'autre, non pathologique. L'identification à l'agresseur «acquiert un caractère pathologique quand il est transféré à la vie

4. Cf. A. FREUD, *Le Moi...*, pp. 97-120.

amoureuse. Un mari qui projette sur sa femme son propre désir de la tromper, en lui reprochant véhémentement l'infidélité qu'il lui prête, introjecte les reproches que sa femme pourrait lui adresser et projette sur elle une partie de son propre ça»[5]. L'autre application de l'identification à l'agresseur, celle-ci à caractère non pathologique, survient lorsque le moi, «dans ses efforts pour affronter les objets d'angoisse» s'identifie à des «personnes qui ont sur lui quelque autorité»[6].

Dans les récits évangéliques de l'agonie, ce mécanisme de défense apparaît dans la prière de Jésus à son Père. Mais n'allons pas trop vite. La première prière que reproduit Matthieu ne contient pas exactement les mêmes arguments que la prière reproduite par Marc et Luc.

De toute la scène qui se passa au mont des Oliviers, Matthieu apprécie l'attitude générale de Jésus en disant qu'il «commença à ressentir de la tristesse et à être inquiet» (cf. *Mt* 26,37). Jésus lui-même avoua sa tristesse à Pierre et aux deux fils de Zébédée: «Mon âme est triste à en mourir», leur dit-il (cf. *Mt* 26,38). Quant à l'inquiétude, c'est probablement dans la prière de Jésus à son Père que Matthieu l'a perçue. En effet, les paroles de cette prière bouleversent, pour ainsi dire, l'ordre habituel de la prière que Jésus avait enseignée à ses disciples. Au lieu de «Père, [...] que ta volonté soit faite [...] (cependant) donne-nous aujourd'hui» (cf. *Mt* 6,10s), à Gethsémani, la prière dominicale se trouve inversée: «Mon Père, s'il est possible, que cette coupe passe loin de moi! Cependant, non pas comme je veux, mais comme tu veux» (cf. *Mt* 26,39). Cette prière manquée, si l'on peut dire, ne signifie pourtant pas une inquiétude causée par la frayeur, mais plutôt une familiarité certaine avec la personne à qui la prière est adressée. Certes, Jésus prie parce qu'il est triste, mais c'est comme s'il avait voulu dire: «Ça va passer; mon Père m'accorde toujours ce que je lui demande, et si ce que je lui demande aujourd'hui est dans l'ordre de ses possibilités, cette coupe passera loin de moi». Selon cette hypothèse, la deuxième partie de la prière: «Non pas comme je veux, mais comme tu veux», devient une formule de politesse, puisque la première partie est, bien entendu, un hommage

5. Cf. *Ibid.*, p. 107.
6. Cf. *Ibid.*, p. 107.

rendu à la bienveillance du Père toujours déjà séduit, auprès de qui la volonté du Fils est toujours bienvenue.

La deuxième prière de Jésus: «Mon Père, si cette coupe ne peut passer sans que je la boive, que ta volonté soit faite» (cf. *Mt* 26,42), ne manifeste pas plus d'inquiétude que la première. Il n' y est pas question de peur non plus. Jésus acquiesce au réel comme à l'inévitable qu'il se dit prêt à affronter. Il n'est pas sûr cependant que Jésus ne reproche pas à son Père de ne pas avoir fait tout son possible. L'expression «que ta volonté soit faite» advient comme si l'inévitable aurait pu être évité, si le Père avait voulu autrement. Mais c'est exactement le même reproche que le Père aurait pu faire à son Fils. C'est quand même Jésus qui s'est placé dans cette situation conflictuelle avec les grands prêtres et les pharisiens. Si reproche il y a dans cette prière de Jésus, il convenait d'en rétablir le processus, comme il se produit dans l'identification à l'agresseur. Car en somme, l'argument contre le Père n'innocente pas Jésus.

Mais venons-en aux récits de Marc et de Luc, dans lesquels l'identification remplit nettement les conditions de l'identification à l'agresseur. En effet, la prière de Jésus maintient, on ne peut mieux le doute et l'incertitude de Jésus quand se pose pour lui la question sur le désir du Père.

Pour Marc, l'attitude générale de Jésus en est une de stupeur (*ekthambeisthai*) et d'inquiétude (cf. *Mc* 14,33). Cette interprétation détourne l'attention de la tristesse que Jésus confessa à Pierre, Jacques et Jean (cf. *Mc* 14,34), mais veut probablement préciser les motifs de cette tristesse et de la prière de Jésus. Pour mieux cerner la position de Jésus, il faut conjoindre l'aveu de tristesse fait par lui et la prière qu'il adresse au Père.

Comme Mathieu, Marc veut comprendre que Jésus prie pour que, si possible, cette heure passe loin de lui, puisqu'il manifeste stupeur et inquiétude. C'est insinuer qu'il y a dans l'imagination de Jésus un élément d'incertitude portant peut-être sur la toute puissance du Père à pouvoir faire détourner de son cours une certaine heure dans la succession du temps, du moins sur un objet (une «heure») qui approche et que Jésus ne saurait tout à fait identifier comme étant ceci ou cela, le même ou un autre, s'il est ici ou là, présent ou absent.

La prière de Jésus cependant ne comporte pas d'incertitude sur la toute puissance du Père: «Père, à toi tout est possible», dit Jésus[7], avant d'introduire sa propre demande: «éloigne de moi cette coupe» (cf. *Mc* 14,36). Comme Marc, nous pouvons aussi percevoir la «coupe» comme un objet redoutable pour Jésus, même si, comme tel cet objet n'entraîne pas toujours et pour tous un effet angoissant. Autrement dit, nous pourrions imaginer que si la «coupe» contient pour Jésus un aspect menaçant, c'est qu'elle représente pour lui la passion et la mort qu'il avait annoncées et qui risquent maintenant de survenir, à brève échéance.

La prière de Jésus a pourtant une autre dimension qui ne trouve pas sa limite dans la seule réponse à la question: «Qu'est-ce que Jésus demande à son Père?», mais qu'est-ce qu'il demande, qu'est-ce qu'il demande pour de bon, en demandant cela à son Père? En d'autres termes, le prière de Jésus implique la répartition de la demande sur deux plans: celui de la demande effectivement énoncée, et celui de la Demande (avec un grand D, comme l'écrit J. Lacan[8]) qui subsiste dans et au-delà de la demande (avec un petit d). Cette Demande n'est donc pas: «Qu'est-ce que Jésus veut de son Père?», mais «qu'est-ce qu'il lui veut?».

Ici, il convient de faire une remarque assez simple. La question de ce qu'il lui veut est tout autant la question de Jésus que celle du Père. La formulation de la Demande peut donc aussi bien être: «Qu'est-ce que je veux?» ou «Qu'est-ce que tu veux?». En fait, Jésus ne paraît vouloir retenir que la deuxième formule. C'était d'ailleurs la seule retenable, puisque c'était la seule qui pouvait se poser à Jésus comme en écho à sa propre demande. Il n'aurait pas été sérieux qu'au moment où Jésus dit: «Que cette coupe s'éloigne de moi», qu'à ce moment même ne résonne pas pour lui la question qui se formulerait ainsi: «Qu'est-ce que tu veux?». Sans erreur possible, cette question accroche solidement Jésus, puisque ce «tu» ne s'adresse pas à lui comme personne, pas même comme deuxième personne, mais l'atteint exactement là où il veut, dans la racine même de son vouloir.

Ainsi barré face à la Demande, Jésus se comporte comme s'il savait qu'en énonçant sa demande de voir la coupe s'éloigner

7. Selon les paroles de la prière du Jésus de Luc, la toute-puissance du Père ne fait pas de doute non plus: «Père, si tu le veux, éloigne de moi cette coupe» (cf. *Lc* 22,42).

8. Cf. J. LACAN, *Écrits*, Paris, Seuil, 1966, p. 817.

de lui, toute introduction de son propre vouloir tomberait nécessairement à côté. Aussi choisit-il de maintenir son vouloir comme pur vouloir: «Pas ce que je veux». C'est alors qu'il lui faudrait faire son deuil d'être la cause de son propre désir. Mais Jésus insistait: «ce que tu veux». Et comme le raconte Luc: «En proie à la détresse (*agônia*), il priait de façon plus instante» (cf. *Lc* 22,44). Cette insistance pose évidemment question à notre première conclusion, à savoir que Jésus a choisi de maintenir son vouloir comme pur vouloir, habité d'aucun désir de certifier sa propre authenticité et sa propre valeur d'échange.«Pas ce que je veux» repose donc la question «qu'est-ce que tu veux?» où nous retrouvons Jésus comme sujet qui s'exclut du vouloir et le juge faux tout à la fois. Ce qui veut dire que la réponse est ailleurs que dans le sujet, dans un autre lieu. Et il suffit qu'il se mette à cette place autre et de là réponde que le vouloir du Père n'est pas d'éloigner la «coupe», pour faire l'expérience que le Père détourne de lui son amour et sa sollicitude.

Alors, on en vient nécessairement au conflit entre l'intérêt narcissique et l'investissement de l'objet. «Dans ce conflit, au dire de S. Freud, c'est normalement la première de ces forces qui l'emporte [...]. Les investissements d'objet sont abandonnés et remplacés par une identification»[9]. En déclarant «pas ce que je veux, mais ce que tu veux», Jésus suit donc le comportement *normal* indiqué par Freud et qui lui permet tout à la fois de supporter la rigueur supposée du Père, en s'y identifiant, et de refouler la menace que la «coupe» représente pour lui.

Toute peur ne se trouve pas éliminée par le fait même. Nous la situons cependant non plus comme crainte de la souffrance et de la mort, mais dans le conflit de deux désirs, celui de Jésus et celui du Père, conflit qui condamne à l'échec le désir de Jésus. Là, dans ce conflit, Jésus se demande ce que veut le Père, et il y répond, non comme un sujet qui sait ce qu'il faut et ce qui suffit pour plaire au Père, mais qui croit savoir et qui, de ce fait même n'est pas tout à fait sûr qu'il sait. Il n'y a pas d'autre explication à la répétition de la prière de Jésus, que cette incertitude de son propre savoir sur ce que le Père veut. Bref, Jésus se présente comme un sujet à l'affût de signes où se lirait de façon certaine le désir du Père. Effort vain qui mène Jésus à se déplaire pour plaire et ce faisant, à dire sa tristesse et à

9. Cf. S. FREUD, *La Vie sexuelle*, Paris, P.U.F., 1969, p. 120.

manifester assez de résistance pour produire des sueurs de sang (cf. *Lc* 22,44) qui soulignent l'intensité des combats intérieurs qui l'affectent.

En répétant la même prière, Jésus ne fait certes rien pour mériter des reproches, au contraire. Sa soumission ne le console pourtant pas, car la cause de son conflit ne se trouve pas dans ce qu'il pourrait faire ou ne pas faire pour plaire. C'est le désir qui fonde la rivalité et l'échec et, de là, entraîne tous les autres sentiments et manifestations qui font partie intégrante des rapports avec le désir de l'Autre.

À proprement parler, tous les sentiments qui surgissent de l'appréhension du désir de l'Autre ont un rapport avec la question restée en suspens: «Qu'est-ce que tu veux?» et qui connote une méconnaissance. Méconnaissance de quoi? De ce que le Père veut; mais ce n'est pas assez précis. Jésus ne sait pas, à ce moment où il se trouve au mont des Oliviers, ce qu'il est comme objet pour le Père. Et quand on ne se sait pas objet éventuel du désir de l'autre, de cet autre devant qui on se trouve, sa figure prend une dimension mystérieuse dans la mesure surtout où cette forme ne peut plus être constituée en objet non plus, mais où tout de même on peut sentir un mode de sensations qui font toute la substance de ce qu'on peut appeler la peur d'une menace indicible en provenance du lieu de l'Autre. Quand Jésus dénie vouloir ce qu'il veut, nous pouvons donc comprendre qu'il s'agit d'un biais pour s'arranger de son rapport avec le désir du Père. Solution temporaire et précaire? Bien évidemment. Car en fin de compte, la solution que nous apercevons du problème du rapport du sujet au désir est essentiellement de nature identificatoire — Jésus identifie son vouloir au vouloir du Père — et par conséquent, inapte à satisfaire le sujet dont les demandes répétées constituent le champ de son désir et le préservent en l'interdisant.

Où nous conduisent ces réflexions, sinon à affirmer que la peur qui surgit des rapports du désir au désir est une mesure de défense contre laquelle il ne semble pas y avoir de défense. Lorsque Jésus demande que «cette coupe s'éloigne», nous pouvons certes y voir la peur comme un signal qui se produit au niveau de son moi. Signal, d'abord et manifestement, pour que ça soit plus gai. Signal de détresse adressé à l'Autre, aussi. Mais signal dont les signes demeurent radicalement ambigus, puisque Jésus dénie vouloir ce qu'il veut: «Pas ce que je veux, mais ce que tu veux». C'est d'ailleurs à partir de cette dénégation que nous pouvons préciser le moment où, à l'agonie de Jésus, la peur commence à remplir sa fonction. Derrière cette dénégation, émerge une situation de rivalité entre deux vouloirs: Jésus veut s'approprier son propre vouloir et expulser celui du Père. Pour l'Inconscient, cette situation conflictuelle est déjà réalisée et traitée comme telle. Mais quand Jésus parle — et c'est à ce moment que la peur le force à introduire la dénégation de son vouloir — l'unification prend la place de la rivalité: ce qui est expulsé, c'est son propre vouloir; et c'est le vouloir du Père que Jésus s'approprie. La première situation, celle qui prévalait derrière la dénégation, ne se trouve pas détruite pour autant. Elle n'est que refoulée ou réprimée et par conséquent peut à nouveau être reprise et réutilisée (cf. *Mc* 14,39: «Puis, il s'en alla de nouveau et pria, en répétant les mêmes paroles»). Et chaque fois, la peur advient pour remplir sa fonction: elle participe à maintenir le refoulé dans le refoulement. Mais ce dont Jésus ne peut parler, qu'il s'agisse de sa rivalité première ou de la dépossession de soi contenue dans la dénégation, il le crie par toutes les pores de sa peau, en «gouttes de sang» (cf. *Lc* 22,44). Cet ultime symptôme contribue d'ailleurs un apport non négligeable à notre propos.

Par ce symptôme des «gouttes de sang», le corps de Jésus se fait, selon un mot que nous empruntons à J. Lacan, «l'alphabet vivant» de ce qui ne passe pas par sa gorge[10]. Précisément, les «gouttes de sang» opèrent une substitution de ce qui ne peut être dit par Jésus concernant ses rapports à lui-même et au Père, mais en les reproduisant. D'où nous pourrions dire que c'est là, dans ce symptôme, que vient maintenant s'accrocher essentiellement toute la force de la peur.

Or, ces «gouttes de sang», qui connotent le déplacement de la peur, en marquent en même temps l'échec comme mécanisme de défense appuyant le refoulement de la rivalité de Jésus avec le Père. Car, outre la substitution, les «gouttes de sang» sont pour ainsi dire la condensation à la fois des scènes successives de rivalité et d'unification avec le Père et une façon de dire, malgré la peur et au-delà de la peur, que le désir de Jésus de se débarrasser du désir du Père est accompli. Les «gouttes de sang»

10. Cf. J. LACAN, *Écrits*, p. 446.

accomplissent ainsi, de façon déguisée, ce que la peur maintenait en regard du désir réprimé, refoulé.

Triomphe sans gloire? Sans doute, puisque, sans la peur qui s'est traduite en dénégation de volonté propre, le corps de Jésus, n'aurait pas eu besoin d'assurer la victoire du désir par la présentation sensible des gouttes de sang. Triomphe inutile? Eh oui! Les «gouttes de sang» ne lèvent ni le refoulement ni la peur qui maintient le désir refoulé. Défaite, alors? Ce n'est vraiment pas ce que le symptôme signifie. Il s'agit d'un triomphe du corps, non en tant que le corps émet un discours, mais en tant qu'il est lui-même discours pour sa propre satisfaction de sujet inconscient du désir. Autrement dit, il s'agit en quelque sorte d'une revanche du corps sur le désir de l'Autre et sur la peur qui lui fait horreur.

Réponse à «Jésus et la peur»

Réginald Richard

Le texte de Mettayer a fait écho à différents registres:

1) il articule des lieux inaccoutumés de la lecture du récit de Jésus: la résistance de Jésus à la peur, une transformation de la peur en autorité, la peur de la victime transférée à l'adversaire, une discordance en Jésus entre son vécu troublé et ses conduites. Trop souvent préoccupé de présenter Jésus comme le héros sans faille, Mettayer, dans ce régime de texte, invite à une lecture réaliste d'un récit concret de l'histoire de Jésus;

2) il pousse la lecture de la «prière de Jésus» dans le récit de l'Agonie dans sa logique même: de son écoute d'analyste, il entend dans la voix du récit ce qui se bloque dans une visibilité du corps. Mettayer ose voir dans «l'alphabet vivant» des «gouttes de sang», le discours de la rivalité de Jésus avec le Père et l'accomplissement du «désir de Jésus de se débarrasser du désir du Père». Il y a là une lecture de l'évangile qui peut encore faire sens, puisqu'elle retrace un événement d'histoire, à partir des rapports Père-Fils qui se conjuguent dans la modernité. La culture moderne, depuis Freud, ne s'excuse plus de son désir du «meurtre du père». Si Jésus a quelques prétentions de faire sens pour l'homme d'aujourd'hui, peut-il échapper à ce désir?

3) il produit un régime de lecture du récit de Jésus qui ne vise aucune préoccupation pastorale ou catéchétique ouverte ou dissimulée. Il prend le texte dans son récit, comme un autre texte et repère les lieux significatifs en fonction d'une logique qu'il emprunte à la psychanalyse. En cela, il ne vise pas une théologie mais une «théoanalyse»... C'est là peut-être qu'il a possibilité de faire sens.

J'élaborerai ma réponse sous quatre traits que je traiterai indépendamment sans tenter de saisir les liens qui les articulent:

1) «*Jésus a quand même eu peur*». Par cette affirmation, Mettayer veut montrer que même si les récits évangéliques tentent de donner un récit de Jésus comme héros exempt de la peur, il est opportun de partir de l'hypothèse que Jésus a eu peur. Il est fort possible que Jésus ait eu peur, mais il faudrait se demander si les récits de l'histoire de Jésus pouvaient faire état de sa peur. Il s'agit de récits dont le but est de faire connaître le «Fils de Dieu»; pouvait-on dire explicitement qu'à certain moment, il puisse avoir eu peur? La mouture du texte ne devait-elle pas exclure ce vécu de Jésus et ne pas laisser entrevoir dans les entrelacs du texte que le maître ait eu cette limite? La question devient alors: «Pourquoi les rédacteurs des Évangiles n'ont-ils pu parler de la peur de Jésus?» Peut-on parler de la peur de son maître? Peut-on parler de la peur de son père? Est-ce une indication que parler de la peur de Jésus l'aurait ramené à un semblable alors que dans le récit, il prend la place d'un Autre, maître, Fils de Dieu, égal au Père, etc? Il ne pouvait pas avoir peur comme les apôtres. Le récit devait exclure ce vécu. Comme le récit de la vie du haut personnage doit exclure ses incartades et ses obsessions. C'est donc le récit qui fait exister Jésus. Reste à se demander ce qu'il y a dans la logique chrétienne qui doit exclure la peur du fondateur, du maître. Sommes-nous là dans une logique irrévocable des maîtres? Quelle transformation du rapport au Père et du rapport au maître permet que l'on puisse aujourd'hui parler de la peur du maître même si les récits fondateurs l'excluent? La nouvelle épistémologie freudienne — en particulier celle de la dénégation — amène une nouvelle lecture des textes évangéliques.

2) «*On sent que Jésus détestait la peur*». Jésus avait donc peur de la peur. Pourquoi? Admettre la peur dans la conscience aurait-il suscité les conduites habituelles issues de la peur: la fuite, l'agression, la fixation devant le danger? Se laisser aller à

la sensation de peur, c'est ouvrir sur quelque chose de l'ordre de la pulsion sauvage; fuir, agresser, figer. Arrêter la peur, la rendre intolérable, c'est couper l'aspect de la possibilité qu'elle a de susciter la défense. Jésus interdit la peur. En ce sens il ne la gère pas, ne se l'approprie pas comme vécu ou comme sensation. Il l'exclut. Il y a peut-être là une question de subjectivité particulière au christianisme. Celui-ci ne gère pas les sensations élémentaires — avoir faim, avoir peur, sentir un attrait sexuel — dans leur dynamique même; il se les approprie à travers la loi, c'est-à-dire le contrôle et l'interdit. Jésus ne dit pas aux disciples de bien vivre et de bien dire leur peur pour qu'en surgissent les indices d'appropriation. Il en pose, au point de départ, l'interdit. De même, comme l'a remarqué Foucault dans *Histoire de la sexualité*, le christianisme ne gère pas l'érotique au niveau d'un art, donc d'une appropriation de l'expérience et du vécu, mais au niveau de l'interdit. Il ne dit pas comment faire l'amour, mais pose les limites au champ amoureux. De même la gestion de la mort, ne peut se faire au plan de l'actualisation du vécu et de l'expérience ou de l'angoisse, mais en portant le regard sur un ailleurs un au-delà. Jésus ne s'approprie pas la peur dans une saisie du langage de la sensation, de l'expérience. Il interdit l'expérience pour porter le regard ailleurs vers lui, vers le Père. Il n'est pas un prophète de l'*experiencing* mais du désir. Donc il ne gère pas la peur du lieu du vécu mais du lieu de l'interdit. Calmant la sensation de la peur, il rend l'objet dangereux sans effets sur le corps: sans impact sur l'affectif (ce qui affecte) et la conduite. Le corps est donc ainsi libre devant le danger. La psychologie de l'expérience par ailleurs ne gère pas la peur du lieu de l'interdit, mais du lieu de l'appropriation de la sensation. Prendre conscience de la sensation, la tolérer, en saisir le langage du corps, sans fuir dans l'agir (dans l'*acting out*). À la limite, c'est dans la parole que doit s'exprimer la peur, non dans les conduites élémentaires. On dira sa peur plutôt que de la fuir. On dira sa peur plutôt que de l'interdire. La psychologie aurait-elle amené dans la conscience moderne une gestion de la subjectivité radicalement différente de celle rendue possible par les anthropologies religieuses s'appuyant sur une pédagogie du maître? Il y a là une question où théologiens et psychologues auraient à travailler d'une façon interdisciplinaire.

3) «*L'effrayé qui devient effrayant*». Jésus propose un nouveau rapport à la chose dénommée dangereuse, donc un

nouveau rapport au désir. La peur n'implique-t-elle pas toujours le fonctionnement d'un double désir. Pour qu'il y ait peur, il faut que quelque part un *désir* ait *dénommé* dangereux tel objet réel ou imaginaire et que cet objet se confronte à un autre désir de vaincre et d'échapper. D'où deux façons d'échapper à la peur:

a) soit produire *un autre discours* sur l'objet (v.g. le discours scientifique sur le tonnerre), ou se rendre *indifférent au discours actuel sur l'objet* (v.g. art de la méditation ou la contemplation dans la sagesse orientale);

b) soit se confronter à l'objet pour l'affronter et le vaincre. Donc une double attitude est possible: celle du pouvoir du héros ou de l'autorité du prophète. Si le pouvoir du héros vainc l'objet dangereux, l'autorité joue sur le langage qui le rend dangereux. Si les juges font appel au pouvoir de la victime de se défendre, Jésus suggère que le meilleur moyen de les rendre confus est de changer le langage sur l'objet dangereux. Il y a là toute une dialectique entre l'appel au pouvoir et à la performance qui crée le héros et vainc la peur et la référence au langage et à la conscience qui déracine la peur de ses appuis dans la subjectivité. Le discours sur Jésus oscille souvent entre ces deux pôles: celui du pouvoir du héros et celui de l'autorité d'un auteur.

4) «*La sensation d'une menace qui surgit d'un conflit entre deux désirs*». Mettayer pose la question de la peur comme la sensation d'une menace issue du conflit entre deux désirs. Dans cette problématique, l'un des désirs est dénommé danger pour le désir de l'autre et alors il y a peur. Par ailleurs, dans la logique juive, le désir du Père ne pouvait pas être repéré comme dangereux car le référent de l'anthropologie juive ne pourrait pas supporter un questionnement. La référence au Père ne devait pas intégrer le conflit et le rivalité

Pouvait-il y avoir d'autres problématiques que celle de la culpabilité, puisque le désir du Père ne pouvait pas être dénommé comme danger. L'enjeu n'était pas d'avoir peur ou pas peur, mais d'être coupé ou soumis. La culture juive pouvait-elle quelque part penser que le désir du Père pouvait être un danger pour le désir de Jésus? Jésus pouvait-il se permettre d'avoir peur, donc de faire surgir la rivalité, et par là, de faire remonter son désir? Mettayer, de son oreille d'analyste, a entendu dans les entrelacs du texte, ce que le récit ne peut pas dire. En cela, il suit la même trace que Freud a tenté de dépister dans son *Moïse*.

DEUXIÈME PARTIE

LA PEUR DANS L'UNIVERS SOCIO-CULTUREL RELIGIEUX CONTEMPORAIN

L'historicité de la peur en Occident: l'oeuvre de Jean Delumeau

par Louis Rousseau

Je suis comme tout le monde,
j'ai peur du ciel et de l'enfer...
Michel Rivard, *La peur*, (1983).

L'opinion à l'effet que la révolution catéchétique et pastorale des années soixante et soixante-dix avait réussi à purger le catholicisme de sa composante centrale de peur prévalait jusqu'à tout récemment parmi les observateurs de la scène religieuse. On peut affirmer, en effet, que le vaste renouveau religieux sanctionné par le dernier Concile avait identifié ce que j'appellerai le «montage de la peur» comme une des principales déviations de la spiritualité, des institutions et de la théologie catholiques depuis la Contre-Réforme et sans doute bien en-deça. Pour être fidèle à l'esprit et à la lettre de l'Évangile il fallait briser un système mental fait de représentations symboliques, de conduites rituelles, de codages du comportement moral et d'états affectifs profonds renvoyant au domaine omniprésent de la peur. Il y aurait à écrire tout un chapitre de l'histoire contemporaine du catholicisme (et du protestantisme?) pour illustrer la présence efficace de la lutte contre le montage de la peur sous toutes ses facettes et dans tous les domaines de la théorie comme de la pratique. La dernière pièce à verser au dossier, et non la moindre, n'est-elle pas le présent ensemble de travaux organisés par la Société canadienne de théologie: ultime avatar de cette lutte au moment où le Centre romain (synode de l'automne 1983) fixe de nouveau l'attention sur le pivot essentiel de ce montage, le péché et la confession, réévaluation de ce procès militant pour mieux en apprécier les fondements, les stratégies et les effets? Il me tarde, à cet égard, de lire les Actes de notre réunion pour mieux interpréter la place de la corporation savante dans la dynamique religieuse contemporaine.

Quel que soit le jugement porté sur ce trait marquant des dernières décennies de la culture occidentale, il reste un fait maintenant indiscutable. Le déplacement critique effectué par la théologie et la pastorale catholiques, prenant le relais et accélérant la transformation des mentalités à l'égard de la peur religieuse, a largement contribué à ouvrir un nouveau lieu d'enquête historique. Depuis le XVIIIe siècle la dénonciation du rôle de la peur dans la religion avait surtout été le fait des «libertins», des «athées» et des «matérialistes». Identifiant la peur comme le ressort profond de la religion (singulière victoire de la pastorale de la peur que de s'être ainsi constituée en évidence sociale!) bien des théories ont absolutisé ce lien pour mieux dénoncer l'aliénation religieuse. Or, comme chacun le sait, les essences n'ont pas d'histoire.

Sans doute fallait-il un déplacement réformateur au sein de l'instance religieuse elle-même pour laisser entendre que l'instauration d'un programme de déconstruction de la peur visant à retrouver un équilibre plus évangélique du christianisme, permettait de supposer qu'il y avait eu quelque part dans le temps un premier processus de construction. Il fallait que meure la peur pour que l'histoire puisse en faire son objet. Nous rejoignons ici l'un des thèmes importants de la conscience de soi de l'historiographie contemporaine[1].

En évoquant le rôle des théologiens réformateurs contemporains dans la création des conditions de possibilités d'un nouveau chantier historique, je ne voudrais en rien diminuer l'importance du travail pionnier effectué par l'oeuvre magistrale de Jean Delumeau dont la suite de cet exposé cherchera d'ailleurs à rendre compte. Mais il me semblait important de marquer le rapport essentiel entre les mouvements sociaux et culturels qui font changer la pertinence des objets et le travail de l'historien. J'espère ne point trop induire en tentation d'orgueil

1. DE CERTEAU, Michel, *L'Écriture de l'histoire*, Paris, Gallimard, 1975, pp. 117ss.

les théologiens assez peu habitués à recevoir de leurs collègues de sciences humaines une pareille expression d'hommage!

Mais *ex posse non sequitur esse*. Si nous avons devant nous maintenant une histoire de la peur en Occident qui étale le dossier sur deux livres et plus de treize cents pages[2], c'est grâce à la décision de Jean Delumeau de lancer une entreprise nouvelle qui a cherché à baliser le territoire jusqu'à lui inédit de la peur, du péché et de la culpabilité qui ont façonné la culture occidentale de la fin du moyen âge jusqu'au XVIIIe siècle au moins. L'importance de ce travail de géant est suffisamment grande pour que nous trouvions utile d'en examiner le programme, d'en suivre la réalisation, d'identifier ses présupposés et finalement d'en recueillir les résultats principaux[3].

La maquette de l'oeuvre

Si j'ai fait ressortir le fait que la liaison pratique entre la religion et la peur en Occident est demeurée forte jusqu'à tout récemment et qu'il fallait que cesse ce couplage pour que les historiens commencent à en faire de l'histoire, Jean Delumeau, quant à lui, fait appel à un type d'explication complémentaire. L'Occident a eu une anthropologie masculine centrée sur la valorisation du courage et de la témérité. Or dans ce genre d'anthropologie on ne peut pas étudier la faille dans le comportement humain, la peur plus ou moins équivalente de la lâcheté. Être un vrai homme c'est ne jamais avoir peur. La norme interdisait l'examen des faits. C'est l'affaiblissement de ce modèle qui a permis de faire une histoire de la peur.

---

2. *La Peur en Occident: Une cité assiégée*, Paris, Fayard, 1978; *Le Péché et la peur: La culpabilisation en Occident*, Paris, Fayard, 1983. Delumeau arrête son enquête au XVIIIe siècle, mais le montage de la peur a gardé une place proéminente dans la pratique pastorale catholique jusqu'au milieu du XXe siècle. Cependant une histoire fine des deux derniers siècles pourrait sans doute déceler des déplacements significatifs.

3. Pour une présentation de l'ensemble de l'oeuvre historique de J. Delumeau et une discussion critique entre l'auteur et un groupe interdisciplinaire de chercheurs on se reportera à JEAN DELUMEAU, MICHEL DESPLAND, LOUIS ROUSSEAU et *al.*, *Fabrication et discussion d'une oeuvre d'histoire religieuse: Jean Delumeau*, Montréal, *Cahiers de recherche du R.I.E.R.*, no 1, été 1983.

La peur de l'Autre

En ouvrant un chantier tout à fait inédit de l'histoire Delumeau a été obligé de se donner une définition préalable de son objet. Que faire entrer là-dedans, quoi en exclure? Bien sûr l'historien a lu un certain nombre de travaux psychiatriques qui lui ont permis d'identifier un premier domaine de la peur qui commence par une réaction d'alarme: quelque chose nous menace, l'organisme enregistre un danger et commence à déployer une réaction correspondante de défense, voilà le noyau initial de la peur. Cela va lui servir pour identifier un certain nombre d'objets qui peuvent faire peur. Mais la conjonction d'un certain nombre de peurs et leur durée peut provoquer un autre type de sentiment qui est le sentiment de l'angoisse. Quand on est encerclé d'une façon relativement stable, le stress de cet encerclement provoque une réaction, un état d'angoisse, un mal à l'aise. Et c'est ainsi que l'historien a également lu un certain nombre de travaux sur l'angoisse, sur la violence, sur l'agressivité, et qu'il a pu commencer à faire un certain nombre de distinctions préalables de son objet et élaborer sa première hypothèse générale de recherche à l'intérieur de laquelle tout l'ensemble de l'oeuvre est situé. Il a fait l'hypothèse que quelque part entre 1350 et 1650 les membres de la société occidentale ont été l'objet d'une accumulation d'agressions qui ont petit à petit induit un stress. Ce stress aurait produit chez bon nombre d'individus, au sein de l'élite surtout, un véritable état d'angoisse.

Devant cet état d'angoisse, il y a deux types de réactions possibles pour mieux le contrôler. Première réaction, une segmentation des peurs, une identification des peurs pour sortir du chaos menaçant: «*divide ut impera*». Ce processus de nomination des peurs accompagné de la construction d'un discours explicatif constitue la première stratégie permettant de maîtriser les peurs. Et c'est ainsi qu'il nous fait comprendre la montée des dénonciations des juifs, des blasphémateurs, des sorcières et des hérétiques comme autant d'éléments constituant un procédé de nomination de la peur. S'y ajoute aussi un procédé d'objectivation: on prend plaisir à narrer la violence et on en fait des projections iconographiques. Cette attention à la documentation iconographique caractérise la méthode actuelle de l'histoire des mentalités et en même temps que Delumeau nous fait comprendre ce qui est en cause, par exemple, dans les thèmes macabres de la peinture de Breughel, nous découvrons la fonction de notre propre imaginaire social si porté vers la représentation de l'horreur et de la violence. Quel est le cadre spatio-temporel de son examen? Il en fixe la borne inférieure à l'entrée de la peste noire en Occident (1348), et la marque supérieure vers 1648, à la fin des guerres de religion. C'est entre ces deux actes que la montée des peurs lui semble constituer un dossier où l'on peut étudier non simplement la montée des peurs comme stress, mais la montée des discours visant à identifier et expliquer ces peurs et débouchant sur des stratégies d'intervention sociale.

Voilà donc le découpage théorique de l'objet qui a engendré un questionnaire en réalité excessivement simple: qui a eu peur? de quoi a-t-on eu peur? Delumeau cherche à faire une histoire des peurs collectives et, pour cette période, le gros de la population est une population rurale. Mais il faut aussi inclure ceux qui contrôlent le discours symbolique, essentiellement l'élite cléricale et une certaine élite laïque lettrée, mais qu'on peut assimiler à la fonction cléricale.

De quoi ont eu peur cette population rurale de culture orale et ses lettrés? Delumeau fait de la liste des peurs autant de têtes de chapitre. Il y a d'abord des peurs spontanées. Les mêmes objets à travers le temps, en tout cas durant cette période, font peur à tout le monde. Il classe ici la peur de la nuit, de l'obscurité, la peur de la mer dont la technologie maritime ne parviendra à résorber les effets qu'à la fin de cette période, la peur des revenants et la peur des maléfices. Voilà des peurs spontanées permanentes pour l'époque et qui touchent également tout le monde, que l'on soit instruit ou pas. Ce sont là des peurs régulières. D'autre part il y a un certain nombre de peurs cycliques qui touchent tout le monde et qui reviennent d'une façon périodique. Il y inscrit la peur des éclipses, des comètes et des étoiles plus largement; la peur de la peste qui revient à chaque fois que l'épidémie apparaît; la peur du fisc, du percepteur qui revient aussi avec le rythme de la perception qui à l'époque n'est pas forcément annuelle, et la peur des famines, elles aussi phénomènes cycliques. Dans ce deuxième cas, il examine la réaction diverse des groupes à ces peurs cycliques. On n'a pas peur de la peste de la même façon selon que l'on est prince ou selon que l'on est artisan ou laboureur. Les princes ne sont en général pas touchés par la peste. Les prêtres et les notaires sont moins touchés, et il y a ainsi une espèce d'échelonnage des cibles de la peste, avéré, constaté, vécu et transmis culturellement à l'époque. Voilà ce que Delumeau appelle des peurs spontanées, c'est-à-dire des agressions par un objet qui est extérieur et devant lequel chacun est mis en demeure de réagir car le danger est évident. Par ailleurs il y a un deuxième groupe de peurs et celles-ci font l'objet de plus de la moitié de son enquête. Il les appelle des peurs réfléchies, des peurs construites. Au fond ce sont des objets dont il n'est pas nécessaire qu'on ait peur, mais des objets à propos desquels le discours savant élabore une explication qui les rend dangereux et dans ce dossier se retrouvent les juifs, les turcs, les blasphémateurs, les hérétiques, les femmes et les sorcières. Femmes et sorcières sont séparées à juste titre parce qu'il y a une construction de la femme comme territoire de dangers et de menaces qui n'est pas du tout identifiable, comme on le fait trop peut-être présentement, au dossier de la peur de la sorcière et de la construction de la sorcellerie dans le cadre du discours théologique de démonologie.

Il ne peut être question de résumer chacun des chapitres mais il s'en dégage un certain nombre de résultats. Au terme de cette enquête, que constate Delumeau? D'abord la montée concomitante des peurs réfléchies. Observant une période de trois siècles, il se rend compte qu'au début on trouve très peu de ces peurs réfléchies dans les traités, les lettres, la prédication, les manuels qu'il étudie pour entendre le discours savant, mais que graduellement il y une espèce d'accumulation qui se produit. Ce n'est pas que telle peur monte et puis ensuite descend pour être remplacée par une autre. Tous les thèmes sous lesquels il étudie la peur réfléchie montent ensemble, pour plafonner en intensité à partir de 1550 et commencer une sorte de réduction graduelle. Sur le fond des peurs non réfléchies qui sont constantes, c'est-à-dire le cycle de la peste, des guerres et des violences de toutes sortes qui ne lâchent pas l'Europe latine de cette époque, sur ce fond les autres peurs, les peurs réfléchies, augmentent sans cesse. En fait, et c'est une première constatation d'importance, au niveau collectif une peur est rarement isolée. On devrait donc faire l'hypothèse qu'on assiste toujours à un train, à un ensemble de peurs qui ont tendance à renforcir, à réagir les unes aux autres pour s'accentuer les unes les autres. En fait la peur demeure mais les peurs changent en intensité.

Une deuxième constatation renvoie à la distinction des groupes sociaux au début des temps modernes en Europe: les peurs de l'élite ont été plus grandes que celles des masses. Delumeau ne s'attendait absolument pas à ce résultat au début de son enquête. Il nous donne trois exemples.

La croyance aux démons est partout présente dans tous les groupes sociaux. Mais, comme les travaux folkloriques nous le montrent maintenant, dans le légendaire populaire les démons ne font peur que pour permettre au récit de se poursuivre. À la fin le héros trouve toujours le moyen de rouler l'Opposant. Les démons ne peuvent pas véritablement mettre en échec la volonté de vivre. Dans le discours théologique au contraire Satan peut avoir le dernier mot, peut-être pas pour l'ensemble de l'histoire de l'humanité mais très certainement dans l'existence d'une personne donnée. Satan peut menacer réellement le salut éternel. Voilà donc le discours savant qui a beaucoup plus peur de cette figure-là que le discours populaire qui, semble-t-il, s'en accommode très bien. Il retravaille la figure populaire pour en faire un ennemi irréductible et qui peut mettre en échec la volonté divine de salut. Autre cas, celui des jeteurs de sorts. Dans la culture populaire on a peur des jeteurs de sorts dans le village, mais en fait c'est un jeteur de sorts qui peut être contrôlé. Il y a des stratégies pour mettre en échec les mauvais jeteurs de sorts. Dans le discours savant que devient le jeteur de sorts? Il devient le possédé de Satan et si Satan est une puissance qui peut véritablement mettre en échec le désir de vivre, alors le jeteur de sorts deviendra le sorcier, transformation démonologique du jeteur de sorts dans le cadre de la culture savante. Et cela s'observe tant dans le discours des clercs théologiens que dans le discours des juges qui ensemble construisent la démonologie durant cette période. Dernier cas, celui des juifs. Il semble bien que les populations européennes se soient accommodées durant de nombreux siècles de la dispersion parmi eux de juifs, c'est-à-dire de gens qui n'appartenaient pas à la culture chrétienne et qui avaient différentes sortes de fonctions. Or, durant la période étudiée par Delumeau voici qu'on construit le juif en tant qu'assassin de Dieu. Auparavant on s'accommodait parfaitement de vivre à côté de gens qui sont du peuple qui a tué notre Seigneur

Jésus-Christ, mais à partir du quatorzième siècle, il y a une montée de la désignation du juif comme déicide avec ses effets de «ghettoïsation», d'expulsion, de déclanchements périodiques de pogroms, etc. Dans ce dossier de la montée des peurs, les élites ont davantage eu peur et, dans leur recherche des raisons justifiant la peur, ils ont grossi cette dernière.

Comment expliquer cette étonnante situation? Au point de départ il y a une donnée de fait: l'avalanche des malheurs dans l'Europe de la fin du moyen-âge jusque au début des Temps Modernes rend la vie humaine extrêmement difficile. Les malheurs objectifs l'assaillent sans arrêt et l'exemple de la peste est peut-être le meilleur. Devant cet avalanche de malheurs ceux qui ont pour fonction d'essayer de donner des explications se sont mis au travail. Ils ont cherché à expliquer les peurs comme une punition des péchés (le thème du second ouvrage s'introduit ici) comme aussi l'effet de la montée en force des démons. Ça va mal parce que les démons ont de plus en plus de force dans leurs interventions historiques. Les clercs ont ainsi cherché à éclairer l'action du démon en identifiant chez qui il agit: le blasphémateur, les juifs, les femmes, les sorcières, etc. On a cherché des boucs émissaires, des responsables visibles, pour mieux les contrôler et tout le programme d'expulsion s'est concentré sur un certain nombre de figures qui ont été identifiées par les clercs. Pour contrôler la peur on a fait une dénonciation thérapeutique et tenté d'expulser ceux qui pouvaient être responsables des assauts croissants du mal.

Delumeau souligne avec insistance que les créateurs des peurs réfléchies étaient les premiers à avoir peur eux-mêmes et que rien ne serait plus faux qu'imaginer un complot cynique, une sinistre machination. L'explication démonologique des clercs a augmenté d'abord leur propre terreur. La menace portait également sur leur pouvoir. L'Église comme corps hiérarchique se sentait assaillie, menacée, et cette dénonciation des responsables de la peur était liée à la problématique d'une Église qui s'identifiait de plus en plus au coeur de cette société. D'où le sous-titre du premier ouvrage: «La Cité assiégée». L'excès de pouvoir secrète à la fois la peur que ce pouvoir soit mis en cause et le besoin de faire peur pour maintenir la dominance.

Voilà donc, dans un premier livre, l'examen de l'ennemi du dehors, mais Delumeau découvrait, en démontrant le mécanisme de ce montage de la peur, la présence d'un opposant plus radical encore, l'ennemi du dedans: parce que je suis pécheur, je suis ce qui risque davantage de mettre en cause mon propre désir de vivre. Il devenait nécessaire, après avoir fait l'histoire de la peur de l'autre, de faire celle de la peur de soi.

La peur de soi

Jamais, pense Delumeau, une civilisation n'avait accordé autant de poids et de prix à la culpabilisation et à la honte que l'Occident entre les XIVe et XVIIIe siècles. Faire l'histoire du péché dans cette société c'est en même temps faire l'histoire de la mauvaise image de soi. Et pour cela une modification du découpage chronologique s'impose. Il faut remonter jusqu'à la construction de l'idéal monastique puisque c'est celui-ci qui, avec l'arrivée des ordres mendiants au XIIIe siècle, sera proposé pour la première fois à la masse des fidèles comme l'idéal de tous les croyants. Au même moment d'ailleurs le 4e Concile du Latran rendra obligatoire pour tous une autre pratique monastique, la confession annuelle auriculaire, érigeant ainsi un tribunal de la conscience coupable. Ce sont là des bornes de départ pour une histoire de la diffusion de la peur de soi. Ce cycle s'épuise graduellement au XIXe siècle et viendrait mourir au milieu du XXe!

Résumons rapidement ce deuxième tome de l'oeuvre qui se divise en trois parties. Dans la première l'auteur brosse un tableau de l'état mental de l'Occident latin aux XIVe, XVe et XVIe siècles. Contrairement à l'image reçue, Delumeau s'efforce de démontrer que la Renaissance, loin d'avoir provoqué l'émergence d'une image optimiste, rationnelle et positive de l'individu, s'est en réalité déroulée sur le fond d'un univers mental où dominait le pessimisme. L'attirance vers le macabre, le sentiment que le monde était vieux, que tout allait de plus en plus mal renvoyait à la conviction que l'humanité était fragile. Ce sentiment était vécu par une large partie de l'élite et débouchait sur des états d'âmes mélancoliques présents un peu partout dans l'espace européen. Ce pessimisme foncier reposait en réalité sur la conviction largement partagée par l'élite que le péché originel condamnait la condition humaine à la perdition. D'où le titre de sa seconde partie: «La Faillite de la rédemption?».

À l'étage de l'élite formée de religieux, de théologiens, d'évêques et de pieux laïques s'accroît la peur du jugement. Cette élite se sent menacée dans sa position dominante, certes, mais plus radicalement s'instaure la peur de ne pas être sauvé. Bultot avait le premier brossé les traits de cette vision augustinienne du «mépris du monde» qui avait servi de cadre symbolique général au monachisme. Delumeau y revient en élargissant la démonstration. Le drame de l'histoire occidentale tiendra à la diffusion de cette culture minoritaire et perfectionniste à l'ensemble de la population au moyen d'une stratégie pastorale d'ensemble qui vise à faire partager cette peur de la damnation. La troisième partie du livre y est consacrée.

Nous pouvons suivre à la trace le travail multiforme de la prédication qui aura diffusé cette religion inquiète dans les masses catholiques et protestantes. Encore ici Delumeau reprend d'une façon convaincante l'hypothèse à l'effet que l'on a assisté à une diffusion d'une angoisse d'abord vécue au sommet. L'élite a excessivement peur de l'orientation quasi irrésistible de la conscience vers le péché et, convaincue du bien fondé de cette peur, elle aura voulu la diffuser au moyen d'une stratégie de communication souvent terrorisante. Le dossier de la prédication rassemblé ici pour la première fois, illustre bien la montée de ce thème central et la recherche de l'efficacité à tout prix par les pasteurs.

L'accumulation des indices convergents permet de souligner la prodigieuse importance culturelle, au sein de l'Occident chrétien, du thème du «mépris du monde», qui des Pères du désert aux puritains anglo-saxons a fourni à notre civilisation l'architecture de fond de sa vision du monde qui dévalue tout le terrestre, instaure la peur de soi et la culpabilité. La condition humaine dans le temps s'explique par le mythe adamique.

Comment toute une civilisation a-t-elle pu se construire sous le thème de la peur et se convaincre que la condition humaine était ainsi menacée? Delumeau entrevoit la solution de cette énigme centrale dans la coïncidence entre la montée d'une série de malheurs objectifs et de peurs construites (premier tome) et la diffusion d'une prédication pessimiste élargissant graduellement son audience auprès des masses (deuxième tome). Les malheurs croissants ne s'expliquaient, en dernière analyse, que par la montée du péché, laquelle reposait sur la logique du péché d'origine. La régression des malheurs collectifs amenée par un meilleur contrôle des problèmes d'alimentation, de santé et de violence collective, aura provoqué la perte graduelle d'impact du discours théologique terrorisant.

De quelques fondements de l'argumentation

Après avoir résumé le propos essentiel de la démonstration historique de Jean Delumeau pour laisser deviner quelle place ce dossier de la peur doit dorénavant occuper dans le travail d'auto-compréhension que poursuit la mémoire occidentale, nous allons examiner quelques caractéristiques du site particulier d'où parle l'auteur et qui déterminent son oeuvre. L'énoncé des présupposés axiologiques et méthodologiques principaux éclairera l'originalité singulière de ce travail et clarifiera ce que l'on peut nommer sa scientificité.

Présupposés axiologiques

La décision d'étudier la peur s'engendre dans la biographie de l'auteur qui, d'entrée de jeu, ne craint pas de s'exposer aux critiques psychologisantes. J'ai d'abord découvert la mort un peu comme tout le monde, suite à la mort subite d'un ami de la famille qui venait de fêter avec nous. Ce choc m'a rendu malade au point de devoir m'absenter de l'école durant trois mois. C'est ainsi que j'ai découvert, avoue Delumeau, que la mort menaçait tout être humain, mais sans savoir pourquoi. La réponse est venue au collège, deux ans plus tard, dans une prière quotidienne obligatoire. Si tout le monde doit mourir, c'est à cause du péché originel. Mais la réponse ajoutait une dimension supplémentaire à la première peur. La plupart des humains sont au surplus menacés de mort éternelle. Je venais de découvrir ce qui s'appelle la construction théologique de la peur, de comprendre pourquoi j'avais raison d'avoir peur et bien davantage d'ailleurs que ce que j'avais d'abord imaginé. On reconnaît là, dans ce souvenir personnel, la distinction entre peur «naturelle» et peur «construite» qui donnera la charpente de toute l'oeuvre. On note aussi l'organisation d'une sensibilité qui en marquera tout le trajet. Ce souvenir avoué, vignette d'auto-analyse, inscrit l'auteur dans le groupe de ceux qui dénoncent la pseudo-neutralité du discours savant.

L'histoire des mentalités produite par Delumeau se ressent également de ce que l'on pourrait nommer un présupposé oecuménique particulièrement concret et l'histoire de la peur n'y échappe pas. Il cherche à penser l'Europe engendrée par la fracture du XVIe siècle. L'Orient chrétien n'a pas connu un pareil montage de la peur, soutient-il, surtout parce que ne s'y est pas implantée la confession auriculaire obligatoire, pièce principale de la stratégie d'augmentation des peurs. Dans l'Europe de la fracture confessionnelle Delumeau tente de montrer comment protestants et catholiques ont eu un héritage qui les rapproche davantage qu'il ne les différencie. Oeuvrant en direction du rapprochement, sa problématique tend à adoucir les différences (sans les nier complètement) et il est à prévoir que paraîtront bientôt des dossiers plaidant pour une plus forte différenciation dans l'Europe moderne eu égard au traitement de la peur qui apparaît maintenant comme un legs commun.

Les lecteurs de l'histoire de la peur y découvrent abondance de jugements de valeur et d'appréciations sur les pratiques anciennes, les discours et les stratégies de l'élite cléricale. On nous dit que telle chose est excessive, mais néanmoins utile, telle chose est absolument erronée ou telle autre bonne. Certains de ces jugements renvoient à l'opinion commune contemporaine informée par la psychanalyse ou la sociologie. Mais la majorité d'entre eux renvoient à la Bible qui est utilisée comme norme immanente à l'univers étudié et qui permet de qualifier des conduites et des discours modernes d'excès, de déformation ou de contradiction. Tout au long Delumeau se situe ainsi assez explicitement comme un chrétien contemporain qui utilise une relecture de ses fondements bibliques pour se distancier de ce qui s'est déroulé dans l'histoire. Ce procédé est familier à la littérature théologique, mais il a de quoi surprendre chez un historien du Collège de France. L'usage qui est ici fait de la Bible situe l'oeuvre au sein de ce que j'appellerais la tradition vivante de la communauté croyante. La présence explicite du présupposé biblique modifie-t-elle la scientificité de la démonstration? Nous pouvons répondre par la négative. La preuve historique est faite avec rigueur et son évaluation n'appartient qu'aux règles les plus communément admises par le monde savant. Mais ce texte de chrétien catholique s'interdit de fait de prolonger les questions critiques soulevées par son dossier à propos des périodes bibliques elles-mêmes. Qu'on pense par exemple au caractère radical de l'interrogation féministe à propos d'une religion du Père et de la Loi. Y a-t-il un lien structural entre cette vision spécifique du monde, la culpabilité et la peur? Mais c'est là ouvrir un tout autre programme de recherche et rejoindre, par exemple, le registre de la critique freudienne.

L'utilisation de la norme biblique comme contrepoint dans un texte appartient depuis toujours à une stratégie réformiste. Et c'est bien là le dernier présupposé de l'oeuvre que nous examinons. Delumeau souhaite clairement que le montage de la peur occidentale qu'il a exposé soit théoriquement et pratiquement répudié par le catholicisme contemporain. Il s'est épuisé au travail pour permettre la parution du deuxième tome avant le synode de l'automne 1983 qui reprenait précisément la discussion autour de la pastorale du confessional. Pratiquée alors que l'Eglise était en position de pouvoir, la stratégie de terrorisation et de surculpabilisation a donné les effets répréhensibles qu'illustrent les deux dossiers parus. Quelle erreur cela serait de vouloir aujourd'hui reprendre la même voie. Les conditions objectives ont radicalement changé et le pessimisme augustinien radical ne peut être maintenu sans fausser ce que nous croyons maintenant connaître du message biblique.

Présupposés méthodologiques

L'oeuvre de Delumeau repose sur un certain nombre de prises de position axiologiques qui l'enrichissent, l'orientent et en marquent la place dans le champ des significations qui traversent la culture occidentale actuelle. Elle innove également dans le domaine de l'histoire des mentalités collectives. À côté des travaux d'Ariès sur la famille et la mort [4], ceux de Flandrin sur les comportements amoureux [5], et ceux de Vovelle [6] sur la mort, il introduit le domaine inédit d'une réaction fondamentale du psychisme individuel: la peur. Il pose ainsi d'entrée de jeu

4. ARIÈS, Ph., *L'Enfant et la vie familiale sous l'ancien régime*, Paris, Seuil, 1973; *L'Homme devant la mort*, Paris, Seuil, 1977.

5. FLANDRIN, JEAN-LOUIS, *Un temps pour embrasser: aux origines de la morale sexuelle occidentale*: (VIe-XIe siècle), Paris, Seuil, 1983.

6. VOVELLE, MICHEL, *Vision de la mort et de l'au-delà en Provence: d'après les autels des âmes du purgatoire*, XVe-XXe siècle (avec GABY VOVELLE), Paris, Colin, 1970; *La Mort et l'Occident de 1300 à nos jours*, Paris, Gallimard, 1982.

l'hypothèse qu'il y a une construction historique de la peur, que celle-ci, quoique reposant sur une structure constante de la vie bio-psychique, prend des formes et des intensités variables dans le temps.

Cette extension du domaine de l'historien constitue un défi méthodologique redoutable. Comment effectuer, par exemple, le passage de l'individuel au collectif? Ceux qui ont laissé des traces lisibles par les historiens sont des individus composant la minorité «lettrée» de la société. Comment, partant d'une documentation produite par les élites, faire une histoire de la peur des masses? Problème de méthode commun à presque tous les projets d'histoire des mentalités collectives et qui exige de procéder à un décodage de second degré des matériaux. De fait Delumeau a été conduit, en décrivant les montages culturels de la peur, à accorder de plus en plus de place aux élaborateurs de réseaux symboliques et aux stratégies et techniques de communication. Il reste donc inévitablement une zone noire: dans quelle mesure cette communication de la peur a-t-elle été réussie? L'approche quantitative requise par une rigoureuse opération de mesure n'a pas été jugée réalisable et Delumeau a plutôt choisi de procéder à une histoire faisant la synthèse de multiples champs documentaires hétérogènes (surtout dans *La Peur*, et très rarement quantifiables. Il fait ainsi porter le poids de la démonstration sur une accumulation de preuves convergentes. Il n'a rien négligé pour donner le maximum de puissance à son argumentation de vraisemblance et il laisse une tâche assez écrasante à ceux qui voudront s'opposer à ses conclusions. Il reste que les lecteurs habitués à n'accorder de crédit qu'aux séries chiffrées demeureront peut-être avec un malaise face aux conclusions indiquant des montées ou des baisses de la peur ou de la culpabilisation, sans qu'on ait d'autres preuves que des documents qualitatifs produits par l'élite.

Quelques apports majeurs de l'histoire de la peur et du péché

Telle qu'elle s'offre présentement au lecteur avant la rédaction du troisième tome qui examinera les processus mis en oeuvre en Occident pour résister à la montée de la peur de l'autre et à celle de la peur de soi durant la même période, la grande oeuvre de Delumeau présente des résultats pouvant intéresser et renouveler les perspectives de plusieurs disciplines. Nous n'en signalerons que quelques-unes pour finir.

Les théologiens (et les responsables de la pastorale) devraient être les premiers à réfléchir sur ce dossier. À une époque où se font jour des tendances anhistorisantes (un certain biblisme sélectif et facile, une professionnalisation à courte vue, des études, etc.) qui remettent en cause l'acquis de la méthode mise en oeuvre par exemple par l'école du Saulchoir, la production des historiens des mentalités et singulièrement celle que nous commentons ici viennent interdire aux professionnels de la réflexion critique sur la Tradition de foi d'oublier le fait massif de la dérive historique de la vie réelle de cette foi. Du XIVe au XVIIIe siècle les théologiens ont donné une explication des malheurs qui s'abattaient sur l'Europe qui, tout en permettant d'objectiver la peur et de la dominer dans une certaine mesure, n'en a pas moins contribué à théologiser (et donc à fonder) la sélection d'un certain nombre de boucs émissaires (juifs, hérétiques, femmes, sorcières, déviants de toutes sortes, etc.) et à seconder des entreprises de répression dont on aperçoit mieux aujourd'hui jusqu'à quel point elles s'inscrivaient dans des stratégies de lutte pour la consolidation d'une domination du pouvoir ecclésial. Il n'en va pas autrement du travail de culpabilisation à propos de l'ennemi intérieur, la conscience pécheresse. Il ne m'appartient évidemment pas de suggérer un programme de travail pour une discipline que je ne pratique pas en professionnel. Mais je ne puis qu'observer qu'il y a ici ample matière à réflexion pour une socio-épistémologie du travail théologique et pastoral. D'ailleurs il est assez amusant d'observer que dans *Le Péché et la peur* tout particulièrement, Delumeau ne fait qu'élargir et vérifier la problématique que développe l'historien de la théologie R. Bultot depuis vingt ans, lui qui a le premier commencé le procès de l'héritage augustino-monastique. Ce legs qui a marqué les structures de fond dc la sensibilité comme de la théorie occidentale est toujours susceptible de réactivation et ce n'est pas au moment ou semble s'épuiser l'optimisme progressiste qui domine depuis le XIXe siècle qu'il faudrait l'oublier sous le prétexte simpliste qu'il s'agissait d'une déviation par rapport à la norme biblique.

En étalant le système total de la peur et en montrant le déploiement de l'activité culpabilisante des prédicateurs comme des théologiens au moyen de stratégies pastorales de domination et du contrôle tant du territoire social que du lieu intime de la conscience, Delumeau oblige à se demander si ce montage de la peur appartient à la logique de fond du christianisme. Quel est le rapport structurel entre l'Évangile, le codage moral des conduites et l'appareil légal et pastoral détenu par les clercs. La prise de pouvoir des pasteurs et des confesseurs sur la conscience individuelle par le moyen de la confession auriculaire a donné des résultats maintenant bien identifiés. Peut-on se contenter de réaménagements plus attentifs aux nouvelles sensibilités de la culture actuelle ou doit-on remettre en cause l'ensemble du système? Voilà quelques-unes des questions que théologiens et pasteurs ne peuvent plus aujourd'hui éviter, surtout dans la nouvelle conjoncture où ressurgissent les discours apocalyptiques séculiers.

Delumeau pose aussi, indirectement, des questions importantes aux disciplines non théologiques qui prennent la religion pour objet. Il nous permet enfin de comprendre la place du thème de la peur et de la culpabilité dans les théories qui ont cherché à élucider le phénomène religieux. S'il est vrai, comme le démontre l'histoire de la peur en Occident, que le montage de la peur a pris le contrôle de l'ensemble du champ des représentations y compris, graduellement, les réseaux symboliques de la masse au point de constituer en évidence sociale le lien intime entre religion et réaction de peur, alors on comprend mieux qu'à partir du XVIIIe siècle les philosophes aient cru voir juste en identifiant l'origine du sentiment religieux à la peur. Lorsque les libertins, les matérialistes et les athées ont commencé à dire que la religion n'était rien d'autre qu'une construction de la peur pour mieux asseoir le pouvoir des despotes civils et religieux, ils n'ont dit de la religion en général que ce qu'ils avaient devant les yeux. Surprenante clairvoyance de cette minorité qui inaugure la crise de la pensée européenne en s'opposant aux religions historiques au moment même où, selon Delumeau, s'achève le cycle de la croissance de la peur. Mais aveuglement troublant aussi, puisque ce nouveau discours à prétention universelle, reprend d'une façon si peu «critique» les évidences sociales de sa propre culture.

Il faudra donc aller voir ailleurs, ouvrir le dossier plus largement en inaugurant une méthode comparatiste avec laquelle débute l'entreprise religiologique. La peur est-elle partout et toujours liée à la religion constitutive de son essence? Non, répondra le Jésuite Lafitau [7]. Voyez les sauvages américains, ces Iroquois, chez qui j'ai séjourné cinq ans. La peur, chez eux, n'est absolument pas une donnée importante. Ce débat hérité de l'histoire occidentale restera actif dans l'histoire des théories religiologiques, particulièrement celles qui s'intéressent au rôle du psychisme.

On fera ou défera le lien entre religion, interdits, conscience morale et peur pour aboutir à la célèbre définition du numineux en tant que réalité perçue comme *tremendum et fascinans* (Otto). J'ai moi-même longtemps souscrit à une théorie de la religion présentant sa genèse et son stade inférieur, portés par le courant de conscience de la crainte. Cela me fut d'ailleurs extrêmement utile puisque je voulais étudier la vision du monde des prédicateurs montréalais [8]. Je n'avais pu que découvrir l'omniprésence de la peur qui caractérisait cet univers religieux. Je comprends mieux maintenant, grâce à Delumeau entre autres, l'étrange circularité qui avait fait émerger la théorie de la vision occidentale construite entre les XIVe et XVIIIe siècles, et qui pouvait donc s'y trouver confirmée.

Il faudrait donc maintenant étendre l'enquête de Delumeau à d'autres univers religieux saisis non pas simplement dans la pratique des élites, mais dans le mental des masses. Une certaine image idéale de l'Hindouisme et du Bouddhisme, par exemple, suggérerait que, dans ce dernier cas, la peur a été radicalement supprimée par la critique et la destruction du désir alors que la vision occidentale du monde est demeurée sur la scène du désir toujours mauvais (*concupiscentia*), mais à jamais présent et méritant toutes les techniques de répression. Mais qu'en est-il réellement dans l'histoire collective des peuples orientaux?

On doit donc espérer que cette grande archéologie de la peur en Occident nourrisse le travail d'interprétation critique tant des théologiens que des religiologues.

* * *

7. *Moeurs des Sauvages Amériquains comparées au moeurs des Premiers Temps*, 1724.

8. *La Prédication à Montréal, 1800-30, Approche religiologique*, (*Héritage et projet*, 16), Montréal, Fides, 1976.

«Mais la peur demeure. Il n'y a que les peurs qui changent», affirme Delumeau. Si la peur religieuse du ciel et de l'enfer ne subsiste plus qu'à l'état de trace dans le patrimoine symbolique de l'Occident, par exemple dans le refrain de Michel Rivard que j'ai mis en exergue de ce texte, la peur de la fin du monde, de la guerre, de la faim semble monter. De nouveau le pessimisme se diffuse partout en ce temps de crise. Après avoir suivi la déconstruction concluante des mécanismes qui ont présidé au montage de la peur en Occident on s'étonnera moins de voir réapparaître la tentation d'identifier de nouveau comme l'ennemi principal Satan qui règne dans le coeur de l'homme par le péché (message inaugural du synode par Jean-Paul II, octobre 1983). On s'étonnera moins, mais l'on ne pourra que soumettre encore davantage à la question le retour possible d'une certaine image du monde, de Dieu, de la loi morale et de la discipline pénitentielle. À sa manière l'historien aura contribué, souhaitons-le, à éviter le retour d'une structure qui a fait de l'Occident un vaste domaine de «surculpabilisation».

Commentaire sur le texte de Louis Rousseau

Michel Despland

Après un exposé si complet et des réflexions si perspicaces, il ne me reste pas grand chose à dire. Je ne peux qu'abonder dans le sens de Delumeau et de Rousseau et peut-être dégager une autre piste d'enquête sur ce territoire qu'ils ont exploré pour nous.

«Notre époque», écrit Jean Delumeau, «parle constamment de 'déculpabilisation' sans s'apercevoir que jamais dans l'histoire la culpabilisation de l'autre n'a été aussi forte qu'aujourd'hui»[1]. Entre la culpabilisaton classique, cléricale, des débuts de l'ère moderne étudiée par l'historien du Collège de France et celle qui est la nôtre, il y a évidemment un écart, une déchirure ouverte par le XIXe siècle et les réalités propres aux sociétés contemporaines. Mais que s'est-il donc exactement passé entre-temps?

Les thèses du sociologue new yorkais Benjamin Nelson (1911-1977) jetteront peut-être un éclairage utile sur la question. Cet auteur a beaucoup travaillé le dossier Max Weber, c'est-à-

1. *Le Péché et la Peur. La Culpabilisation en Occident XIIIe-XVIIIe siècles*, (Paris, Fayard, 1983), p. 11.

dire toute l'évaluation des retombées culturelles involontaires de la Réforme. Comme le sociologue d'Allemagne, celui de New York voit de nombreuses liaisons entre les nouvelles mentalités religieuses et la genèse des sociétés modernes occidentales. Mais à son analyse, il ajoute une thèse sur ce qui aurait fait la force de l'Occident médiéval: le triple système de la conscience, de la casuistique et de la cure d'âme. Le chrétien en tant qu'être moral est semblable à tous les hommes: la conscience l'interpelle, voire l'accuse. (Au moyen âge la conscience n'est pas un organe individuel, autonome logé en chaque individu; c'est une faculté de l'humanité toute entière. L'individu a de la conscience, en ce sens qu'il participe consciemment à une fonction commune au genre humain. Ainsi, de cette conscience, certains en ont plus que d'autres. Aujourd'hui on en dit autant de la science: qui d'entre nous saurait prétendre avoir sa science à lui?). Le chrétien est astreint à comparaître une fois par an au «tribunal de la conscience». (À partir de 1215 la confession annuelle devient une obligation). Cet homme est semblable également à certains autres hommes: comme eux il a des cas de conscience qui sont caractéristiques de son milieu, de son rang, de son âge. La casuistique vient éclairer son cas à la lumière de ceux qui lui sont comparables. Enfin le chrétien est unique: il a des désirs et des craintes qui lui sont propres; la cure d'âme vient lui offrir la thérapie dont il a besoin. Ce système, qui est à la fois une logique et une pratique, est un forum autant qu'un tribunal de la conscience. La conscience est interpellée et éduquée. Elle parle et on lui parle. Elle s'explique et une autorité l'éclaire.

Au XVIe siècle, poursuit Nelson, l'Européen a soif de certitudes et se soustrait à l'univers probabiliste du forum de conscience. La sagesse qui se transmet dans cette cour n'est plus plausible. La conscience aspire à du plus sûr, du mieux établi, voire même à de l'absolu. La Révolution scientifique viendra lui donner de la certitude objective. Galilée et Descartes ne commentent plus des autorités et cessent de soupeser du probable. En physique, ils savent. De son côté, la Réforme protestante apportera à la conscience de la certitude subjective; elle devient donc autonome, absolue. Les protestants aussi, à leur manière, savent, et n'ont plus à écouter des autorités humaines. Nelson rappelle l'expression de Tillich: surgit alors «la conscience transmorale». Les exposés raisonnés faisant appel à la conscience (*rationales of conscience* écrit Nelson) se situent avec les réformateurs dans un registre nouveau. Seule avec Dieu (et la Bible), la conscience du croyant devient libre par rapport à toutes les pressions terrorisantes des législateurs, prédicateurs et moralisateurs écclésiastiques. *Sola gratia*, *sola fide* signifie aussi que la conscience individuelle se dispose à vivre sans l'appui d'autres consciences. J'ouvre une parenthèse pour signaler que les échanges entre Luther et Jean Eck à la diète de Worms (1521) illustrent à merveille le dialogue de sourds qui s'instaure entre protestants et catholiques au sujet de la conscience. Luther commence par dire que les lois du pape mettent les consciences à la torture. Puis il dit que la Bible et sa conscience lui interdisent de désavouer ses écrits. *Depone conscientiam*, conseille alors le dominicain. Laisse-là ta conscience, car elle se trompe. Cette réplique suscita beaucoup de sarcasmes de la part des protestants; ils y virent un appel à renoncer aux claires lumières d'un organe infaillible. En fait le prêtre voulait sans doute tout simplement dire à Luther de ne pas «charrier».

N'allons pas durcir les contrastes. Luther et Calvin surtout connaissent la valeur de l'admonition fraternelle, et se sont dévoués à la direction d'âmes. Il n'en reste pas moins que la Réforme détruit le vieux tribunal-forum et prépare la conscience à tirer le meilleur parti de sa solitude. La conscience protestante s'immunise face au terrorisme de la prédication médiévale: les voeux irrévocables et l'exigence du célibat sont vertement dénoncés; des gestes fracassants transgressent ces lois. Deux sources de culpabilité, peut-être les deux plus généreuses, s'assèchent dès lors, ou du moins on s'efforce de ne plus y boire. (Est-il nécessaire de dire qu'on y retourne quand même? Il existe chez les hommes de vieilles accoutumances, et peut-être aussi des nécessités permanentes). Mais cette conscience, qui s'est mise à l'abri dans le sein de Dieu, est aussi en voie de se fermer à l'examen raisonnable des cas de conscience et de renoncer à la thérapie de la cure d'âmes. La détresse et l'isolement de la conscience moderne sont peut-être liées aux exigences de certitude qui ont tellement travaillé les débuts de l'ère moderne et aux refus de ces bricolages dans le relatif que poursuivaient les autorités spirituelles, de tous ces aménagements du probable, ces complaisances avec l'incertain, qui étaient devenus si invraisemblables et si effrayants. Nelson, pour finir, trouve significatif que le XXe siècle ait vu la montée d'une nouvelle thérapie, la psychanalyse, élaborée par un Juif vivant dans une société catholique pour être ensuite exportée surtout vers la plus protestante des sociétés. Freud, dont les héritiers aident aujourd'hui les protestants à court de direction spirituelle à atteindre leur idéal d'auto-régulation, n'a jamais partagé entièrement leur religion de *self-reliance*[2].

Une conclusion me semble s'imposer. L'histoire de la culpabilisation chrétienne gagnerait à être placée, elle aussi, au sein de ce que j'appelerai l'histoire des institutions morales. Rappelons qu'un système de moralité est un langage persuasif qui raisonne. Ce discours veut communiquer des normes; il soupèse des probabilités, guide vers des biens futurs et permet d'éviter des dangers. Les systèmes de ce type ont des moyens institutionnels pour communiquer, interpréter et faire appliquer leurs normes et leurs croyances. Lorsque ces moyens cessent de fonctionner (perdent leur autorité), une situation d'anomie tend à s'installer. Les rapports sociaux se règlent de plus en plus par la loi (positive) ou par la force, et les individus ont de plus en plus besoin de thérapie[3]. Au chapitre des institutions morales, la Réforme catholique et la Réforme protestante qui, si souvent sont des réformes parallèles, sont opposées. Celle de Trente prolonge la vie de la casuistique et de la cure d'âmes en donnant aux fidèles des prêtres plus crédibles. Celles de Wittemberg et de Genève cherchent à mettre en place un nouveau système, où chacun lit sa Bible et où le pasteur parle aux consciences à distance, sans lutter avec elles dans l'intimité d'un confessional, et leur fait confiance ou les surveille, de loin, en gros. Les craintes modernes, latentes dans notre société industrialisée et bureaucratisée, ont peut-être été semées davantage par la deuxième stratégie que par la première. Nous n'avons plus peur de mourir de faim, de la peste ou par un cataclysme naturel. Nous n'avons plus guère peur d'être punis pour nos fautes morales «privées». Mais, ce que Norbert Elias appelle nos craintes «indirectes» ou «intérieures» ont augmenté. L'homme moderne a

---

2. Voir les 4 articles réunis dans la deuxième partie «Conscience, Cultural Systems and Directive Structures» du volume *On the Roads to Modernity, Conscience, Science and Civilizations.* Selected Writings by BENJAMIN NELSON. Edited by Toby E. Huff. (Totowa, New Jersey, Rowman and Littlefield, 1981).

3. Je résume ici l'article de mon collègue FRED BIRD, «Paradigms and Parameters for the comparative study of religious and ideological ethics», *The Journal of Religious Ethics,* Volume 9, no 2, Automne 1981, pp. 157-185.

peur de devoir souffrir socialement de ses faux-pas. Tous les jours, au travail ou en famille, il vit des relations d'interdépendance angoissantes. Dois-je collaborer avec les autres? Veulent-ils collaborer avec moi? Les autorités, plus distantes, n'aident pas beaucoup: elles laissent les subordonnés faire leurs gaffes. Les tensions sociales quotidiennes résonnent donc durement dans la solitude de nos consciences. Nous vivons dans la peur. Peur de perdre notre réputation, notre prestige distinctif, notre niveau de puissance économique[4].

Une culpabilisaton sociale continue donc à nous presser; la conscience isolée, craintive, a besoin d'aide. Que penser des deux grandes stratégies chrétiennes historiques instaurées au cours du XVIe siècle et qui n'ont pas encore été remplacées? L'augustinien en moi éprouve de la répugnance devant les jeux de pouvoir du confessional: je ne crois pas que cet autre-là soit assez sage pour que je puisse m'exposer à ses morsures et à ses douceurs. Mal à l'aise, je le suis aussi avec l'optimisme de commande, le pélagianisme de celui qui veut toujours pousser à l'effort moral, qui veut rassurer et encourager, qui croit que la chair est faible et prétend que la volonté est forte. À mon avis, c'est la chair qui est forte, et la volonté faible; ce sont nos illusions sur l'énergie de la volonté qui augmentent nos fardeaux et notre solitude.

Par ailleurs il est clair qu'il faut que les chrétiens réapprennent à se parler et à s'entraider, à vivre en amis qui s'accompagnent jusque dans ces régions douloureuses de la conscience où se rejoignent l'intime et le public. Une nouvelle casuistique me semble nécessaire pour renouveler la communication sur nos dilemmes et assurer la dissémination de nos réponses; celles-ci ont beau n'être que partielles et temporaires, elles intéressent les autres. J'avoue que j'aimerais en savoir plus long sur le fonctionnement des institutions morales caractéristiques du judaïsme. L'art de passer du général au particulier me semble y avoir été pratiqué avec suffisamment de bonheur, par des autorités plus sages, et à partir de lois plus prudentes. La loi en resta donc plus aimable, et ses applications plus raisonnables.

4. Signalons pour mémoire que Norbert Elias trouve la genèse de ces craintes intériorisées dans les mécanismes d'interdépendance propres à la société de cour. Voir *La Dynamique de l'Occident*, (Paris, Calmann-Lévy, 1975), pp. 316-322.

Est-ce que je me trompe? Songez à ces mots de Joseph Albo (1380-1444). En existe-t-il de pareils dans la littérature morale chrétienne? «La loi de Dieu ne peut pas être parfaite au point d'être adéquate pour tous les temps; les détails toujours nouveaux des rapports humains, les coutumes et les actes sont trop nombreux pour être contenus dans un livre. C'est pourquoi Moïse a reçu certains principes généraux, auxquels la Torah fait brièvement allusion; grâce à ces principes, les sages peuvent établir les détails à chaque génération, au fur et à mesure qu'ils apparaissent» [5].

---

5. Cité par SHUBERT SPERO *Morality, Halakha and the Jewish Tradition*, (New York, KTAV, 1983), p.277.

Angoisse et religion: un syndrome de société contemporaine

Raymond Lemieux

«si tu veux apprendre à prier,
pars sur la mer...»

proverbe breton
aussi entendu en Gaspésie.

Les travaux contemporains de sociologie et d'histoire des phénomènes religieux occidentaux sont de plus en plus souvent en mesure de proposer des éclairages inédits concernant leur objet. Des outils nouveaux, mais aussi des préoccupations nouvelles, ouvrent désormais le champ scientifique sur des interrogations jusque là laissées dans l'ombre: religions populaires, histoire et sociologie des mentalités, interprétation des déviances, attention particulière aux sous-groupes silencieux ou marginalisés, de même qu'aux phénomènes, parfois massifs, échappant aux institutionnalisations dominantes, attrait particulier pour la variété des structures signifiantes et des discours au delà des appareils normatifs qui en codifient la reconnaissance sociale.

Les phénomènes contemporains fournissent là-dessus un matériel privilégié. Là où les grandes institutions religieuses paraissaient détenir les clés d'une régulation sociale intégratrice d'un ordre général, en garantir la légitimité, en formuler les idéaux et les objectifs, on assiste désormais à un éclatement du sens. Le monopole de production de discours normatifs et dogmatiques leur échappe. Des appareils civils, parfois supraétatiques, prennent la relève, diffusant leurs messages universalistes mais sans jamais vraiment réussir à les imposer (pensons aux différentes déclarations *universelles* des droits de l'homme). La légitimité, d'autre part, s'exerce de moins en moins souvent du lieu de fondements religieux explicites; elle se donne plutôt à vérifier au coeur des pratiques sociales, dans la reconnaissance de leur rationalité et de leur rendement. Là où la religion proposait l'authenticité, l'autorité et la tradition comme garanties du croyable, fondement et fondateur des groupes et des rapports sociaux qu'ils entretiennent, la raison technicienne, organisatrice d'une nouvelle régulation sociale dominante, propose la mesure du vérifiable.

On a pu penser pendant un temps que cette montée prodigieuse de la modernité sonnerait le glas du pouvoir civilisateur des institutions et discours religieux renvoyés aux survivances de la tradition et aux vestiges d'un monde pré-rationnel. À travers la ci-devant nommée «révolution tranquille» du Québec, cumulant transformations économiques, politisation du nationalisme de la bourgeoisie et démobilisation religieuse des classes montantes, bien des intellectuels ont cru lire la fin d'un monde, où la fin du monde religieux, qu'ils aient connoté ce diagnostic de nostalgie, d'inquiétude ou de triomphalisme. Peu ont su y mettre le point d'interrogation et l'indéfini que Colette Moreux inscrivait au titre de son livre: *Fin d'une religion*? [1] Sans doute une certaine connivence a-t-elle joué son rôle ici: les intellectuels, comme les classes montantes, prétendent tous à la libération de quelque chose et ont pu facilement s'appuyer les uns sur les autres, la nouvelle bourgeoisie n'ayant pu prétendre au pouvoir que dans la mesure où elle a appris à manier l'outil par excellence des intellectuels: la rationalité. Quoiqu'il en soit, il a pu être difficile pour les observateurs de cette génération de porter sur les mouvements de leur société un regard dénué de convoitise sinon d'intérêt. La religion dont cette société a continué d'être prégnante a en tous cas eu tendance à leur échapper, sinon à être constamment déniée.

Ce fut avec une sorte de stupeur que certains d'entre eux, au cours de la dernière décennie, découvrirent les enfants dont cette religiosité mal nommée, littéralement sans père,

---

1. Cf. C. MOREUX, *Fin d'une religion?*, Montréal, Presses de l'Université de Montréal, 1969.

commençait d'accoucher: mobilisation fondamentaliste, renouveaux charismatiques, buissonnements ésotériques, ramifications syncrétistes, ébullitions sectaires. En lieu et place du désert du sens où l'on s'attendait voir nomadiser les nouvelles générations, avec pour seul guide les oasis de la raison, on trouve une forêt vierge. Pour reprendre le mot d'Abraham Moles au colloque sur le renouveau religieux tenu à Québec en septembre 1982, jamais peut-être, depuis l'Empire romain, n'y eut-il tant d'offre religieuse en Occident. Prolifération de pratiques du sens où chacun, en même temps, risque de trouver, comme dans l'auberge espagnole, ce qu'il apporte, sa vision étant radicalement limitée par les arbres qui l'entourent. Effervescence mais aussi, là où se définissent et s'affirment les normes devant être acceptées par tous, indifférence, «tranquille pratique du non sens» [2].

Le renouveau religieux occidental, (si tant qu'il n'y ait pas, dans cette expression, abus de vocabulaire), se caractérise ainsi d'un paradoxe. Valorisant et parfois radicalisant le recours à l'expérience de chacun plutôt que le retour aux autorités fondatrices, il ne laisse pas d'être marginal. Développant sans cesse le marché du sens et des voies de salut, il n'arrive pas à se donner comme sens indiscutable et salut commun. On le retrouve partout, tant dans la pensée scientifique quand la physique devient poétique, ou la psychologie spiritualité, que dans les techniques du corps quand elles ouvrent à l'expérience mystique.

Ce renouveau religieux représente, dans les sociétés contemporaines, une sorte de *travail sur les limites*. Ce qu'il met en cause est moins l'intégration normative de la société globale que l'exploration de nouvelles frontières. Face aux modes de régulation dominants, il met en scène d'autres modalités, pour les individus et les groupes, d'effectuer un ensemble de transactions [3] fécondes avec leur environnement sociétal et de gérer à travers les formes qui lui sont propres (discours, rites, pratiques, appartenances, croyances) leur appropriation spécifique de

2. Cf. C. MOREUX, *Douceville en Québec*, Montréal, Presses de l'Université de Montréal, 1981.

3. Nous empruntons volontiers ce terme aux travaux du groupe de recherche sur le «vécu religieux des québécois» et dont un certain nombre de comptes rendus ont commencé à paraître. Cf. J. ZYLBERBERG et J.-P. MONTMINY, «L'Esprit, le pouvoir et les femmes. Polygraphie d'un mouvement culturel québécois», in *Recherches sociographiques*, (1981), XXII, 1.

l'espace social contemporain. Les religiosités nouvelles sont donc loin, dans notre hypothèse de travail, de représenter des modes d'exclusion par rapport à la contemporanéité. Nous chercherons plutôt à les lire comme des essais d'appropriation de cette dernière.

C'est dans cette perspective également que nous les traiterons comme des *productions de sens*, donnant à cette expression une valeur purement opérationnelle. Nous entendons par là toute opération par laquelle un élément socialement régulé *objet* du fonctionnement social, *sujet* assujeti à ses règles) *intègre* pour y prendre place et s'y inscrire, l'ordre des choses nécessaires à sa survie[4].

I - De la peur à l'angoisse: une société génératrice d'angoisse

L'enjeu d'une production de sens, remarquons-le au départ, est toujours la question d'un salut, que celui-ci soit dans ce monde, tels la santé, l'équilibre psychique, la victoire sur l'ennemi ou encore la traversée des périls de la mer, ou dans un autre monde, tels la rédemption individuelle, le paradis, la gloire et la paix des élus. Un ordre, vulnérable ou immuable, s'y impose, victoire sur toutes les conjonctures qui font de la vie un combat, une traversée, un risque.

On connaît dans la poursuite de cet enjeu, le rôle de la peur. Jean Delumeau[5], dans son livre indispensable sur la question, en propose quelques démonstrations éclairantes. La peur est structurante du progrès (*pro-gressere*), individuel et social, ou si l'on veut du cheminement au bout duquel un salut est possible. Devant le danger, il faut affronter non seulement les conditions objectives de ce dernier, mais la peur qu'il suscite en chacun de nous. La peur inscrit l'action, la décision, non seulement comme des processus mécaniques mais comme rapports au sujet aléatoire. Et en cela même elle connote quelque chose de la

---

4. On trouvera une opérationalisation analogue de *sens* en linguistique: le sens d'un élément signifiant est sa capacité d'intégrer au niveau linguistique englobant, tels le phénomène dans le mot, le mot dans la phrase. Cf. E. BENVENISTE, «Les Niveaux de l'analyse linguistique», in *Problèmes de linguistique générale*, Paris, Gallimard, 1966.

5. Cf. J. DELUMEAU, *La Peur en Occident*, Paris, Fayard, coll. «Pluriel», 1978.

religiosité, selon les deux sources étymologiques du terme: elle marque un temps d'arrêt, calcul ou hésitation (*relegere*: relire, faire retour sur les conditions d'ensemble de l'action); elle met aussi l'individu en face de ce qui le dépasse, de ce qui est risque parce qu'il ne peut le contrôler (*religare*: relier, mettre en lien avec l'altérité). Ce type de rapport entre la peur et la religion, qui pointe çà et là dans les itinéraires des individus et des groupes, pourrait nous amener à parler d'une religiosité *naturelle* s'il n'était pas lui-même, bien sûr, culturellement construit. Qui n'a connu, à un moment où l'autre, ces états de crise où s'en remettre à l'autre, Destin ou Providence, apparaît au moins momentanément la seule voie plausible dans l'effort de survie?

Ce que nous voulons évoquer ici n'est pas à proprement parler cette expérience de la peur, sans doute fondatrice d'une certaine sagesse. Il s'agit plutôt de ce qui pourrait, superficiellement, se donner comme une variante de celle-ci mais qui, à l'analyse, ne s'y laisse nullement réduire. Nous l'appelerons *angoisse* et nous tenterons de montrer, en un premier temps, que si elle est comme la peur socialement construite elle ne l'est aucunement de la même façon: elle représente plutôt, dans les subjectivités, un effet spécifique aux pratiques sociales et aux modes de productions rationnels et techniques, caractéristiques des sociétés contemporaines. Elle est, selon cette proposition, un effet *structurel* (et en conséquence nécessaire, non seulement accidentel) des modes de régulation dominants dans ces sociétés, ces modes qui les définissent en tant que techniques et rationnelles et ont en ce sens un effet omniprésent dans ce qu'on appelle désormais la post-modernité.

A - *De la culpabilité à la mésadaptation: une régulation performative*

Explicitons cette problématique par un exemple, celui des processus d'intégration sociale propres aux systèmes d'éducation, par lesquels les enfants sont appelés, graduellement, à passer à l'âge adulte.

L'enfant, dès son plus jeune âge, est pris en charge par un réseau éducatif de type non pas primaire (réseau familial ou de proximité physique) mais secondaire, c'est-à-dire dont les objectifs et le mode de fonctionnement sont définis par des exigences formelles, déjà tributaires des valeurs dominantes de la société globale, et *techniquement explicités*. Déjà, à l'âge de deux ou trois ans, d'autant plus jeune qu'il est issu de milieux aisés ou socialement en ascension, il est accueilli par la garderie, dont l'objectif pédagogique explicite (et d'autant plus valorisé qu'il s'adresse à une clientèle en pointe) est celui de l'acquisition de la *sociabilité*.

Il est dès lors appelé à faire l'*expérience* de la socialisation et à en *performer* les exigences de plus en plus précises à mesure que sa maturité se développe, en conséquence et dans l'axe de cet apprentissage. Performance radicale, déjà, si l'on pense que pendant parfois six heures, voire sept heures par jour, l'enfant est appelé à constamment négocier son espace, ou si l'on veut son territoire physique et affectif, avec d'autres enfants (ce qui, malgré la surveillance bienveillante des monitrices, jardinières ou éducatrices, bien des adultes seraient certes incapables de réaliser sans maux de tête...).

Le processus pédagogique qui a déjà cours dans cette *mise en situation* ne consiste pas à *transmettre* à l'enfant un *savoir* concernant les lois de la sociabilité. Il serait de toutes façons incapable d'en recevoir et comprendre les énoncés. Il consiste à lui ouvrir un monde d'*expériences* et, à travers ses propres essais et erreurs, à travers les exigences structurantes de sa propre performance, de lui permettre d'intégrer, petit à petit, ces lois, reconnaissables dans l'a posteriori de son vécu. Déjà, la loi s'inscrit ici dans l'expérience, non pas comme rapport à l'autorité d'un autre, mais comme structure formelle d'une performance possible.

Dans la mesure de son développement (c'est-à-dire de sa performance) et d'autant mieux qu'il se sera bien *adapté* à ce premier vécu de socialisation, l'enfant aura alors accès à des processus d'expérience de plus en plus complexes, passant par la maternelle à une plus grande précision du langage et de ses expressions régulées, puis au primaire, au secondaire, au collégial et à l'université, à des langages de plus en plus formels.

Il va sans dire que des processus de sélection sociale sont aussi à l'oeuvre dans cet apprentissage. Que l'école soit désormais ouverte à tous ne signifie pas que tous parviendront à en dominer les impératifs ni que tous, loin de là, parviendront à en performer les plus hauts niveaux d'exigence sociétale. Cette sélection se fait cependant désormais moins du lieu de la naissance (quoique tous les enfants, encore, sont loin de naître de la même façon et dans les mêmes conditions optimales de développement futur), moins aussi du lieu brutal des discrimations facilement visibles, économiques, religieuses ou raciales (quoique, encore là...), que du lieu propre de leur capacité (idéologiquement renvoyée à l'*individuel*) d'intégrer rapidement et efficacement les exigences d'une sociabilité performative.

Les fonctions discriminantes (dont toute société a sans doute besoin pour se structurer) s'exercent désormais de l'*intérieur* du processus d'apprentissage fait d'expériences et de performances.

Si l'enfant s'adapte mal à son milieu d'intégration scolaire, s'il présente des incapacités de performance quelconques, physiques ou psychiques, des processus techniques de réadaptation lui son proposés, orthopédiques, psycho-pédagogiques, rattrapage scolaire, etc., qui vont lui permettre, autant que possible, de réintégrer les voies les plus valorisées. À mesure de son développement, si la performance continue de rencontrer les exigences plus diversifiées, ceux et celles, dit-on, qui lui ouvrent le plus de portes: sciences pures au collégial, facultés prestigieuses à l'université, doctorats et post-doctorats; dans la mesure des limites de sa capacité de performance, il s'orientera ou sera orienté vers les voies allégées, les secteurs techniques courts, facultés de sciences humaines surchargées, etc., voies qui ressemblent énormément à des voies de garage. Ce qui le spécifie dès lors est que désormais son niveau de performance *restera* limité. On ne lui demandera pas plus que ce qu'il a déjà atteint mais, en contre-partie, ses possibilités d'accès au marché du travail et de réalisation de soi resteront faibles. Bref un écart, d'autant plus grand que la sélection aura été précoce, s'inscrira entre les modèles de performances les plus valorisés et ceux auxquels, lui, a effectivement accès.

Une telle situation, en termes techniques, s'appelle l'*anomie*[6]. Elle représente la distance entre les aspirations qui sont données, les idéaux qui sont plus ou moins consciemment

---

6. Cf. E. DURKHEIM, *De la division du travail social*, Paris 7e édition, 1960. Cf. aussi: E. DURKHEIM, *Le Suicide. Étude de sociologie*, Paris, nouvelle édition, 1960. — R.K. MERTON, *Social Theory and Social Structure*, Glencoe, Ill., 2nd Edition, 1957.

intériorisés, et les possibilités effectives d'en réaliser les exigences[7].

Nous ne voulons pas ici analyser les causes et les mécanismes de cette production d'anomie qui, dans le système d'éducation comme ailleurs, est en train de devenir un problème social de premier ordre. Nous proposons cette réflexion uniquement pour illustrer certains points de la logique de régulation sociale qui est en train d'y fonctionner. Cette logique repose, essentiellement, sur la mise en place d'un *idéal de performativité* qui détermine l'unité et la cohésion du système. Mais un tel idéal ne se présente pas, comme les idéaux de *conformité* qui ont pu dominer d'autres types de régulation sociale, sous formes de *modèles* à reproduire. Il ne se définit pas d'abord par ses contenus (qui changent d'ailleurs très rapidement). Il se présente comme une exigence formelle, celle d'être toujours en mesure d'*ajouter* une unité ou une qualité de performance supplémentaire à celle qu'on est en train de réaliser. Comme pour le coureur marathonien, il s'agit de *dépasser* sa performance actuelle. Il se produit toujours, en cela, comme un travail sur les limites: dépasser sa limite actuelle représente le succès, rester en deça, quelles qu'en soient les causes, représente l'échec. Il est essentiellement un risque: des évènements récurrents nous en montrent les enjeux dans certains sports comme la course automobile où, pour le concurrent, accélérer d'un kilomètre à l'heure représente la mort, réduire sa vitesse d'un kilomètre représente l'échec.

Les pédagogies de *transmission*, référant à l'autorité d'un savoir, d'une tradition ou d'un auteur, présentent des modèles à contenu. L'enjeu en est dès lors de se conformer à ces modèles, c'est-à-dire d'être fidèle à leurs idéaux. Une telle fidélité assure une place sociale quand elle sert de principe à la régulation des rapports sociaux dans un groupe. L'infidélité peut être le résultat soit d'une mauvaise compréhension ou transmission du

7. *L'Encyclopaedia Universalis* propose la caractérisation suivante du concept d'*anomie* selon Merton: «Ainsi, la 'réussite sociale' est — cela est généralement admis — une fin que la société industrielle impose à ses membres. Mais en même temps, de nombreux individus, par la situation sociale dans laquelle les place leur naissance, ne peuvent réaliser cette fin. D'où l'apparition de plusieurs types de conduites déviantes, correspondant au rejet soit des fins soit des moyens conçus comme recevables par la société, soit à la fois des fins et des moyens» (cf. art. «anomie»).

message, soit d'une volonté mal orientée, d'une indiscipline face aux contenus des modèles proposés. Elle renvoie l'individu à la conscience de sa culpabilité, littéralement au risque d'être *coupé*, mis au ban de l'ordre social. Un coupable repenti peut toujours réintégrer l'ordre d'où il s'exclut: il lui suffit pour cela de prendre conscience de sa faute, de l'avouer, d'en accepter les sanctions, bref de changer sa conduite. La culpabilité s'inscrit dans une logique de la responsabilité.

Dans une régulation performative, on est en présence d'une toute autre logique. Les termes mêmes en sont changés: il ne s'agit plus de modèles à reproduire, de fidélité ni de culpabilité, mais de limites à dépasser, de capacités effectives, d'expérience et d'adaptation. L'appropriation des places sociales renvoie l'individu non pas à sa conscience mais à ses possibilités, à travers une mise en situation de contraintes structurelles qui pour la plupart échappent à sa bonne ou à sa mauvaise volonté.

B - *Société technicienne et angoisse*

C'est bien ici que nous retrouvons l'angoisse comme produit structurel (et non pas accidentel) d'une société dont les processus de production dominants sont des processus techniques.

La peur, tel que nous l'avons située précédemment dans son rapport à la religiosité, est essentiellement conjoncturelle. Elle s'inscrit dans la traversée d'un danger, dans un risque momentané. On peut en sortir, ce qui rend d'ailleurs toujours quelque peu aléatoire le rapport au religieux qu'elle inaugure. L'angoisse, dont nous tentons ici de saisir le concept, est structurelle. Devant l'impératif de l'unité supplémentaire de performance à assumer, chacun finit par se trouver, inéluctablement, devant ses limites, quel que soit le niveau de performance auquel il est parvenu. Ce travail sur les limites, ce *plus un* nécessaire, toujours demandé, devient dès lors générateur non seulement d'effort mais de *souffrance*: il renvoie à l'*impossible*. Il détermine alors l'histoire du sujet comme l'inscription d'une distance infranchissable entre d'une part les modèles de performance valorisés par la société, modèles à contenu changeant qui génèrent les possibilités de promotion sociale et de valorisation des individus, et d'autre part le niveau de performance effective auxquels ceux-ci sont en quelque sorte réduits.

Il est facile d'observer comment les systèmes performatifs d'intégration scolaire de plus en plus fondés, idéologiquement sinon toujours dans la pratique, sur une pédagogie de l'expérience plutôt que de la transmission, sont générateurs d'angoisse: celle des adolescents bien sûr, pour qui se joue la réalisation de soi, l'identité, ou en plus bref l'*avenir* comme ensemble de possibles qui leur seront désormais proposés ou refusés, mais aussi chez les plus jeunes enfants, où se joue la capacité immédiate d'intégration à un groupe et surtout il faut bien le dire, chez les parents, dans la mesure même du processus de transfert d'aspirations qui leur est propre. L'évocation du système scolaire n'est pourtant qu'un exemple. On trouve la même structure en fonctionnement dans les grandes administrations qui s'apprêtent à intégrer l'ère informatique, dans les petites entreprises qui doivent intégrer un marché dont les déterminations sont hors de leur contrôle et chez les professeurs d'université qui doivent constamment mettre à jour leur enseignement pour intégrer la galopade de l'univers intellectuel contemporain.

Dans tous les cas, la régulation sociale à laquelle on est astreint porte moins sur des contenus à assurer que sur les capacités même de changer ces contenus, c'est-à-dire de s'*adapter*. L'adaptation devient le maître mot du succès. Elle est la condition inéluctable de l'intégration sociale, c'est-à-dire non seulement de la participation à des groupes valorisés ou valorisateurs des individus mais de l'appropriation par ceux-ci d'une place sociale signifiante. L'Église elle-même n'y a pas échappé quand elle a dû développer sa propre idéologie interne d'«adaptation au monde moderne».

L'enjeu en est la production du sens, si on accepte d'entendre, ce terme autrement que comme un ensemble de modèles auxquels se conformer. Les sociétés ou groupes à régulation dominante de type dit traditionnel, structurés par la mise en place d'autorités, proposent de tels modèles. Les modes dominants d'une société technique (et c'est en cela même qu'on peut parler de société technique) structurent des exigences performatives. Le sens, dès lors, ne s'y donne pas à appréhender d'abord comme un univers de contenus mais comme un univers de capacités formelles. Il n'est plus dans la maîtrise d'une *cohérence imaginaire* mais dans celle d'un *ordre symbolique*, sans cesse de plus en plus complexe et subtil dans ses mécanismes.

La régulation sociale technicienne propose des voies, une logique de l'instrumentalité, là où une régulation faite du lieu de l'imaginaire propose des modèles. L'homme technicien est celui qui améliore la performance de ses outils: il se définit à partir de son habileté à en comprendre les lois de fonctionnement et à leur donner un rendement optimal. Sa crédibilité même lui vient de la reconnaissance des *effets* de son action, reconnaissance a posteriori, jamais définitive. Comme le médecin devant la maladie, il ne dispose pas d'un modèle fixe de santé, mais d'outils permettant de repérer et de corriger des dysfonctionnements, la maladie. Dans une telle logique de la performance, le sujet ne devient croyable, à ses propres yeux comme aux yeux des autres, que dans l'après-coup, c'est-à-dire dans le constat vérifiable d'une expérience positive qui l'inscrit désormais à un certain niveau de production signifiante qu'il n'avait pas encore atteint. L'habileté à intégrer des expériences nouvelles devient la clé de la réalisation de soi.

Une telle logique de régulation ne peut que produire l'angoisse quand le sujet ainsi constitué de son désir, mais aussi de ses limites, parvient au terme de ses capacités actuelles. Le fossé se creuse alors entre les objets proposés à ce désir et sa capacité effective d'atteindre ces objets. Si l'imaginaire est éclaté, si l'idéal à atteindre reste toujours indéfini, les capacités de chacun, elles, sont finies et limitées. Liées au corps, liées à l'histoire individuelle et sociale, elles représentent un inventaire fermé de possibles. Ce fossé où l'angoisse s'installe en creux est celui où se mesure la distance vécue par chacun entre le monde fermé de ces possibles et celui des réalisations désirables, mais impossibles. Rapport du sujet à une impossible performance, produit structurel de la régulation performartive, l'angoisse est par excellence le lieu de la souffrance.

II - La religion comme résolution privée de l'angoisse

Quand nous mettons en regard régulation performative et régulation dite traditionnelle de l'intégration sociale, il nous faut prendre garde de ne pas y entendre des modes qui seraient, dans l'histoire, exclusifs l'un de l'autre. C'est pourquoi nous marquons toujours d'une hésitation les expressions *société traditionnelle, société technique*. Il n'y a pas de telles sociétés à l'état pur. Mais en toute société il existe des groupes, des espaces sociaux, dont les modes de régulation dominants sont de type traditionnel ou de type technico-performatif. Tout le problème se ramène alors à tenter d'observer quelles places prennent ces logiques différentes, l'une par rapport à l'autre, quelles transactions elles engendrent, comment les individus et les groupes, dans leurs efforts de production signifiante, les actualisent.

Le principal problème auquel fait place la sociologie de la religion, devant le foisonnement actuel des religiosités, est en ce sens celui de la contemporanéité. Comment, dans une société dont les analystes se plaisent à dire qu'elle a même dépassé le stade technico-industriel pour devenir post-industrielle, rendre compte d'une telle contemporanéité de phénomènes dont certains nous renvoient non seulement à la survivance d'institutions, de croyances et de pratiques qui hier encore dominaient, mais à la résurgence d'expériences (telles la sorcellerie, le panthéisme, les religions païennes) que ces institutions elles-mêmes avaient prétendu dépasser? On a facilement tendance à évacuer ce problème quand on qualifie les phénomènes religieux actuels de survivances traditionnelles ou de retour des dieux morts.

Une telle taxonomie fait partie intégrante du processus d'affirmation d'une régulation dominante autrement constituée. Dans tout groupe, comme en toute formation sociale, où la logique propre d'un mode de régulation sociale tend à dominer, s'effectue ainsi un travail de marginalisation et de minorisation des autres logiques. La force même d'un groupe et sa cohésion interne s'expriment dans sa capacité d'intégration, selon le mode qui lui est propre, mais cette capacité intégrative est aussi sa capacité d'exclure, de désigner et de marquer le déviant d'une façon telle qu'il ne soit plus un risque pour l'ordre social.

A - *La marginalisation du religieux*

À la suite de la technologisation rapide de la société québécoise, telle que réalisée dans la «révolution tranquille», trois conséquences peuvent ainsi être repérées comme caractéristiques de l'univers religieux qui désormais s'y déploie: sa *marginalisation*, son *éclatement* et sa *privatisation*.

Pour s'installer en tant que mode de régulation dominant, la logique performative (et bien sûr les groupes sociaux animés par cette logique et capables de se l'approprier) ont dû déloger les cohérences anciennes et minoriser les pouvoirs de ceux qui en détenaient les clés: critiques de la *grande noirceur*, dénonciation du cléricalisme, dégradation politique des institutions religieuses, désaffectation de leurs codes éthiques et moraux. Que l'Église, encore dominante dans le champ religieux, ait résisté à un tel processus, acculée à un type de lutte sociale dont elle connaissait mal les termes, est un fait; mais elle a été, elle aussi, appelée à s'adapter, premier signe sans doute, avant même la perte de crédibilité dont elle a été l'objet dans les années soixante-dix, d'une marginalisation d'abord implicite mais déjà réelle.

Par ailleurs, dans toute formation sociale où les voies normales (valorisées) de promotion et d'intégration deviennent bloquées ou saturées, la première solution qui s'offre aux individus et aux groupes désappropriés des moyens normaux de valorisation consiste évidemment à chercher, puis à inventer, d'autres voies. Quand les valeurs dominantes manifestent leur inaptitude à satisfaire les aspirations de tous, ceux qui restent, pour survivre, n'ont plus qu'à tenter de mettre en place d'autres valeurs, réactualisant pour cela les anciens idéaux désormais minorisés, démontrant leur pertinence toujours actuelle, ou bien créant de toute pièce. La marginalité peut devenir, dès lors, une voie privilégiée de la créativité: démontrer la possibilité d'un autre ordre social, sortir du commun, jouer avec les normes officielles, transgresser les modèles dominants pour mieux y prendre place, les adapter à ses propres contraintes et possibilités, bref, proposer des alternatives. Apparaissent alors ces groupes dits marginaux qui cherchent à réinventer le monde, des *hyppies* des années soixante aux mouvements écologiques des années quatre-vingt, mais aussi, dans l'Église comme dans le reste de la société, mouvements communautaires, expériences charismatiques, diversification des identités religieuses, revalorisation du corps, effervescence mystique, importations religieuses inédites, ramification extrême des croyances.

L'éclatement du religieux, en ce sens, n'est pas seulement une conséquence du nouvel ordre social dominant. Il en est une sorte de condition nécessaire. Le marché du sens se comporte exactement comme les autres marchés: peu importent les produits qu'il met en étalage pourvu que la production se développe et, pour cela, s'adapte sans cesse à de nouvelles demandes. Le producteur individuel, s'il veut se faire sa place, doit être en perpétuel mouvement. Il lui importe moins de rester fidèle à un produit que de performer de nouvelles valeurs, intégrer de nouvelles visions du monde, se donner une nouvelle identité. Ce faisant, il n'est pas dysfonctionnel par rapport à une régulation dominante de type performatif qui s'intéresse davantage aux modes de production qu'aux produits. Au contraire, le pluralisme religieux tout comme l'éclatement de l'imaginaire auquel il est associé, rendant indifférent à l'ordre social tout méta-discours sur celui-ci, lui laisse le champ libre comme poursuite d'efficacité. Plus encore, les différentes productions religieuses sont elles-mêmes renvoyées, pour se justifier en termes de pertinence sociale, à leur propre efficacité: quelles gratifications y trouve-t-on, quels bénéfices apportent-elles à leurs usagers?

Un champ d'*alternatives* se trouve ainsi mis en place, en interaction constante avec les modes centraux d'intégration sociale, mais sans véritablement mettre ceux-ci en cause. Ce champ produit des contenus différents mais répond finalement aux mêmes lois de production fondamentales. Là où la régulation performative, s'explicitant comme contrôle symbolique le plus souvent inconscient, laisse ouvert le monde des cohérences imaginaires, la production religieuse occidentale investit désormais ce monde et propose à la conscience la diversité de ses produits. Mais en même temps, elle en propose la consommation privée.

Il est remarquable que la vie religieuse, comme la vie sexuelle, la vie affective, la vie familiale et de larges portions de l'organisation du loisir, forment désormais ce qu'il est convenu d'appeler le *domaine privé* et y inscrivent une semblable diversité. On peut y penser ce que l'on veut, y développer n'importe quel idéal et n'importe quelle pratique, pourvu que cela ne mette pas en cause un certain ordre social général, autrement défini. La privatisation du religieux, cela veut dire évidemment que chacun n'est responsable que devant soi de ce qu'il croit et de ce qu'il en partage avec d'autres. Mais cela veut dire aussi que toute croyance est plausible, voire désirable d'un point de vue politique ou économique, pourvu qu'elle ne prétende pas monopoliser la légitimation de l'ordre social, qu'elle ne le mette pas trop radicalement en cause (par exemple, en s'excluant effectivement de ses normes). Si elle le fait, elle devient alors *délire*, pathologie individuelle ou collective (Lac Sec, Jonestown). Alors seulement la loi interviendra, non pas au nom d'une vérité différente qu'elle défendrait, mais au nom de l'ordre commun qu'elle protège.

Dans ce monde du privé, il n'y a pas de pratiques aberrantes, ni de productions coupables (au sens étymologiques du terme comme en son sens éthique) *par rapport* à la régulation dominante; il n'y a que des modes, plus ou moins efficaces selon qu'ils sont plus ou moins adaptés aux besoins des individus, de réalisation de soi.

On ne peut véritablement comprendre la position du religieux dans une société à régulation dominante performative sans considérer en même temps ces trois caractéristiques de marginalisation, d'éclatement et de privatisation de son champ. Il nous reste cependant à en comprendre plus clairement les enjeux.

B - *La réappropriation communautaire du social*

La vie religieuse, comme la vie affective et les autres modes de production alternatifs que les hommes se donnent, représente ainsi autant d'efforts multiples de faire groupe autrement. Là où la régulation dominante propose des places à chacun dans la mesure de sa capacité de performance technique, il s'agit de réinventer l'espace social, d'en mettre en scène d'autres paramètres et, en actualisant des valeurs qui justement, échappent à cette régulation dominante, de rendre possibles d'autres modes d'intégration et de production de sens. Là où la régulation dominante est essentiellement *sociétaire*, allant jusqu'à réduire les subjectivités qui s'y inscrivent à certaines de leurs fonctions productrices, il s'agit d'actualiser autre chose, c'est-à-dire une régulation de type *communautaire*, intégrant les subjectivités précisément en ce qu'elles échappent aux normes se constituant ailleurs.

Face aux exigences sociétaires d'une performance impossible, il s'agit de remettre en scène l'univers des possibles. Ce que le monde religieux propose, dans sa réappropriation communautaire des traditions et des expériences, c'est bien quelque chose de cet univers, tel qu'inscrit dans le patrimoine occidental mais en même temps, désormais, rupturé dans son rapport à l'histoire contemporaine.

Le groupe cellulaire représente sans doute le prototype de cette réappropriation. Actualisant et valorisant des rapports sociaux de type affectif (c'est-à-dire un échange) dans la reconnaissance d'un même vécu, il devient pour ceux qui partagent ce vécu un lieu privilégié de réalisation de soi, lieu plus ou moins distancié par rapport aux normes dominantes mais en interaction constante avec ces dernières. Ses valeurs circulent dans la ville sans s'y laisser vraiment compromettre. Il fournit des identités sans pour autant se laisser circonscrire par la hiérarchie des places sociales admises. Il force le système sans vraiment le rejeter puisqu'il en vit. Littéralement, il *trans-gresse*.

Dans cette mouvance qui lui est propre, le groupe cellulaire représente toujours une alternative d'intégration sociale et de production de sens. Même si sa créativité est éphémère parfois, elle n'en est pas moins réelle quand elle oblige la société environnante à admettre des différencs dont le prix payé est justement, pour ceux qui en vivent, d'être considérés comme marginaux. En ce sens, le groupe cellulaire n'est pas seulement un refuge pour les individus mais un essai de faire société par rapport à ce qui se donne comme centre, interaction avec ce centre et avec les autres. Mais en même temps qu'il rend possible des expériences d'altérité en leur donnant un langage, il clôture ces lieux d'expérience, les soumet aux lois qui lui sont propres. Il permet une parole mais, en l'instituant, la limite, la contraint à son tour comme le ferait n'importe quel autre langage.

S'il se propose ainsi comme différence externe, manifestant l'éclatement de la société, le groupe cellulaire n'admet généralement en son sein que peu de différences. Il est essentiellement partage d'une *même* expérience dont la reconnaisance représente, par la création de ses signifiants propres, une altérité. S'ouvre ainsi, pour chacun, un univers des possibles actualisés qui est le vécu du groupe, ce vécu qu'il affirme, protège et cultive à l'exclusion de tout autre qui le mettrait en danger. C'est en cela bien sûr qu'il conjure l'angoisse. Dans l'altérité *domestiquée*, une histoire propre peut désormais s'inscrire, des identités peuvent être trouvées sans qu'il soit besoin, ni d'attester ni de contester, par des performances ou des contre-performances obsessives, les règles d'une société par ailleurs bloquée.

C'est pourquoi le groupe cellulaire, qu'il soit nominalement religieux ou autre dans la qualité d'expérience qui le fonde, a toujours tendance à intensifier cette base d'expérience qui est la sienne. Et pour cela parfois, il n'hésitera pas à se couper de plus en plus radicalement de l'ordre social dominant pour y former des sous-cultures fermées, potentiellement sinon explicitement dysfonctionnelles du point de vue de ce dernier. Également pour garantir l'authenticité du partage d'expérience qui le fonde, il n'hésitera pas non plus à exclure tout élément étranger ou perturbateur de son expérience propre: c'est pourquoi, alors même qu'il se manifeste en altérité par rapport à un ordre dominant ailleurs, on y trouve si souvent tant de conformisme à l'intérieur et d'intolérance face à toute altérité qui voudrait s'y manifester.

C'est bien ce qui se passe, déjà, dans l'univers de l'adolescence. Dans l'anomie propre à ce stade de développement de la maturité sociale, où le fossé se creuse entre les aspirations explicites et les possibilités de réalisations effectives (par exemple, dans l'impossible rapport entre la maturité sexuelle et l'aliénation économique), l'adolescence est le temps privilégié d'essais d'autres façons de faire groupe. La «bande», le couple amoureux, syndromes de cet âge, sont aussi des modes de réinventer des mondes plus ou moins fermés, privatisés en même temps qu'éclatés et marginaux, détenteurs de leurs propres langages, de leurs conformités qui vont parfois jusqu'à l'abolition des différences (unisexe), de leurs rapports propres à l'environnement et à la loi, de leurs idéaux et de leurs utopies fusionelles. Ici encore, le groupe organise un ordre symbolique qui lui est propre et, dans la distance par rapport à des normes qui lui deviennent indifférentes, donne accès à un *imaginaire du possible*.

Des enjeux analogues sont en cause dans l'éclatement de l'univers religieux. En actualisant des croyances et des pratiques parfois anciennes, traditionnellement fondatrices de régulation sociale commune mais désormais marginalisée, parfois nouvelles, inventées de toute pièce comme réponses à des besoins inédits, ou importées de cultures exogènes, ils ouvrent, dans une société structurellement engorgée, les voies imaginaires du possible, celles d'un salut non seulement extra-mondain mais sociétal et humain. En valorisant, réinventant sans cesse et codifiant l'expérience d'altérité qui les fonde, ils en instituent le langage comme celui d'une possible communauté, là où autrement chacun serait renvoyé à sa dérive propre dans une parole non régulée, à la limite délirante ou complètement laissée pour compte. Si l'enjeu en est, comme en toute production d'alternative, de clore une parole autrement folle, de domestiquer l'altérité, ils fournissent par là même une possible intégratin sociale là où la régulation dominante projette le sujet dans l'angoisse.

* * *

La contemporanéité des phénomènes religieux nous oblige à y chercher autre chose qu'une opposition simpliste de la tradition et de la modernité. Leur prolifération nous force aussi à y voir autre chose qu'un épiphénomène d'une société trop permissive.

La logique régulatrice d'une société technicienne ne propose à vrai dire que peu de modèles donnant cohérence aux aspirations des individus. Sa force réside plutôt dans la capacité qu'elle inaugure d'en changer rapidement et constamment. Logique de performance plutôt que de conformité, elle valorise l'acquisition des capacités à produire plutôt que des produits proprement dits. Ce faisant, elle renvoie chaque agent social à ses limites propres, au risque à prendre et à l'angoisse structurelle devant l'impossible performance.

La production d'alternatives devient, dans un tel contexte, une condition également structurelle de la survie, tant pour les discours dominants menacés de ce qu'ils excluent que pour les sujets acculés à tenir, du lieu de leur expérience propre, une parole non entendable du lieu de ces discours.

Codifier cette parole, l'enclore d'un langage capable de la domestiquer, l'incorporer dans un imaginaire capable d'en soutenir la différence, tel est l'enjeu de cette production d'alternatives. Une altérité y prend *corps*. Des corps, individuels et collectifs, autrement réduits à leur seule souffrance, peuvent s'y réapproprier quelque chose de *leur* histoire et en produire le sens, l'inscrire dans l'histoire rupturée qui leur échappe, interagir fût-ce transgressivement, néanmoins efficacement, avec cette dernière.

Les matériaux religieux qu'offrent les sociétés contemporaines représentent, de ce point de vue, des lieux privilégiés d'intégration sociale, dans leur marginalité créatrice, leur privatisation affective et l'éclatement des cohérences dont ils se soutiennent. Voies démultipliées pour la recherche d'un salut toujours aussi angoissant.

La peur dans les sectes bibliques

Richard Bergeron

La psychiatrie a établi une distinction utile entre la peur et l'angoisse. Au niveau de sa manifestation extérieure, la peur est une «émotion-choc, souvent précédée de surprise, provoquée par la prise de conscience d'un danger présent et pressant qui menace, croyons-nous notre conservation» [1]. Cette peur libère une énergie particulière et produit des effets variés selon les individus. Comme expérience intérieure la peur est un sentiment de crainte et d'inquiétude accompagné éventuellement de frayeur et d'épouvante devant un péril qui menace. La peur porte sur un objet connu à la différence de l'angoisse qui est un sentiment global d'inséccurité, mêlé d'anxiété et de mélancolie, et qui se rapproche de la crainte de l'abandon. Au contraire de la peur, l'angoisse n'a pas d'objets précis, déterminé. Elle est vécue comme une attente douloureuse devant un danger non clairement identifié. La source de l'angoisse est plus dans l'individu que dans la réalité qui l'entoure au contraire de la peur qui jaillit davantage de la menace de l'objet. Bien qu'elles soient des sentiments différents, la peur et l'angoisse ne sont pas sans lien étroit. Des peurs répétées peuvent être source d'angoisse et l'an-

1. J. DELUMEAU, *La Peur en Occident*, Paris, Fayard, 1978, p. 13.

goisse peut prédisposer à la peur. L'angoisse et la peur sont généralement génératrices d'agressivité.

Jean Delumeau a montré qu'on pouvait transposer la peur du niveau individuel au plan collectif, même si ce passage ne se fait pas sans difficulté. «Non seulement les individus pris isolément mais aussi les collectivités sont engagés dans un dialogue permanent avec la peur»[2]. La peur collective est «une attitude assez habituelle qui sous-tend et totalise beaucoup de frayeurs individuelles dans des contextes déterminés et en laisse prévoir d'autres dans des cas semblables. Le terme «peur» prend alors un sens moins rigoureux et plus large que dans les expériences individuelles, et ce singulier collectif recouvre une gamme d'émotions allant de la crainte et de l'appréhension aux terreurs les plus vives. La peur est ici l'habitude que l'on a, dans un groupe humain, de redouter telle ou telle menace (réelle ou imaginaire)»[3]. La peur joue un rôle important dans toutes les sociétés. Et point n'est besoin d'être grand clerc pour identifier sa présence dans les comportements de groupes.

Quelle configuration la peur prend-elle dans les sectes bibliques contemporaines? Les sectes sont des groupes de croyants en Jésus, rassemblés autour de la Bible pour former la réplique parfaite de l'Église primitive et mis à part du monde mauvais pour vivre saintement dans l'attente du Retour du Christ. Mentionnons à titre d'exemples les sectes évangélico-pentecôtistes comme l'Assemblée chrétienne Maranatha, la Mission chrétienne évangélique, l'Église des rachetés de l'Éternel; les sectes néo-pentecôtistes comme la Mission du Saint-Esprit, le Temple du Réveil, le Tabernacle chrétien, l'Église des Apôtres de Jésus-Christ, la Mission Théman; les sectes apocalyptiques comme les Adventistes, les Témoins de Jéhovah et l'Église Universelle de Dieu; et les sectes syncrétistes comme l'Église de Jésus-Christ des Saints du Dernier Jour.

Les sectes proposent un salut par la voie de la foi absolue. En tant que groupes de foi biblique absolue, les sectes présentent les caractéristiques suivantes: 1) méfiance à l'endroit de toute intervention de l'intelligence et de la science dans la démarche de foi (fidéisme); 2) priorité donnée au coeur, à la

2. *Id.*, p. 2.
3. *Id.*, pp. 14-15.

décision, à l'émotivité, à l'enthousiasme religieux; 3) zèle missionnaire lesté d'un profond relent d'anti-oecuménisme et d'anti-catholicisme; 4) rigorisme moral et radicalisme évangélique; 5) eschatologisme apocalyptique et illuminisme pneumatique; 6) et enfin lecture fondamentaliste de la Bible.

Quelle place la peur occupe-t-elle dans les sectes? Quelles sont les peurs spontanées ou réfléchies qu'elles véhiculent? Qui a peur de qui et de quoi? Comment les sectes gèrent-elles la peur? Quels chemins proposent-elles pour la surmonter et l'exorciser?

Les sectes misent sur la peur

Les sectes savent exploiter les peurs collectives de la société occidentale, notamment de la société nord-américaine. La Russie et l'idéologie qu'elle promeut constituent la peur no 1 de la société nord-américaine. Les Russes sont les gros méchants. Ce sont des collectivistes, des militaristes, des communistes, des athées. Toute idée de gauche et toute action socialisante sont aussitôt taxées de marxistes, donc de dangereuses: elles risquent de mettre en péril notre mode de vie «démocratique». La doctrine de la sécurité nationale tente de fournir une justification idéologique à cette peur instinctive et aux moyens mis en oeuvre pour la neutraliser.

Pour se protéger contre la «terrible» menace communiste, il faut s'armer. Notre peur des Russes — qui, de leur côté, ont peur de nous — est à l'origine d'une folle course aux armements où s'engouffrent 600 milliards de dollars par année. Plus on a peur, plus on court vite. Aux grandes peurs, les grands cataplasmes. Rien n'est trop coûteux pour assurer sa sécurité et calmer sa peur. L'arsenal nucléaire inimaginable qu'on a développé constitue une force de frappe colossale destinée à assurer la paix par le jeu de la dissuasion.

Or, ce qui devait assurer notre sécurité nous plonge aujourd'hui dans une insécurité profonde et génère une nouvelle peur: la peur de la bombe des autres et de la nôtre. C'est l'équilibre de la terreur. L'arsenal militaire représente une force de destruction capable d'anéantir toute forme de vie. Le globe est devenu une poudrière. Ce qui était destiné à sauver notre système et notre civilisation risque de détruire l'ensemble du monde. Le futur est angoissant, inquiétant. Ainsi donc de la peur des

Russes on aboutit à la peur du futur en passant par la peur de la menace nucléaire.

Les sectes misent sur cette peur spontanée pour gagner des adeptes. La peur favorise la conversion et porte à la foi. Non contentes d'aiguiser la peur collective, les sectes renchérissent en insistant sur le caractère incertain et inquiétant de l'avenir. À leurs yeux, si le futur est bloqué ce n'est pas uniquement à cause du péril atomique, mais aussi à cause du haut degré de corruption de la société actuelle. Système économique, institutions socio-politiques. Églises établies, moralité publique, tout est radicalement corrompu. Aucun avenir ne peut sortir de ce présent dégénéré. D'où surgissement d'une double peur de l'avenir, l'une venant de la terreur devant la menace communiste et nucléaire, l'autre découlant de l'insécurité devant l'état de perdition du monde présent et devant l'avenir devenu problématique. Au plan humain, rien en peut nous libérer de cette situation et de la peur qui en découle.

Comment les sectes vont-elles neutraliser cette peur? En substituant à cette peur spontanée une peur théologique. Cette substitution s'accomplit par un transfert de la peur sur des réalités de la foi. Grâce à ce transfert, les sectes sont en mesure de gérer la peur. À la peur du présent corrompu, elles substituent la peur de Satan; à la peur du futur menacé de destruction finale, elles substituent la peur du jugement de Dieu et de la fin du monde.

Pour les sectes, Satan est omniprésent dans les structures religieuses et sociales, dans la culture, la science et la musique. Il pénètre toutes les institutions et son influence corrompt tous les coeurs: d'où perversions, libertinages sexuels, injustices, etc., etc. Satan menace, comme un lion rugissant. Satan est devenu l'ennemi no 1 de l'homme. C'est contre lui qu'il faut lutter, se protéger. Il est la menace absolue. La peur de Satan se substitue à toutes les peurs du présent en les ramenant à l'unité et en les regroupant sous un seul nom. La peur de Satan assume et théologise toutes nos peurs du monde actuel.

Par ailleurs nos peurs du futur se trouvent théologisées et ramenées à l'unité par la peur du Jugement de Dieu et de la catastrophe finale. La colère de Dieu va fondre de façon impitoyable sur ce monde mauvais. La patience de Dieu est à son comble. Le mal a trop duré, Satan a assez règné. C'en est fait.

Tout va sauter. Le jour vient — et il est tout proche — où le châtiment divin s'abattra sans merci sur ce siècle mauvais. Alors ce sera le cataclysme effrayant de la fin du monde où les hommes sècheront de frayeur et mourront d'épouvante. L'heure de la vengeance va bientôt sonner.

La seule façon d'échapper à cette catastrophe et de se libérer de la peur qu'elle engendre, c'est de se convertir à Jésus et d'entrer dans la secte, seule arche du salut.

Les sectes calment la peur

Une fois les peurs spontanées neutralisées par le processus de la substitution théologique, comment les sectes arrivent-elles à neutraliser les peurs théologiques, celle de Satan et celle du Dieu vengeur? Par le recours à l'imaginaire. La peur de Satan est neutralisée par l'idée (ou l'illusion) de la sainteté; la peur du jugement et de la fin l'est par le mythe millénariste.

La sainteté. Le sectateur est un rescapé. Jésus sauve, non pas du péril nucléaire, mais de Satan et de la colère de Dieu. La substitution des objets de peur est importante dans la rationalité de la secte. La secte est une communauté de saints, de purs, d'élus, de sauvés, de séparés, de mis à part de la *massa damnata.* La secte est un ilôt de justice dans un monde dépravé. Elle n'a pas de part avec le prince de ce monde ni avec ses suppôts terrestres. Les sectateurs vivent, autant que faire se peut, en rupture avec la culture ambiante et les institutions de ce monde. Ils sont dans un enclos de sainteté: Satan n'a donc plus de prise sur eux. Certains vont jusqu'à dire qu'ils ne peuvent plus pécher. Drapés de sainteté et armés d'une foi absolue, les sectateurs sont à l'abri des assauts et des artifices de Satan. Ainsi donc la peur du diable et de son action maléfique se trouve neutralisée par l'illusion de la sainteté. Satan est hors les murs.

La peur du démon est associée à l'attente de la fin du monde. Cette attente de la fin constitue un lieu privilégié où la pensée religieuse de la secte opère de nouvelles peurs, ses propres peurs. L'attente de la fin génère la crainte, la peur des derniers temps. L'imagination se porte sur les malheurs qui doivent précéder le Jugement dernier — lui-même terriblement redoutable. La colère du divin Juge se fait déjà sentir dans notre monde qui s'effrite de toutes parts. En s'inspirant des écrits apocalyptiques, de Daniel en particulier, on fait la mathématique des prophéties et on tente de calculer la date de la fin. Toutes les sectes s'accordent pour dire que nous sommes tout près de la fin des temps. Même si elles ne s'amusent pas toutes à en prévoir la date précise, toutes reconnaissent que nous vivons dans le temps de la fin. Le jour de la colère est imminent: le bras vengeur du divin Juge va s'abattre sur les méchants et sur le monde qu'ils ont créé.

Opérant une lecture fururologique et objectivante de textes apocalyptiques et prophétiques, les sectateurs croient que les prophètes ont entrevu les événements apocalyptiques qui marqueront le commencement de la fin. Ce qui arrive aujourd'hui correspond aux prophéties de l'Ancien et du Nouveau Testament. Est-il meilleur signe avant-coureur de la fin que la conjoncture mondiale actuelle? Paroxysme de l'immoralité et de la méchanceté, guerres, calamités, cataclysmes naturels, dépravation de la connaissance, famines, apostasie générale, etc.: autant de fléaux annoncés comme prodromes de la fin.

À tous ces fléaux, il faut ajouter le pire: la présence de l'Antéchrist, de la Bête dont le chiffre est gravé partout. Entité individuelle ou collective, l'Antéchrist ou la Bête a cent mille suppôts: faux messies mystiques (gourous, avatars divins, fondateurs de nouveaux cultes), faux messies politiques destabilisant notre régime social. Parmi les institutions marquées du sceau de la Bête, mentionnons à titre d'exemples: l'O.N.U., le code commercial barré, le Marché commun, les Jeux Olympiques, la Russie, la Papauté. Forte est la tendance d'identifier l'Antéchrist à ce que l'on combat.

Nous avons ici un parfait exemple du processus de théologisation des peurs. Les peurs du présent cahotique et du futur menaçant se muent en peur de la Bête dont l'action démoniaque est le grand signe avant-coureur de la fin et du Jugement.

Cette peur du Jugement et des malheurs qui doivent le précéder est neutralisée aussitôt par l'*utopie millénariste*. La peur du Jugement est absorbée par l'espérance de ce règne de mille ans inauguré par le Christ lors de son retour. Dans ce paradis restauré, les élus jouiront d'un parfait bonheur, tandis que Satan sera enchaîné. Au moment de la catastrophe finale, le Christ viendra sur les nuées du ciel et enlèvera ses élus auprès de lui. Dans ce cataclysme, les impies seront détruits avec le monde qu'ils ont créé, Satan sera enchaîné et la terre complètement renouvelée. Alors Jésus et ses élus descendront des nuées pour venir habiter ce nouveau paradis.

L'utopie millénariste constitue une réponse totalement sécurisante à l'angoisse et à la peur du présent problématique et de l'avenir incertain. Ce refuge dans l'imaginaire désamorce radicalement la peur du Jugement imminent de Dieu. Communauté paraclétique, la secte échappe à la colère qui vient. Le Jugement, c'est pour les autres, les ennemis de Dieu.

Les sectes ont peur

Si les sectes réussissent à calmer les peurs fondamentales, elles ne le font qu'au prix de nouvelles peurs. Les sectes créent et entretiennent chez leurs adeptes une grande peur: la peur du compromis.

La secte a une peur bleue du compromis. Communauté de purs et de saints, la secte rejette toute compromission avec le mal où qu'il se trouve, dans la société et dans les Églises établies, surtout dans l'Église catholique. Cette peur du compromis va prendre quatre formes principales: le refus de l'oecuménisme, la négation du principe de l'économie (ou de la loi du cheminement) en morale; la rupture avec les institutions de ce monde; la méfiance vis-à-vis de l'intelligence.

Dans son fond toute secte est *anti-oecuménique*. Cet anti-oecuménisme va de la simple réticence à une opposition farouche. Aux yeux de plusieurs sectes, les principes oecuméniques sont d'inspiration satanique. Les grandes églises sont corrompues, spécialement l'Église catholique qui pactise avec Satan. Le grand péché de l'Église romaine, c'est de s'être compromise avec le pouvoir, la culture, l'argent, l'esprit mondain et l'erreur. Ces compromis lui ont fait perdre sa qualité d'Église du Christ. Faire des compromis avec cette Église, c'est pour la secte courrir le risque de se laisser corrompre et de perdre à son tour son identité d'Église.

La peur du compromis prend encore la forme d'un refus du *principe de l'économie*. Ce rejet engendre un radicalisme évangélique et un rigorisme moral d'où sont farouchement évincées toutes formes de laxisme, d'adaptation et d'accomodement. Le compromis prétend tenir compte de la situation concrète alors qu'il n'est en fait, au dire des sectes, qu'une relativisation qui conduit à une trahison du commandement évangélique et de la loi naturelle, à cause de la permissivité qu'il entraîne à brève échéance. Le compromis énerve la loi de ses exigences et risque de priver la secte d'une de ses notes spécifiques : la pureté.

La peur du compromis s'exprime aussi dans l'*éloignement du monde*. La secte ne tolère aucun compromis avec la culture ambiante, les moeurs, la mode, etc. Elle vit une existence parallèle à la société et réduit au minimum les interférences inévitables. Satan étant le prince de ce monde, faire des compromis avec la philosophie ambiante ou les institutions socio-politiques c'est risquer de pactiser avec le mal. Toute adaptation de la Parole de Dieu est une concession à l'esprit mondain et elle aboutit rapidement à une corruption de l'Évangile. La secte est séparée, mise à part et tout compromis avec le monde la menace dans son essence même. Toute tendance incarnationaliste menace le principe eschatologique qui est un axe essentiel de la démarche spirituelle proposée par la secte.

Enfin la peur du compromis prend la forme d'une *méfiance vis-à-vis de l'intelligence*. Pour la secte, la lettre de l'Écriture est parole de Dieu. La Bible est moins un livre de doctrine qu'un code d'action. Dieu y agit plus qu'il n'y enseigne. Sa parole est commandement. La Bible est l'instance unique de la vérité et la norme absolue de l'action. Croire c'est adhérer aveuglément à la Bible et ouvrir son coeur à Jésus. La foi est un acte de volonté où l'émotion, l'enthousiasme et l'affectivité occupent une grande place.

La méfiance à l'endroit de l'intelligence va s'exprimer dans le refus catégorique de toute interprétation qui corrode la Parole de Dieu et de tout développement doctrinal ou institutionnel, considéré comme un fatras de «nouveautés», des superfétations et des corruptions. Le recours à l'intelligence critique, historique et discursive risque donc, au jugement de la secte, de compromettre la place exclusive de la Bible comme point de référence absolu pour la foi. La secte s'écroulerait si son unique point d'appui se corrodait.

De plus l'intelligence est vue comme une ennemie de la foi pure. L'intelligence introduit le raisonnement, la question, le doute et, ce faisant, met la foi en péril. La peur de l'intelligence prend la forme d'un fidéisme qui tend à évacuer de l'expérience de foi toute théologie, toute herméneutique — et cela au profit du coeur, de l'enthousiasme. L'intelligence risque de conduire à l'incroyance ou à l'hérésie. Les tendances fidéistes de la secte visent à maintenir un élément essentiel de l'*êthos* de la foi absolue: l'enthousiasme religieux.

Ainsi donc la peur quadriforme du compromis n'est pour la secte rien de moins qu'une peur de perdre son identité comme secte, c'est-à-dire comme véritable Église du Christ, communauté de purs regroupés volontairement autour de la Bible et mis à part pour le grand Jour. Point n'est étonnant dès lors que cette peur du compromis soit si viscérale et qu'elle s'exprime souvent sous des formes marquées au coin de la raideur, de l'intransigeance, voire du fanatisme! Cette peur instinctive s'explique par le fait que le compromis constitue la menace ultime pour le sectateur, puisqu'il met en péril l'identité même de la secte.

Les sectes font peur

La société en général et l'Église en particulier portent souvent des jugements sévères et négatifs sur les sectes actuelles. Ces accusations ne font que constituer une variante contemporaine des accusations traditionnelles lancées par la majorité sociale et religieuse contre les groupes minoritaires, marginaux, déviants, hérétiques et schismatiques. L'histoire de la polémique montre la récurrence de mêmes accusations.

C'est ainsi que Jésus lui-même a été dénoncé comme fou, buveur de vin et agent de subversion et que les premiers chrétiens ont été traités d'athées, de séducteurs, d'ennemis de l'État. L'Église devenue puissante a porté, à son tour, des accusations analogues contre les groupes marginaux. Les Églises protestantes en firent autant aux minorités catholiques dans les pays dominés par le protestantisme. Toute cette littérature polémique, d'où qu'elle jaillisse, forme un genre littéraire spécifique qui s'articule, selon Harvey Cox[4], autour de quatre thèmes majeurs qu'on peut qualifier de mythes.

4. «Deep Structures in the Study of New Religions», dans *Understanding the New Religions*, éd, par J. NEEDLEMAN et G. BAKER, N.Y., The Seabury Press, 1978. pp. 122-130.

Il y a d'abord le mythe de la subversion selon lequel le nouveau groupe religieux est vu comme une menace à l'ordre social. Le second mythe vise le comportement éthique et les moeurs sexuelles. Ou bien la polémique vise des pratiques dépravées ou bien elle dénonce la réserve sexuelle excessive et le rigorisme moral. Il y a encore le mythe de la dissimulation: le groupe ne présente qu'une partie de la vérité et cherche à tromper et à séduire. Il y a enfin le mythe du mauvais oeil: aucune personne saine d'esprit ne peut appartenir à un groupe «comme ça». «Ces gens-là» sont manipulés; ils subissent le charme d'un leader ou sont victimes d'un lavage de cerveau. Globalement les accusations portées contre les sectes contemporaines reprennent sur un registre ou sur un autre tous ces grands poncifs de la polémique traditionnelle.

Or — et c'est ici que tout cela devient pertinent pour notre propos — l'accusation en dit souvent plus long sur l'accusateur que sur l'accusé. Elle révèle, du moins en partie, ce que l'accusateur a à prouver et ce qu'il a à défendre dans ses convictions et son style de vie. L'accusation trahit les craintes et les peurs d'un individu ou d'une collectivité. C'est ainsi que les mythes que l'on ressasse dans les accusations lancées contre les sectes sont de bons révélateurs des peurs qu'elles inspirent ou dévoilent.

Le mythe de la subversion manifeste la peur du chaos et de l'anomie, c'est-à-dire la peur de ce qui adviendrait à l'Église et à la société si le mouvement sectaire s'universalisait. Le mythe «sexuel» suggère la peur de la désintégration personnelle, vu l'importance d'un sain équilibre de la sexualité dans l'harmonie intégrale de la personne. Le mythe de la dissimulation révèle la terreur causée par la rupture des relations et des communications entre les hommes, rupture qui transformerait vite cette terre en une véritable tour de Babel. Enfin le mythe du mauvais oeil manifeste la peur de l'aliénation [5].

À ces grandes peurs dormantes que les sectes réveillent en nous, il faut ajouter les peurs plus explicites qu'elles inspirent à bon nombre de chrétiens, en particulier la peur du pluralisme religieux et de la désintégration de la foi chrétienne. En effet, bien des chrétiens ont peur du pluralisme religieux. Habitués

5. Voir R. BERGERON, *Le Cortège des Fous de Dieu*, Montréal, Éd. Paulines, 1982. pp. 291-295.

qu'ils sont à l'unanimité religieuse, ils se sentent menacés par la présence envahissante de nombreuses sectes. Ignorant la signification de ce phénomène et ne sachant pas comment y faire face, ou bien ils se refugient dans un catholicisme fermé aux interpellations nouvelles ou bien ils se figent dans une intolérance plus ou moins déguisée — ce qui, dans les deux cas, n'est rien d'autre qu'un refus subtil de reconnaître la situation et de relever les défis qu'elle pose. Quand le pluralisme s'introduit à l'intérieur d'une même famille, c'est souvent la panique. Les relations s'enveniment, les êtres ne se comprennent plus. Tôt ou tard c'est l'éclatement du lien conjugal, familial ou fraternel.

À cette peur du pluralisme, s'ajoute la crainte de voir sa propre foi ébranlée. Les chrétiens ne se sentent pas certains de leur foi, habitués qu'ils sont à vivre un christianisme qui va de soi. Ils restent attachés à leur foi, mais en ignorent et le contenu et les fondements.

Devant la contestation des sectes, les chrétiens ne sont plus sûrs de leur identité chrétienne. «Si les sectes avaient raison... si les curés nous avaient menti... si l'Église nous avait trompés... Les sectateurs sont si zélés, si convaincus... leurs rassemblements si chaleureux»... Beaucoup de chrétiens sont inquiets. Étant désarmés devant les arguments des sectateurs, ils sombrent dans le doute et se sentent menacés dans leur foi. Ils ont peur des sectes parce qu'elles constituent une menace pour leur foi et celle de leurs enfants.

Conclusion

Les sectes nous révèlent que la peur est omniprésente dans notre société. La peur a mille visages. Chaque époque, chaque société, chaque groupe a ses peurs. Il n'y a point de honte à ressentir la peur. Mais honte à celui qui se la dissimule. L'important, c'est de bien identifier les peurs qui nous habitent afin de pouvoir les gérer de façon positive. Une peur non reconnue peut mener à la catastrophe: une peur bien gérée peut servir de tremplin. La peur n'est pas absence de courage et de bravoure. Elle peut être un guide avisé qui nous permet de reconnaître le danger et de contourner l'obstacle. Avoir peur c'est vivre avec la connaissance de la fragilité humaine et des nombreux écueils qui mettent la vie en péril. Seul celui qui sait combien la vie est précieuse et fragile en même temps peut avoir peur de la perdre. La peur est un ingrédient de la sagesse.

Une peur contemporaine et sa double gestion: le mouvement anti-cultes et l'univers savant

Roland Chagnon

Des observateurs de la scène américaine ont fait remarquer que, si les années 60 avaient été dominées par un ensemble considérable de mouvements de jeunesse luttant contre la guerre du Vietnam, militant en faveur de la reconnaissance des droits civiques et, plus largement, engagés dans un processus plus vaste de contestation globale de la culture, les années 70, quant à elles, pouvaient être caractérisées par la naissance et le développement de ce qu'on a appelé «le phénomène des nouvelles religions» [1].

---

1. Dans leur ouvrage: *The New Vigilantes: Deprogrammers, Anti-Cultists and the New Religions* (Sage Publications, Beverley Hills, 1980, 267 p.), ANSON D. SHUPE et DAVID G. BROMLEY indiquent la date d'entrée ou de fondation, aux États-Unis, de plusieurs nouvelles religions. Les «Enfants de Dieu» sont apparus en Californie en 1968; l'«Association Internationale pour la Conscience de Krishna» a été fondée à New York en 1965; la «Méditation Transcendantale» et les «Happy-Healthy-Holy» sont apparus sur la scène américaine à la fin des années 60; la «Scientologie», bien qu'existante depuis le début des années 50 et elle-même héritière de la «Dianétique», fondée en 1950, connut une nouvelle vague de popularité aux États-Unis dans les années 60; enfin, la «Mission de la Lumière Divine» et «l'Église pour l'Unification du Christianisme Mondial» se répandirent aux États-Unis en 1971, en même temps que l'arrivée en ce pays de leurs fondateurs respectifs: Guru Maharaj Ji et Sun Myung Moon.

Dans ce texte, on cherchera d'une part, à montrer comment les nouvelles religions ont engendré aux États-Unis un phénomène de peur et, d'autre part, comment on a tenté de gérer ce phénomène. Notre propos visera à établir que deux modes de gestion de la peur se sont instaurés: le premier mode, représenté par le mouvement anti-cultes et par les déprogrammeurs, a cherché à exacerber cette peur, le second, représenté surtout par des chercheurs universitaires a plutôt tenté de la domestiquer. On pourra voir que chacun des deux modes de gestion et chacun des deux groupes qui s'en réclament proposent un ensemble de moyens et de mesures différents en vue de contrôler les nouvelles religions qui sont à la source de cette peur. Notre analyse de la peur suscitée auprès du public américain par les nouvelles religions et du premier type de gestion qu'elle a produit reposera sur deux textes de Ted Patrick, le plus célèbre des déprogrammeurs. Il s'agit d'un volume intitulé: *Let Our Children Go*[2] et d'une interview de Ted Patrick publié dans la revue *Playboy*, en mars 1979[3]. Quand au second mode de gestion de la peur, nous nous référerons surtout aux ouvrages de Shupe et de Bromley[4] sur la déprogrammation et le mouvement anti-cultes et sur ceux de Robbins et Anthony[5] sur les nouvelles religions aux États-Unis.

---

2. PATRICK, TED et DULACK, TOM, *Let our children go. The Shocking True Story of the Young Victims of America's Religious Cults by the Man Who Has Penetrated Their Minds*. Ballantine Books, New-York, 1976, 276 p. Je référerai désormais à cet ouvrage sous le sigle LOCG.

3. «Playboy Interview: Ted Patrick. A Candid Conversation About Religious Cults With the Man Who has waged a Zealous Campaign against what he sees as widespread Mind control», in *Playboy*, Vol. 26, no 3, Mars 1979, pp. 53 et suivantes. Je référerai désormais à cet ouvrage sous le sigle P.

4. J'ai déjà mentionné l'ouvrage de SHUPE et de BROMLEY sur le mouvement anti-cultes à la note 1. J'ajouterai ici un court article des mêmes auteurs paru dans *Sociological Analysis* (1979, Vol. 40, no 4, pp. 325-334) et intitulé : «The Moonies and the Anti-Cultists: Movement and Countermovement in Conflict».

5. Les travaux de THOMAS ROBBINS et DICK ANTHONY auxquels je ferai principalement référence sont les suivants: *In Gods We Trust. New Patterns of Religious Pluralism in America*. Transaction Books. New Brunswick (U.S.A.) and London (U.S.A.), 1981, 338 p., «Cults, Brainwashing, and Counter-Subversion», dans *Annals of the American Academy of Political and Social Sciences*, Vol. 446, November 1979, pp. 78-90; «Deprogramming, Brainwashing and the Medicalization of Deviant Religious Groups» dans *Social Problems*, Vol. 29, no 3, February 1982, pp. 283-297; «Spiritual Innovation and the Crisis of American Civil Religion», dans *Daedalus*, Vol. 111,

Les nouvelles religions: sources d'une nouvelle peur

Il est difficile de parler des nouvelles religions et de la peur qu'elles suscitent sans se demander, au préalable, quelle est, au juste, cette peur, quels sont les personnes et les groupes qui l'éprouvent, pourquoi ils la ressentent et à quels mécanismes ils recourent pour l'apaiser. Quand il s'agit d'un phénomène social, comme c'est le cas ici, ces questions deviennent d'autant plus importantes, car l'objet de la peur représente aux yeux de ceux qui la subissent une menace à l'ordre social qu'il s'agit avant tout de circonscrire et de contrôler. L'étude des peurs en dit long sur le type de société qu'on cherche à produire et à reproduire et sur les intérêts des groupes sociaux qui la manipulent. Nous examinerons donc d'abord la peur créée et diffusée dans la société américaine par les déprogrammeurs et par les mouvements anti-cultes ainsi que la manière dont ces personnes et ces groupes ont cherché à la fois à contrôler leur peur et à contribuer à la production d'un certain ordre social. Dans un deuxième temps, nous ferons le même exercice en ce qui touche à l'univers savant.

1. La peur créée

John Coleman, dans un éditorial du numéro de *Concilium* consacré aux nouveaux mouvements religieux, rappelait que «diverses études sociologiques avaient estimé que 4 à 5% des jeunes Nord-Américains de 21 à 35 ans avaient eu un contact avec les mouvements religieux nouveaux d'origine orientale» [6]. C'est là une donnée indiquant l'importance des nouveaux mouvements religieux aux États-Unis, une importance d'autant plus grande que si on se fie au témoignage de Coleman, ces religions ne seraient pas près de disparaître. Selon lui, ces religions, qui comptent présentement quatre-vingt-seize millions d'adhérents dans le monde, pourraient, en l'an 2000, voir leurs effectifs

---

no 1, 1981, pp. 215-234; «Youth Culture Religious Movements», dans *Sociological Quarterly*, Vol. 16, no 1, 1975, pp. 48-64; «A Typology of Non Traditional Religious Movements in America», *Center for the Study of New Religions Movements,* Berkeley, California, texte polycopié, 73 p.; «The Fact Pattern Behind the Deprogramming Controversy: An Analysis and an Alternative», *Center for the Study of New Religious Movements,* Berkeley, California, texte photocopié, 48 p.

6. COLEMAN, JOHN, «Éditorial», dans *Concilium,* Vol. 181, 1983, p. 7.

avoisiner ceux de l'Orthodoxie orientale. Quoi qu'il en soit de ces chiffres et prédictions, on est en mesure de constater que les nouvelles religions représentent une force socio-culturelle majeure avec laquelle nos sociétés devront savoir composer. C'est cette force qui, justement, inquiète les déprogrammeurs et les membres des mouvements anti-cultes. Voyons davantage les raisons de leur peur.

1.1 Les cultes détruisent l'esprit de leurs adeptes

«Penser, c'est puer» (P, 64)

L'argument principal utilisé par les déprogrammeurs et par les mouvements anti-cultes[7] contre les nouvelles religions est que ces dernières procèdent au lavage-de-cerveau (*brainwashing*) de leurs adeptes[8]. «Les cultes, écrit Ted Patrick[9], sont en train de détruire une des ressources naturelles les plus

---

7. Nés dans les années 70, les mouvements anti-cultes regroupaient fondamentalement des parents d'adeptes des nouvelles religions et des ex-adeptes. Se retrouvaient aussi dans leurs rangs des pasteurs, des juristes, des psychologues... Certains mouvements anti-cultes avaient une portée locale comme, par exemple: *The Parents' Committee to Free Our Sons and Daughters From the Children of God Organization*, (FREECOG); *The Volunteer Parents of America*, (VPA); *The Citizens Engaged in Reuniting Families, Inc.; Love Our Children, Inc.; Return to Personal Choice, Inc.; Citizens Organized for the Public Awareness of Cults, Inc.* D'autres avaient une envergure nationale. Ce sont: *The Citizens Freedom Foundatin,* (CFF); *The National Ad Hoc Committee Engaged in Freeing Minds*, (CEFM); *The Individual Freedom Foundation Education Trust*, (IFFET). Shupe et Bromley ont attribué l'échec relatif de ces divers mouvements à leur incapacité de recruter un public plus vaste que celui constitué par les parents d'adeptes, à leur difficulté d'amasser les fonds requis pour la conduite de leurs opérations, à leur impossibilité de s'entendre sur une définition acceptable d'un culte «nocif» et sur un type d'organisation acceptable pour tous. Leur échec à amener l'État à sévir contre les cultes aura été compensé par leur succès à répandre une image négative des cultes dans les mass-media.

8. Le lavage-de-cerveau (*brainwashing*) a été défini ainsi par P.A. VERDIER, dans son ouvrage intitulé *Brainwashing and the Cults*. (Hollywood, C.A., Institute of Behavioral Conditioning, 1977): «Le lavage de cerveau consiste à provoquer chez une personne une altération radicale de ses croyances et de ses attitudes». GALPER, quant à lui, le définit ainsi: «C'est le fait d'introduire chez une personne des attitudes et des croyances précises en exercant sur elle des pressions d'ordre psychologique et en lui faisant subir un certain stress» (ds AVERSA R., «Psychologist deals with cultic brainwash», *Los Angeles Herald Examiner*, Sept. 11, 1976). Le terme de «*brainwash*» a d'abord été utilisé pour décrire la situation des prisonniers de guerre américains qui, lors de la guerre de Corée, s'étaient convertis à l'idéologie de leurs

importantes de notre pays: nos jeunes gens, nos futurs *leaders*. Si les cultes durent encore cinq ou dix ans, nous allons produire au lieu des esprits et des *leaders* les plus brillants que le monde n'a jamais encore eus à date, rien d'autre qu'un groupe d'idiots» (P, 88). Patrick prétend en effet que les techniques de lavage-de-cerveau utilisées par les cultes transforment en peu de temps des êtres intelligents en purs robots, ou en «zombies», incapables de penser par et pour eux-mêmes et soumis à une exploitation honteuse par les escrocs multi-millionnaires que sont les *leaders* des cultes. «Le peuple des États-Unis, croit-il, a le droit de connaître la vérité et d'être protégé de ces cultes qui sont en train d'envahir le pays et de détruire l'esprit des jeunes» (LOCG, 251).

Non seulement, le lavage-de-cerveau produit-il, toujours selon Ted Patrick, une destruction de la personnalité des adeptes, mais encore il est capable de pousser ces derniers jusqu'au suicide, sur l'ordre des *leaders*. Patrick rapporte qu'une adepte

---

ennemis. Voir les études de HUNTER (1953, 1962), de LIFTON (1957, 1963) et de WILLIAM SARGEANT (1957).

9. Voici quelques éléments biographiques concernant le déprogrammeur Ted Patrick. Appelé «*Black Lightning*» par ses ennemis, Ted Fatrick est un noir, présentement âgé de 52 ans, et fondateur d'une nouvelle «profession»: la déprogrammation. Alerté à l'existence des cultes en 1971 alors que son jeune fils fit l'objet de tentatives de recrutement de la part de «Enfants de Dieu», et confirmé dans ses craintes naissantes par le témoignage de plusieurs parents dont des enfants étaient entrés dans des cultes, Patrick décide de s'immiscer dans un camp de formation des Enfants de Dieu, situé en Californie. C'est l'à qu'il découvre que les cultes s'adonnent aux techniques de «*brainwashing*» et de «*mind control*». Durant un an, il mène conjointement son travail «bénévole» de déprogrammeur et celui de représentant de Ronald Reagan à titre de personne en charge des relations inter-communautaires pour le district de San Diego, en Californie. Mais, en 1972, il quitte son poste pour devenir déprogrammeur à plein temps. Il se vante d'avoir à ce jour déprogrammé 1 600 jeunes. Patrick est né dans un secteur très pauvre des États-Unis, à Chattanooga. C'était un milieu si dur et si dangereux que même les policiers hésitaient à s'y aventurer. Patrick dit avoir souffert durant toute sa jeunesse d'un problème linguistique: il pouvait à peine parler. Sa mère, d'orgine méthodiste, le présentait souvent aux guérisseurs de passage qui venaient côtoyer la misère de Chattanooga. Mais rien n'y fit! Après 16 ans de silence, Patrick se guérira par la propre force de sa volonté. Il gardera un mauvais souvenir de tous les charlatans religieux qui n'avaient rien fait pour lui. Puis, Patrick occupa une foule de menus emplois comme balayeur, serviteur de table, chauffeur, masseur, coiffeur jusqu'au jour où il passa au service de Ronald Reagan (LOCG, 211 à 217).

de la Mission de la Lumière Divine lui aurait affirmé qu'elle se suiciderait si Guru Maharaj Ji le lui en donnait l'ordre (P, 60). Et, à une question de l'interviewer de *Playboy* lui demandant si des jeunes étaient morts à la suite de leur engagement dans des cultes, Patrick répondit ceci:

> Mais, oui! Certainement! Beaucoup d'entre eux meurent et beaucoup se suicident... Une foule de «*Moonies*» sont morts... Ils sont capables de se détruire eux mêmes ou de détruire les autres (P, 58).

Voilà donc une première source de crainte. Les adeptes des cultes sont dépossédés de leur intelligence et de leur personnalité par les techniques du lavage-de-cerveau. De plus, dans le nouvel état où ils se trouvent, ils sont capables d'aller jusqu'au suicide par désir d'obéissance aux *leaders*.

1.2 Les cultes s'attaquent à l'intégrité de la famille

«Haïssez vos parents» (LOCG, 40)

«Haïssez vos parents». «Vos parents sont vos ennemis» (LOCG, 40), telles sont les paroles édifiantes qu'on adresse aux jeunes recrues chez les «Enfants de Dieu», si l'on en croit Ted Patrick qui s'était infiltré en 1971 dans un de leurs camps de formation situé en Californie. Cette haine des parents était motivée par le fait qu'il fallait totalement s'en remettre à Dieu. Tous les cultes, selon Patrick, poussent leurs adeptes à identifier leurs parents à Satan. Le culte devient la nouvelle famille du converti. Plus encore, il se substitue totalement à l'ancienne, devenant la seule et unique famille de l'adepte. La famille biologique n'est plus qu'un funeste souvenir. Patrick raconte comment, au moment où il voulut s'emparer d'une adepte, en présence de ses parents, en vue de la déprogrammer, celle-ci s'opposa en termes violents à ses parents:

> Vous n'êtes pas mon père et ma mère, vous êtes des démons, envoyés par Satan. Vous êtes possédés du démon. Ma vraie famille est à Woodland Park (lieu où vivait une commune des Enfants de Dieu). Regardez ce diable noir qui conduit la voiture (Ted Patrick est noir). Ne voyez-vous pas le diable en lui? Vous serez punis pour ce que vous faites. J'ai des droits. Vous ne pouvez ainsi me saisir de force (*kidnap*). J'irai en cour contre vous tous (LOCG, 68).

Shupe et Bromley insistent beaucoup sur cette perception des familles suivant laquelle les cultes détourneraient d'elles leurs enfants. Ils en font même la première raison d'existence des mouvements anti-cultes. La tension qui se manifeste ici entre la famille et les cultes déborde la simple perspective d'une compétition affective. Elle touche aux espoirs les plus profonds qu'entretiennent les parents pour leurs enfants au sein de la société américaine: une bonne éducation, une vie familiale réussie et une carrière conduisant au succès économique et à un statut social enviable. C'est à tous ces biens que s'attaquent les cultes aux yeux des parents. C'est la crainte de voir leur progéniture dépossédée de ces biens qui alimentent leur fureur contre les cultes et qui leur rend aimables ceux qui exacerbent la peur à leur sujet. Outre la perte de ces biens, les cultes s'attaquent aussi aux structures de la famille et cela non plus, les parents ne peuvent le tolérer. Voici en quels termes Shupe et Bromley résument ces deux craintes des parents qui, canalisées, font la force des mouvements anti-cultes.

> La première menace que les cultes font peser sur les familles tient au fait qu'ils contrecarrent un de ses objectifs fondamentaux, celui de préparer les enfants à participer à l'ordre économique. Le fait d'appartenir à l'Église de l'Unification a pour effet de retirer les individus des réseaux sociaux et des plans de carrière conventionnels et de leur inculquer des principes contraires à ceux qui sont requis par une vie orientée vers la compétition et la réussite économique [10].

... et, à propos de la seconde menace à la famille, les mêmes auteurs ajoutent:

> La structure d'autorité de la famille est aussi menacée par le fait que le *leader*, R. Sun Myung Moon, ainsi que son organisation communautaire supplantent la famille comme groupe de référence et comme source de revitalisation affective auprès de l'adepte [11].

Ces textes nous permettent de cerner une autre des raisons qui amènent certaines personnes et certains groupes à craindre les cultes. Ces derniers, à leurs yeux, remettent en question une tâche essentielle des familles, qui est de socialiser leurs membres aux valeurs dominantes de la société et de les préparer à y exercer des fonctions leur permettant à la fois de se réaliser personnellement et de collaborer au maintien et au développement de

10. Shupe et Bromley, *op. cit.*, p. 37.
11. *Ibid*, p. 37.

la société. En outre, les cultes, en cherchant à se présenter à leurs adeptes comme leur nouvelle famille, s'attaquent directement à l'institution familiale, tant dans ses structures d'autorité que dans ses prétentions à être le centre du ressourcement affectif de ses membres.

1.3 Les cultes représentent une menace pour la société

> Chacun de ces cultes peut devenir une autre famille Manson. De fait, ils sont plus dangereux que Manson parce qu'ils sont beaucoup mieux organisés qu'il ne l'était lui-même (P, 53).

Lorsque Ted Patrick aborde le sujet des dangers que les cultes représentent pour l'ordre social, ses déclarations deviennent nettement apocalyptiques. Non seulement, les cultes sont-ils dangereux pour les individus et leurs familles, mais encore, ils menacent la survie même de la société. Selon Patrick, Moon aurait déclaré, en 1973, qu'il «conquerrait et subjuguerait le monde» (P, 66), et, en 1974, il aurait précisé que «toutes les personnes et toutes les organisations militant contre l'Église de l'Unification devront progressivement baisser pavillon ou, pis encore, faire face à une défaite radicale et mourir. Beaucoup de gens mourront, aurait dit Moon, tous ceux qui sont contre notre mouvement» (P, 66).

On se tromperait en croyant que Patrick réduit ses craintes à la seule Église de l'Unification. Au contraire, tous les cultes, selon lui, sont engagés dans une vaste conspiration en vue de s'emparer du pouvoir politique à l'échelle internationale. Cela est vrai même de Maharishi Mahesh Yogi, *leader* de la méditation transcendantale. Patrick écrit: «Il m'arrive de penser que Maharishi, le principal gourou de la méditation transcendantale, fait beaucoup plus qu'ouvrir les gens sur de nouvelles dimensions de leur être. Ma conviction personnelle est qu'il est une des personnes les plus importantes à être impliquée dans une conspiration en vue d'intervenir d'une manière très sérieuse dans la politique internationale» (P, 68).

Patrick, dans ses stratégies de diffusion de la peur à l'égard des cultes, manie habilement les techniques de l'association symbolique. Les *leaders* des cultes sont tour à tour associés aux grands responsables de tragédies récentes encore présentes à l'esprit du public: Hitler, Manson, la Symbionese Liberation Army (P. Hearst), et Jones. De Manson, Patrick écrit: «Charles

Manson a horrifié tout le pays par sa perversité. Et pourtant, ils n'étaient qu'une poignée de jeunes dans ce groupe. Je crois qu'avec les HareKrishna, nous sommes essentiellement en présence d'un autre Charles Manson, à cette différence près que les HareKrishna ont plusieurs milliers de membres et qu'ils en recrutent de nouveaux à tous les jours» (LOCG, 180). Quant à Patricia Hearst, Patrick prétend que «ce qui lui était arrivé (être victime d'un *brainwashing* ressemblait point pour point à ce qui arrivait tous les jours à l'échelle de tout le pays aux jeunes disciples de Sun Myung Moon, de Guru Maharaj Ji, de David Berg et des autres» (LOCG, 272). Enfin, la tragique péripétie du suicide collectif de plus de neuf cents personnes du Temple du Peuple survenu à Jonestown, en Guyane, est utilisée par Patrick comme l'événement légitimateur par excellence des plus sombres de ses prophéties. Dans son interview à la revue *Playboy*, Patrick affirme:

> Les suicides et les meurtres survenus à Jonestown ne sont rien en comparaison de ce qui va bientôt arriver. Un temps viendra où des milliers de gens seront tués ici même aux États-Unis (P, 60).

Patrick fonde ses visions apocalyptiques sur le fait que les adeptes des cultes sont non seulement invités à se tuer, mais encore, à tuer les autres si l'ordre le leur en est donné. Or, ces cultes, puissants et bien organisés, disposent de milliers d'adeptes... De plus, la tuerie pourrait se faire en douceur! Sun Myung Moon ne possède-t-il pas des compagnies de pêche? Au cas où le message ne serait pas assez clair, Patrick ajoute: «Pouvez-vous imaginer le tort qu'il pourrait causer aux gens, s'il le voulait, par le moyen de la mise en conserve du poisson?» (P, 84).

Voilà donc la troisième raison de craindre les cultes: ils ont les moyens de détruire la société et, ironie du sort, aux yeux de Patrick, les cultes conduisent leurs opérations grâce à la protection que leur accorde cette société et sa constitution. «Les cultes, prétend Patrick, utilisent le premier amendement pour bouleverser le pays et pour détruire les individus» (P, 84).

2. *La peur gérée*

2.1 Le mouvement anti-cultes et les déprogrammeurs

Après la description qui vient d'être faite de la peur qui est suscitée dans la société américaine par l'existence des cultes, il convient de s'interroger sur les mécanismes mis en place par cette société en vue de gérer cette peur et de se protéger contre elle. Deux modes de gestion de cette peur, on l'a dit au début de ce texte, sont apparus aux États-Unis en vue de s'adonner à cette tâche. Ces deux modes de gestion se sont associés à deux types d'institutions: d'une part, le mouvement anti-cultes et les déprogrammeurs et, d'autre part, l'univers savant.

Le mouvement anti-cultes et les déprogrammeurs ont adopté un ensemble de convictions communes à l'égard des cultes. Shupe et Bromley les résument en quatre points:

1° L'Église de l'Unification et les autres cultes sont des pseudo-religions ayant revêtu le manteau de la religion seulement pour se gagner des privilèges d'exemption fiscale et pour échapper au contrôle de la loi. En réalité, ces pseudo-religions sont des entreprises axées sur la recherche du profit et dirigées par des charlatans en vue de leurs intérêts strictement personnels.

2° Les jeunes qui, innocemment, s'engagent dans l'Église de l'Unification (et autres cultes) ne vivent pas une véritable conversion, mais sont plutôt victimes de techniques trompeuses de séduction et de manipulation qui ont pour effet de détruire leur liberté. (Ces techniques sont connues sous les noms de *mind control* ou de *brainwashing*.

3° Le processus de «programmation» et la soumission des adeptes qui en résulte sont considérés comme dommageables pour eux tant aux plans physique que mental. De plus, les objectifs à la poursuite desquels on contraint ces «automates» de travailler font injure à un certain nombre d'institutions comme la famille, la religion chrétienne et la démocratie américaine.

4° Comme le processus de programmation avaient fait échec à la liberté personnelle des adeptes, on considère que ces derniers sont incapables de quitter d'eux-mêmes ces groupes. En conséquence, la déprogrammation s'avère le seule voie possible pour les convaincre de revenir à des styles de vie plus conventionnels [12].

Les quatre éléments mentionnés par Shupe et Bromley constituent l'idéologie commune aux mouvements anti-cultes et

12. SHUPE, ANSON D. et BROMLEY, DAVID G., «The Moonies and the Anti-Cultists: Movement and Countermovement in Conflict», dans *Sociological Analysis,* Vol. 40, no 4, 1979, pp. 325-334.

aux déprogrammeurs. Mais, au plan fonctionnel, chacun des deux groupes s'est assigné des tâches particulières. Les mouvements anti-cultes se sont fixé comme objectif de discréditer les cultes et d'amener le gouvernement à sévir contre eux tandis que les déprogrammeurs concentraient leurs énergies sur la libération, un par un, des adeptes des cultes. Les premiers visent à passer à l'offensive, à prévenir le mal et, si possible, à en arrêter complètement la contagion. Leurs stratégies consistent essentiellement à faire du *lobbying* et à amener le gouvernement à passer des législations qui rendraient illégale l'existence même des cultes ou, au minimum, qui gêneraient leur expansion. Les seconds, les déprogrammeurs, essaient plutôt de réparer les pots cassés en corrigeant le mal que les cultes ont déjà fait à leurs adeptes.

2.1.1 *La déprogrammation: un exorcisme*

Nouvelle carrière lancée aux États-Unis par Ted Patrick en 1971, la déprogrammation n'a pas encore réussi, après dix ans, à se hisser au rang d'une profession normale, au même titre que les autres. Aux yeux de plusieurs, le déprogrammeur, sorte d'autodidacte qui n'est pas passé par les canaux usuels de l'accès aux professions enviables, c'est-à-dire par le collège et l'université, manque de crédibilité. Après tout, chuchote-t-on, Patrick n'est-il pas qu'un *drop-out*? Il ne suffit pas de se décerner soi-même des titres, comme le fait Patrick en se présentant comme un «*tenth grade drop-out with a Ph.D. in common sense*» (P, 54), pour changer cette mentalité. Patrick a eu beau avoir le flair de créer cette profession en réponse à de nouveaux besoins de parents en détresse auxquels aucun professionnel attitré, que ce soient des prêtres, des psychologues, des juristes, ne pouvait vraiment apporter secours, il n'a pas pu mériter à cette nouvelle profession ses lettres de créance. Aux yeux de la loi, dans la majorité des États Américains, la déprogrammation est encore un crime. Elle viole le droit à la liberté religieuse. Par ses méthodes, impliquant le *kidnapping* et la détention forcée des personnes, la déprogrammation heurte de plein front le droit des personnes à disposer d'elles-mêmes. Les déprogrammeurs ont eu beau se faire autoriser par les parents à procéder au *kidnapping* de leurs enfants, ils ont eu beau se faire accompagner par eux en ces moments dramatiques, ils n'ont pas réussi à rendre légal leur geste. Ils demeurent, en dépit de leurs allégations à l'effet du contraire, des personnes qui enfreignent la loi. Une stratégie, assez habile, utilisée par les déprogrammeurs et les mouvements anti-cultes a été de soutenir que le respect de la liberté religieuse, garantie par la constitution américaine, supposait, au préalable, le respect de la liberté de penser. Comme, selon eux, les cultes s'attaquaient à la liberté de penser de leurs adeptes, on était justifié de ne pas les considérer comme des personnes jouissant de l'exercice de leur droit à la liberté religieuse, mais, au contraire, de prendre les mesures appropriées pour que ces personnes retrouvent la capacité d'exercer vraiment leurs droits. Dans cette perspective, la déprogrammation, loin de s'opposer à la liberté des citoyens et aux droits qui la fondent, devenait le moyen par lequel des individus étaient restaurés dans l'exercice plénier de leurs droit civiques. Le plus loin que l'on est allé, en certains États, a été de soumettre la déprogrammation et les déprogrammeurs à la loi du *conservatorship*. Cette loi avait pour effet de rendre la déprogrammation légale pour un certain temps et sous certaines conditions. Après un délai de détention forcée, mais légalisée, une personne, même si elle n'avait pas changé de convictions, devait recouvrer sa liberté. Comme à toutes choses on peut trouver des avantages et des inconvénients, on peut signaler ici que les difficultés entourant l'exercice du métier de déprogrammeur étaient, en partie, compensées par le statut de héros auxquel accédaient ceux qui, bravant toutes sortes d'obstacles, consentaient tout de même à venir au secours de parents en détresse avec la conviction profonde, peut-être, qu'ils rendaient des services émérites à toute une société qui ne le reconnaissait même pas, mais qui, au contraire, les menacait, les pourchassait et les emprisonnait. Voici la vue qu'exprime Patrick à ce sujet:

> Tous les clubs et toutes les organisations dont j'ai été président ou que j'ai fondés ont toujours été orientés vers le service, étant destinés à profiter aux gens. C'est ainsi que je vois mon rôle en tant que déprogrammeur. Je rends service, un service public qu'aucune autre personne n'est prête à rendre (LOCG, 219).

Quelques pages [13] de *Let Our Children Go* contiennent une apologie de la déprogrammation et une condamnation du *brainwashing* qu'opéreraient les cultes. Il convient ici de citer les contrastes les plus éclairants entre les deux pratiques telles que les

13. Il s'agit des pages 69 à 71.

envisage Patrick. Les cultes pratiqueraient le *kidnapping* psychologique et le *mind control*. Ils chercheraient à endoctriner n'importe qui, même des enfants de neuf ans. Ils détruisent les schèmes de référence habituels de leurs victimes en les séparant de leurs amis et de leur famille. Ils incitent leurs adeptes à abandonner leurs plans de carrière, leur éducation et leurs responsabilités. Ils dépouillent leurs victimes de leur argent et de leurs autres biens. Ils exploitent physiquement leurs membres en les faisant travailler jusqu'à vingt heures par jour tout en les alimentant très mal. Enfin, ils les détournent de la société dans laquelle ils ont grandi en leur disant qu'elle est sous le contrôle de Satan.

Les techniques de Patrick, au contraire, n'auraient rien de commun avec le *brainwashing* et le *mind control* pratiqués par les cultes. Il s'adresse à une clientèle sélective, celle de parents dont le dernier recours est de requérir ses services. Son *snatching* (saisie forcée des personnes) ne serait pas du *kidnapping*, mais une détention forcée des personnes ne durant pas plus de trois jours et qui a pour but le bien de la personne. Qu'est cela à côté des mois et des années que les jeunes passent dans les cultes? Durant sa déprogrammation, la personne vit au contact de ses parents et amis, elle est bien nourrie et dort autant qu'elle le faisait dans le culte. Le but de la déprogrammation n'est pas d'amener la personne à croire telle ou telle idée, mais plutôt de l'amener à penser à nouveau par elle-même et pour elle-même. La déprogrammation ne serait, au fond, qu'une conversation dans laquelle le déprogrammeur, en posant des questions à l'adepte, essaie de l'amener à abandonner les croyances illusoires qu'on lui a inculquées dans le processus de *brainwashing* auquel on l'a soumis. Enfin, le déprogrammeur n'agirait pas pour des motifs pécuniaires et ne viserait pas à s'attacher la personne en retour des services qu'il lui a rendus [14].

14. Au plan financier, Patrick tente de montrer qu'il ne se fait rembourser que pour les dépenses encourues au cours d'un *kidnapping* et de la déprogrammation qui s'ensuit: billets d'avion, taxis, frais d'hôtel et de môtel pour lui et ses assistants. Il estime que cette somme varie entre 1 500,00$ et 3 000,00$ par déprogrammation. Il mentionne qu'il accepte au plus les dons que lui verseraient les parents des victimes sur une base strictement volontaire. Shupe, Bromley et d'autres auteurs ont montré que cette description était largement idyllique. En réalité, les déprogrammeurs, y compris Ted Patrick, chargeraient entre 15 000,00$ et 20 000,00$ pour entreprendre une déprogrammation.

La déprogrammation, en fait, équivaut à un exorcisme dont M. Martin a retracé les six étapes dans son ouvrage: *Hostage to the Devil*[15]. Premièrement, il faut établir la *présence* de l'esprit malin, l'endroit où il se trouve. Deuxièmement, il faut démasquer la *prétention* de l'esprit malin qu cherche à dissimuler sa véritable identité. Troisièmement, arrive le *point de cassure* où l'esprit malin commence à s'adresser au possédé à la troisième personne, témoignant par le fait même de la différence d'identité qu'il y a entre lui et la personne possédée. Quatrièmement, l'esprit malin essaie de confondre l'exorciste en utilisant un langage incompréhensible (*voix*). Cinquièmement, c'est le *choc*, c'est-à-dire la bataille entre l'exorciste et l'esprit malin. Enfin, l'exorcisme culmine dans l'*expulsion* où l'esprit malin est chassé hors de la victime et à la suite de quoi le possédé recouvre sa personnalité normale. Le déprogrammeur épouse, pas à pas, les diverses étapes de cette démarche. Il localise le mal: il est dans les cultes et chez leurs adeptes. Il démasque les prétentions des adeptes à avoir connu une expérience religieuse de conversion et cherche à les convaincre qu'ils ont plutôt été victimes de *brainwashing*. Il engage le combat avec sa victime, tentant de lui révéler le caractère fallacieux de ses croyances et cherchant à la convaincre de l'aspect trompeur et mensonger des promesses que lui ont faites le *leader* ou ses représentants. Enfin, si le déprogrammeur réussit, la victime avouera enfin son erreur, s'excusera auprès des siens des problèmes qu'elle leur a causés et retrouvera son ancienne identité. L'esprit qui la possédait, à la suite du *brainwashing*, l'aura quittée.

2.1.2 *Les mouvements anti-cultes*

Dans une dizaine d'années, plusieurs mouvements anti-cultes ont vu le jour aux États-Unis. Comme leur nom l'indique, ces organismes ont tenté de contrer l'expansion des cultes aux États-Unis. Leurs efforts ont surtout porté sur la sensibilisation des hommes politiques aux dangers que représentaient les cultes pour les personnes et pour la société dans son ensemble. Les mouvements anti-cultes ont surtout essayé de faire pression sur le gouvernement en vue de l'amener à passer des lois de nature à protéger les personnes et la société contre les cultes. On a tour à tour requis que le gouvernement entreprenne une enquête publi-

---

15. MARTIN, M., *Hostage to the Devil*, N.Y., Bantam Books, 1976, pp. 19-27.

que sur les cultes présents aux États-Unis; qu'il passe des lois en vue de protéger les individus contre le *psychological kidnapping*, c'est-à-dire contre toutes les techniques malsaines, (mauvaise alimentation, diminution des heures de sommeil, exposition continue à une vie de groupe artificiellement amical (*love bombing*) et à un endocrinement massif), utilisées par les groupes dans un but de recrutement; qu'il légifère sur les moyens de contrecarrer les entreprises frauduleuses se dissimulant sous le manteau de la religion; qu'il abolise l'exemption fiscale accordée aux groupes religieux et la remplace par une taxe de 1% sur leurs revenus, ce qui permettrait au Ministère du Revenu de pénétrer à l'intérieur des groupes et de s'enquérir de ce qui s'y passe sans menacer la survie économique de quelque groupe religieux que ce soit: et, enfin, que le gouvernement précise le sens du Premier Amendement en vue d'éviter que le principe très cher de la liberté religieuse ne devienne pas prétexte aux pires abus. Ce dernier souhait visait, entre autres, à ce qu'on statue sur les religions légitimes et qu'on aille jusqu'à interdire celles qui ne figureraient pas sur cette liste. Patrick soutenait, dans son interview à la revue *Playboy*, ce qui suit:

> Le gouvernement devrait totalement démembrer l'organisation de Moon. L'argent et les propriétés acquises par cette organisation devraient être rendus aux personnes qui en furent membres. Beaucoup d'entre eux ont donné des millions de dollars à l'organisation; ils ont donné tout ce qu'ils possédaient tout en travaillant en plus gratuitement pour l'organisation (P, 84).

Shupe et Bromley soutiennent que les mouvements anti-cultes n'ont pas atteint leurs objectifs visant, au minimum, à instaurer un contrôle étroit du gouvernement sur les activités des cultes et, au maximum, en certains cas, à amener le gouvernement à interdire légalement les plus «dangereux» d'entre eux. Ces auteurs soulignent qu'en 1976, le président du *The Citizens Freedom Foundation* déplorait que «non seulement le gouvernement refusait de pourchasser les cultes, mais qu'il refusait même d'apporter son aide aux parents en accordant une exemption fiscale au *The Citizens Freedom Foundation* à titre d'organisation éducative sous prétexte que la principale fonction de ce groupe consistait uniquement à porter à l'attention du public des opinions non fondées» [16]. L'échec des mouvements

---

16. SHUPE et BROMLEY, *The New Vigilantes*, chap. 4.

ant-cultes, selon les même auteurs, serait dû à quatre causes: premièrement, leur incapacité à recruter des membres autres que les parents immédiatement affectés par l'entrée de leur enfant dans un culte, deuxièmement, leur impuissance à recueillir des fonds ailleurs qu'à cette même source, troisièmement, leurs difficultés à s'entendre sur le type d'organisation souhaitable (confédération décentralisée ou fédération centralisée) et, enfin, leur échec à convenir d'une même définition du culte[17]. L'extrémisme de certains groupes anti-cultes, dont l'affirmation de Ted Patrick à l'effet que «la Bible peut rendre quelqu'un fou si on la prend à la lettre» (P, 68) peut donner une bonne illustration, a sûrement été aussi un des facteurs ayant nui à l'atteinte de leurs objectifs. Ces groupes n'ont pas réussi à faire en sorte que le gouvernement adopte les stratégies de contrôle des cultes qu'ils proposaient. Ils n'ont pas réussi à convaincre le gouvernement que les cultes représentaient, de façon globale, une menace pour les individus, les familles et la société et que les seuls moyens d'éviter ces maux étaient d'une part, de légaliser la déprogrammation et d'autre part, d'adopter une batterie de mesures allant d'un contrôle très serré des cultes jusqu'à leur abolition pure et simple. Un autre mode de gestion de ce nouveau phénomène social et de l'inquiétude qu'il générait devait alors s'imposer, c'est celui de l'univers savant.

2.2 L'univers savant

Avant de traiter de la réaction de l'univers savant à l'égard des cultes, une première remarque s'impose. Bien que, pour des raisons d'espace et de temps, nous allons restreindre à l'univers savant l'étude d'une seconde attitude s'étant affirmée aux États-Unis à l'égard des cultes, une attitude plus ouverte et plus nuancée que la première que nous venons de décrire, il serait erroné d'en conclure que cette seconde attitude est la propriété exclusive de sociologues, de psychologues, de théologiens et de chercheurs d'autres disciplines s'étant intéressés au phénomène des nouvelles religions. En effet, cette attitude plus ouverte et plus nuancée a été partagée également par des hommes de loi, par l'*American Civil Liberties Union*, et, jusqu'à un certain point, par les grandes églises et dénominations américaines. Shupe et Bromley font remarquer à maintes reprises dans leur ouvrage intitulé *The New Vigilantes...* que les églises et

17. *Ibid.*, chap. 4, p. 117.

dénominations fondamentalistes ont été beaucoupe plus promptes que les églises d'inspiration libérale à s'associer aux mouvements anti-cultes et à leurs objectifs. À titre d'exemple de cette attitude plus ouverte et plus nuancée à l'égard des cultes, citons ici le jugement du juge John L. Leahy qui déclarait:

> La liberté religieuse ne doit pas être abolie [dès qu'une personne adopte] des croyances et des pratiques qui ne sont pas conventionnelles. [Elle ne doit pas être abolie non plus] sous prétexte que la société dominante ou encore les religions plus courantes [au sein de cette société] approuvent ou désapprouvent [le contenu de ces croyances et de ces pratiques]. (P, 61)

Cette précaution étant prise, l'analyse portera maintenant de manière exclusive sur une parcelle de la production scientifique américaine touchant aux nouvelles religions. Plus spécifiquement, je tenterai de montrer que l'effort de Thomas Robbins et de Dick Anthony en vue de présenter une typologie des nouvelles religions aux États-Unis est tout orientée par le souci de proposer aux divers intervenants sociaux une nouvelle attitude face aux nouvelles religions, une attitude appelant un tout autre mode gestion de ce phénomène socio-culturel. Ces auteurs, dont la production scientifique sur les nouvelles religions aux États-Unis me semble être la plus remarquable tant du point de vue de sa quantité que de sa qualité, ont contribué à démystifier le phénomène des nouvelles religions et à domestiquer les peurs qu'elles généraient au sein de la société. Dans les lignes qui suivent, je chercherai à démontrer comment la typologie des nouvelles religions élaborée par Anthony et Robbins est porteuse d'une nouvelle attitude à l'égard des nouvelles religions et je tenterai de préciser les valeurs profondes qui amènent ces auteurs à la proposer. Dès le départ, on peut souligner l'aversion qu'éprouvent en général les chercheurs à l'égard de la déprogrammation et de l'idéologie des mouvements anticultes. Shupe et Bromley expriment bien cette aversion lorsqu'il écrivent:

> Au cours de notre recherche, nous n'avons participé à aucune déprogrammation, non pas que l'occasion ne nous fut pas offerte de le faire, mais surtout à cause des réticences que nous entretenons, au plan éthique, à l'égard de cette pratique à laquelle nous n'avons voulu être associés en aucune manière [18].

18. *Ibid.*, p. 23.

Ce texte reflète bien l'opinion de la grande majorité des chercheurs ayant fait des travaux sur les nouvelles religions[19].

2.2.1 *La typologie des mouvements religieux non traditionnels aux États-Unis*[20]

Anthony et Robbins insistent d'abord sur le fait que les nouvelles religions sont apparues aux États-Unis dans une période de crise culturelle. Les nouvelles religions naissent au moment où, pour reprendre l'expression de Robert N. Bellah, la religion civile américaine est en crise[21]. Ses auteurs précisent que cette crise de la culture s'enracine dans l'évolution économique récente des États-Unis. En effet, depuis les années 40, les États-Unis ont assisté à la naissance d'une foule d'entreprises multinationales qui ont, pour une bonne part, remplacé le capitalisme de petite entreprise qui avait jusque-là dominé la vie économique américaine. On serait passé d'une économie «entrepreneuriale» à une économie «managériale». Ce passage aurait entraîné une crise du système de valeurs associé à l'éthique protestante ascétique[22] et serait à la source des malaises actuels. L'ébullition religieuse actuelle aux États-Unis devrait être com-

---

19. Les chercheurs ont eu tendance à montrer que la déprogrammation s'inscrivait dans un vieux courant de régression des nouveaux mouvements religieux. Un coup d'oeil sur quelques titres très suggestifs peut être intéressant à ce moment-ci: «Even a Moonie has civil rights», par T. ROBBINS dans *The Nation*, 26 février 1977, pp. 238-242; «Stop Knocking cults», par D. ANTHONY et T. ROBBINS, dans *Psychology Today*, 1981; «Witches, Moonies, and Accusations of Evil», par A. SHUPE et D. BROMLEY, dans *In Gods We Trust. New Patterns of Religious Pluralism in America*, édité par D. ANTHONY et T. ROBBINS, Berkeley, 1981; «Making crime seem natural: news and deprogramming», par B. TESTA, dans *A Time for Consideration*, édité par H.W. RICHARDSON, New York, The Edwin Mellen Press, 1978.

20. Dans l'analyse qui suit, on fera appel à deux textes d'ANTHONY et de ROBBINS. Le premier s'intitule: «*A Typology of Non-Traditional Religious Movements in America*» (texte polycopié, 73 p., et le second porte comme titre «*The Fact Pattern Behind the Deprogramming Controversy: An Analysis and an Alternative*» (texte polycopié, 48 p.). Bien que ces textes ne soient pas publiés, les idées qu'ils expriment se retrouvent dans les textes publiés des mêmes auteurs dont une liste sommaire apparaît à la note 5.

21. Pour approfondir cette notion de religion civile américaine, on lira avec profit le volume de Robert N. Bellah intitulé: *The Broken Covenant: American Civil Religion in Time of Trial.* (The Seabury Press, New-York, 1975, 172 p.).

22. Sur l'éthique protestante, on se référera à l'ouvrage de MAX WEBER, *L'Éthique protestante et l'esprit du capitalisme*, Paris, Plon, 1967, 340 p.

prise comme une manifestation de la recherche multi-directionnelle qui s'opère présentement en vue de fournir à la culture présente ses systèmes de légitimation religieuse. De même que l'éthique protestante ascétique qui était au coeur de la religion civile américaine était en affinité avec le capitalisme des petits entrepreneurs, ainsi, pensent les auteurs, les nouvelles religions pourraient être en harmonie avec une société où l'économie est dirigé par de grandes corporations multinationales qui, par leur gigantisme et l'anonymat qui les caractérisent, encourageraient le repli sur soi chez les individus. Comme le travail ne se déploie plus au sein d'une entreprise à échelle humaine qu'on chercherait à faire prospérer par un labeur soutenu, les travailleurs ne le considéreraient plus comme un lieu gratifiant en soi, mais plutôt comme l'occasion d'acquérir l'argent nécessaire à l'achat des nombreux biens offerts par la société de consommation. Les nouvelles religions auraient-elles quelque complicité avec cette société de consommation de masse dans laquelle nous sommes entrés? Auraient-elles quelque lien aveac la contre-culture et sa valorisation d'une culture plus hédoniste et d'une société plus permissive? Sonneraient-elles le glas de la religion civile américaine? Voilà le type de préoccupations qui animait les recherches d'Anthony et de Robbins en vue de créer une typologie des nouveaux groupes religieux.

2.2.2 *Groupes monistes et groupes dualistes*

Selon Anthony et Robbins, la multitude des nouveaux groupes religieux actuels pourrait se découper en deux grands types: les groupes dualistes et les groupes monistes. Les groupes dualistes plongeraient leurs racines dans la vieille tradition américaine de l'éthique de la réussite grâce à l'ascétisme intramondain. Cette tradition dualiste départage le monde en élus et en damnés, expression en langage théologique de la coupure qui, au plan économique, divise le groupe de ceux qui réussissent en affaires de celui constitué par les gens qui n'ont pas réussi. Outre ces faits, les groupes dualistes se caractérisent par la forte dichotomie qu'ils entretiennent, au plan moral, entre une conception absolue du bien ou du mal et par leur insistance sur le choix irrévocable que tout homme doit faire en rapport avec un événement salvifique quelconque s'étant déjà manifesté dans l'histoire humaine. Anthony et Robbins ajoutent que les mouvements dualistes actuellement présents sur la scène américaine pourraient se diviser en deux groupes: les groupes traditionnels comme les églises évangélistes et les sectes pentecôtistes et, les mouvements dualistes regroupant des jeunes tels que les Enfants de Dieu et l'Église de l'Unification. Ils prétendent que les mouvements dualistes traditionnels recrutent surtout leurs membres au sein des classes moyennes et des classes moyennes inférieures tout en les socialisant aux valeurs dominantes de la société américaine: patriotisme, éthique du travail, goût de la réussite, moralisme conservateur... Les groupes dualistes pour les jeunes attireraient, quant à eux, des personnes de classe moyenne inférieure émanant des milieux ruraux et fondamentalistes qui se sont toujours identifiés à l'éthique protestante traditionnelle.

Quant aux mouvements monistes, leurs caractéristiques pourraient se ramener aux éléments suivants: ils soutiennent l'unité métaphysique de toutes les personnes et de toutes choses, ils insistent sur le caractère ultimement illusoire du monde phénoménal et sur l'importance de l'exploration psychique, ils sont axés sur la recherche de l'illumination intérieure et véhiculent, souvent implicitement, trois grands principes: le relativisme (tout en un), le subjectivisme (priorité à la conscience) et le déterminisme (Karma). Anthony et Robbins ajoutent que les mouvements monistes attirent des clientèles culturellement plus sophistiquées que celles des groupes dualistes et que ces clientèles proviennent surtout des classes moyennes, moyenne et supérieure, vivant surtout dans un contexte urbain et s'adonnant à des tâches bureaucratiques. Ces auteurs rangent parmi les groupes monistes des groupes comme la méditation transcendantale, le groupe de Meher Baba, le soufisme, la mission de la lumière divine, etc.

Contrastant l'un par rapport à l'autre ces deux types de groupes, Anthony et Robbins écriront, premièrement, que les groupes monistes utiliseront plus volontiers un langage faisant appel à la connaissance et à la perception alors que les groupes dualistes s'en tiendront plutôt à un vocabulaire recourant davantage à la volonté (ex: Opter pour Jésus-Christ); deuxièmement, que les premiers enseigneront que la souffrance est dûe à une mauvaise perception des choses alors que les seconds prétendront qu'elle résulte de mauvais choix de l'homme; troisièmement, que les premiers insisteront beaucoup sur l'expérience alors que les seconds mettront l'accent sur la doctrine et sur le dogme; quatrièmement, que les premiers seront tolérants alors que les seconds seront intolérants. Anthony et Robbins soutiendront enfin que les groupes d'orientation moniste ont plus d'affinité avec le contexte économique actuel que les groupes d'orientation dualiste dont les deux auteurs interprètent la popularité actuelle en termes de réaction à la disparition progressive de l'ancienne éthique ascétique américaine et de réaffirmation vive de l'ancien absolutisme moral dualiste face au relativisme moral cherchant présentement à s'implanter aux États-Unis.

Anthony et Robbins élaborent davantage en sous-distinguant, à l'intérieur des groupes monistes, d'une part, des groupes à tendance charismatique et des groupes techniques et, d'autre part, des groupes monistes à un niveau et des groupes monistes à deux niveaux. Nous n'insisterons pas sur la première distinction, mais la seconde est d'importance majeure dans le cadre de notre propos. Les groupes monistes à un niveau se caractériseraient par le fait qu'on ne distinguerait pas chez eux le niveau de l'expérience quotidienne de celui des purs principes monistes valables pour un quelconque royaume métaphysique à venir. Le monisme se présente alors non seulement comme une visée utopique, mais comme une description valable du monde actuel duquel on peut inférer des attitudes, des valeurs et des comportements particuliers. Les membres de ces groupes, selon Anthony et Robbins, seraient centrés sur eux-mêmes (égoïstes), ne ressentiraient aucune sorte de responsabilité face aux inégalités socio-économiques et adopteraient en conséquence une conduite hédoniste peu conciliable avec le protestantisme ascétique. Sont classés parmi les groupes monistes des groupes comme EST, l'Église de Scientologie, la méditation transcendantale, Nichiren Shoshu, etc.

En ce qui concerne les groupes monistes à deux niveaux, voici ce qu'en écrivent Anthony et Robbins. Ces mouvements insistent sur la rareté de la réalisation spirituelle. Elle est le fait de quelques rares personnages, des saints, qui sont dignes de vénération et d'émulation. Ces mouvements assument le fait que la conscience aliénée et égoïste est celle qui correspond à la plus grande partie de l'humanité. Ils reconnaissent que bien et mal, plaisir et peine, sont des réalités existentielles coutumières. Les membres de ces groupes considèrent qu'ils en sont aux niveaux spirituels inférieurs et que leur adhésion aux principes monistes est un premier pas vers la pleine actualisation spirituelle. Ils ne sont pas portés à tirer de manière simpliste des valeurs de vie de leur système de signification moniste. Ils ne se considèrent pas comme dégagés des principes moraux régissant la vie quotidienne normale et leur système moral est substantiellement le même que celui du système éthique judéo-chrétien traditionnel. En conclusion, Anthony et Robbins soutiennent que les idéologies des groupes monistes à deux niveaux fournissent un cadre de référence moral explicite et une justification à un comportement altruiste impliquant à la fois le sens de la discipline et celui du sacrifice. Les auteurs rangent parmi ces groupes des mouvements comme ceux de Yogi Bhajan, de Meher Baba, l'institut de yoga intégral, etc.

2.2.3 *Un nouveau regard sur les nouvelles religions*

Le résumé de la typologie d'Anthony et de Robbins était nécessaire en vue de mieux saisir l'intention qui présidait à leur travail. À ce stade, cette intention est devenue limpide. Dans le bouillonnement culturel actuel, il s'agissait de doter les chercheurs et les divers agents sociaux d'un instrument apte à évaluer les divers groupes existants par rapport au potentiel d'intégration et de transformation qu'ils représentaient pour les individus et la société. Assurés à la suite de Bellah que l'égoïsme envahissant et l'individualisme utilitaire ne peuvent qu'avoir des effets désintégrateurs pour les personnes et la société et qu'en contrepartie, seuls des mouvements fournissant de nouveaux fondements pour un comportement altruiste peuvent avoir un effet transformateur sur la culture en favorisant une nouvelle cohésion sociale, Anthony et Robbins en arrivent à valoriser beaucoup les mouvements monistes à deux niveaux. Ces mouvements, selon eux, sont dotés d'un potentiel transformateur intéressant parce que, d'une part, leur relativisme moral s'accorde bien avec les tendances pluralistes de la société actuelle et que, d'autre part, leur système de signification moniste et ascétique les rend capables de justifier un altruisme social visant à améliorer le statu quo et à transcender l'égoïsme privatisant qui attire de vastes secteurs de la société américaine actuelle. En comparaison avec la haute estime dont jouissent les groupes monistes à deux niveaux, les deux autres types de groupes reçoivent des évaluations plus modérées et plus critiques. Ainsi, les groupes monistes à un niveau peuvent, à court terme, avoir l'air intégrateurs parce qu'ils accordent les gens au statu quo technocratique mais, à long terme, Anthony et Robbins croient que ces groupes auront un effet désintégrateur parce qu'ils n'incitent pas leurs membres à adopter un comportement social altruiste. Quant aux groupes dualistes, ils ont l'avantage de pousser leurs adeptes vers l'altruisme, mais, en même temps, ils ont l'inconvénient de le faire dans le cadre d'un absolutisme moral incompatible avec le pluralisme de la société moderne et technocratique actuelle.

La typologie d'Anthony et de Robbins permet de jeter un nouveau regard sur les nouvelles religions. Loin de les classer toutes sous le même vocable de «cultes», terme qui a pris une valeur négative dans les mentalités, Anthony et Robbins en arrivent à distinguer des types au sein de la multiplicité de ces groupes et à prétendre que certains d'entre eux exercent une fonction intégratrice et transformante au sein de la société américaine. Loin de les craindre, la société aurait plutôt à vanter les mérites de ces groupes qui réussissent l'intégration de jeunes adultes à la société américaine, tâche dont les agents de socialisation habituels, la famille, l'école et les églises, n'avaient pas pu honorablement s'acquitter. Quant aux autres groupes, monistes à un niveau et dualistes, bien qu'ils révèlent leurs faiblesses par rapport aux valeurs implicites et explicites de la typologie d'Anthony et de Robbins, ils jouent aussi un rôle qui, à court terme, peut être bénéfique pour la société américaine.

Il est intéressant de souligner en terminant que la recherche menée par Anthony et Robbins sur les nouvelles religions a conduit l'un d'entre eux à proposer la création d'un centre de consultation sur les nouvelles religions[23]. Ce centre, situé à San Francisco, serait interdisciplinaire et aurait pour but d'offrir des services éducatifs à la communauté en ce qui a trait aux nouvelles religions, de mettre à la disposition des familles des spécialistes pouvant assurer le lien entre elles ainsi que le lien entre elles et ceux de leurs membres qui se seraient impliqués dans les nouvelles religions, de créer un service de *counseling* pour les individus et, enfin, d'assurer un service téléphonique permanent pour les personnes aux prises avec des besoins subits et pres-

23. Voir le texte déjà cité: «*The Fact Pattern Behind...*» aux pages 31 à 34.

sants. Fait important à signaler, le centre veut éviter toute prise de position idéologique en matière de nouvelles religions, il s'en tiendra, au contraire, à une discipline de respect à l'égard des motivations religieuses des persones qui requerront ses services et de remise à jour constante des données de la recherche dans le domaine des nouvelles religions. Contrairement à la déprogrammation requérant la détention forcée des personnes, la participation aux services offerts par le centre se fera sur une base strictement volontaire. Le centre se fera un devoir de présenter les diverses perspectives de la recherche sur les nouvelles religions tout en insistant sur le caractère limité de toutes ces approches. On évitera surtout de laisser croire que la science peut de manière définitive tirer la ligne entre des mouvements religieux qui seraient acceptables et d'autres qui ne le seraient pas.

Un tel projet, on le voit, nous écarte beaucoup des perspectives des mouvements anti-cultes et de celles des déprogrammeurs qu'on a présentées au début de ce texte. C'est à une toute autre manière de gérer le phénomène socio-culturel des nouvelles religions que sont conviés les agents sociaux. Ici, il n'est plus question d'exacerber la peur des masses en vue de justifier des mesures sociales d'exclusion à l'égard des nouvelles religions et en vue de faciliter la pratique de la déprogrammation auprès de leurs membres. Au contraire, les théoriciens de l'univers savant optent pour une approche rationnelle de ce phénomène socio-culturel complexe, une approche fondée d'une part sur la recherche et l'information et, d'autre part, sur la conviction que toute intervention auprès des personnes engagées dans les nouvelles religions doit se faire dans le respect de leur volonté libre et responsable.

Conclusions

Notre analyse a tenté, au départ, de mettre à jour deux types de réactions face à le peur contemporaine suscitée par les nouvelles religions. Nous voulions comparer la gestion de la peur propre d'une part aux mouvements anti-cultes et aux déprogrammeurs et, d'autre part, à l'univers savant constitué par les chercheurs de diverses disciplines qui se sont penchés sur le phénomène des nouvelles religions. À la fin de cette analyse, il serait plus juste de dire que la peur provoquée par les nouvelles religions s'est en fait limitée aux mouvements anti-cultes et aux déprogrammeurs. Ces derniers ont créé la peur, au moins autant qu'ils ne l'ont éprouvée, en vue de manipuler l'opinion publique et le gouvernement dans le sens de leurs aspirations. Quant au second groupe, l'univers savant, l'effet de son travail a consisté à domestiquer la peur, à la tamiser et, à la limite, à l'évacuer. Au plus creux du bouillonnement socio-culturel récent, les chercheurs ont cru déceler, à la suite de leurs expertises sur ces groupes, qu'ils pouvaient être porteurs, à divers degrés, d'une promesse de transformation culturelle pouvant s'harmoniser tant avec l'héritage culturel américain qu'avec la nouvelle infrastructure économique des États-Unis.

La peur des nouvelles sectes: un phénomène d'incompréhension interculturelle

En réponse à Roland Chagnon

Fernand Ouellet

Dans sa communication, Roland Chagnon établit un parallèle extrêmement intéressant entre deux réactions très différentes face à la montée des «nouvelles religions» dans la société américaine. Après avoir décrit comment les déprogrammeurs et les mouvements anti-cultes cherchent à présenter les nouveaux groupes religieux comme des menaces très graves tant pour l'intégrité psychologique des individus que pour la cohésion des familles et de la société, il dégage les caractéristiques particulières de trois approches différentes de la gestion de la peur engendrée par ces groupes ou par l'image que cherchent à en donner leurs opposants: celle des déprogrammeurs, celle des mouvements anti-cultes et celle des universitaires.

Il serait vain de résumer ici cette présentation très bien construite qui fait bien ressortir les contrastes entre l'approche militante des opposants aux nouvelles religions et l'approche beaucoup plus nuancée du monde académique. Je voudrais plutôt tenter d'esquisser brièvement un cadre général d'interprétation du phénomène de la peur engendrée par la montée des nouvelles religions en Occident. Ce cadre d'interprétation me permettra de jeter un regard critique sur l'approche de Robbins et

Anthony et de proposer quelques pistes de recherche pour une gestion de la peur des nouvelles sectes dans nos sociétés. L'intuition qui guidera ces quelques réflexions est la suivante: la peur que soulèvent les nouvelles sectes n'a-t-elle pas quelque chose à voir avec celle qui apparaît lorsqu'une personne est mise en contact avec une culture étrangère dont la logique interne lui échappe? Si oui, n'y aurait-il pas avantage à interpréter la peur des nouvelles sectes à partir d'une théorie de la communication interculturelle?

Selon Richard E. Porter et Larry A. Samovar, la communication interculturelle consiste essentiellement dans une «divergence culturelle (*cultural variance*) dans la perception des objets et des événements sociaux» («Approaching intercultural communication» dans LARRY A. SAMOVAR et RICHARD E. PORTER, *Inter-cultural communication: A Reader*, 3e ed. Wadsworth Publishing Company, Belmont, California, 1982, p. 36). Selon ces auteurs il est possible par une connaissance et une compréhension des facteurs de divergence culturelle de parvenir à communiquer entre culture différentes si toutefois cette connaissance s'accompagne d'un désir de communiquer.

Le désir de communiquer avec des représentants d'une culture étrangère et la compréhension des facteurs de divergence culturelle m'apparaissent comme deux éléments centraux d'une théorie de la communication interculturelle. Et ces deux éléments sont potentiellement porteurs d'un style de gestion de la peur engendrée par les nouvelles religions. Prenons d'abord le désir de communiquer avec des cultures différentes de celle à laquelle on a été acculturé. Si l'on en croit l'idéologie du pluralisme culturel, ce désir constituerait un acquis majeur de notre époque. Selon les tenants de cette idéologie, la diversité idéologique et culturelle est non seulement un fait avec lequel il faut apprendre à composer mais une richesse qu'il faut apprendre à exploiter.

Si cette idéologie était partagée par une majorité de citoyens on pourrait prendre pour acquis qu'il existe un désir de communiquer avec les divers groupes culturels idéologiques ou religieux, traditionnels ou nouveaux et que le problème se ramène à celui d'apprendre à mieux identifier les facteurs de divergence culturelle. L'observation de nos sociétés ne nous permet malheureusement pas d'être aussi optimistes sur cette perception favorable des différences culturelles et sur ce désir de s'enrichir mutuellement dans une communication interculturelle marquée par le respect de l'altérité culturelle. Comme l'a finement observé COLETTE MOREUX (*Le Pluralisme. Pluralism: its Meaning Today*, Montréal, Fides 1974, p. 132), le pluralisme du Québécois reste «périphérique et sans effet pratique». Et il ne semble pas qu'il s'agisse là d'une particularité propre aux Québécois. Il est beaucoup plus facile de prêcher les valeurs du pluralisme que de prendre les moyens de les mettre en oeuvre, comme en témoigne le sort qui a été réservé au Québec au programme de «culture religieuse» qui tentait d'introduire un point de vue pluraliste dans l'éducation religieuse et aux programmes similaires aux États-Unis.

Il n'est pas possible d'élaborer plus longuement ici sur les conditions d'un véritable pluralisme où chacun des groupes qui composent une société chercherait à s'enrichir au contact des autres groupes dans un processus de communication marqué par le respect de la différence. On peut tout au moins souligner que dans une telle société la gestion de la peur suscitée par les nouvelles religions pourrait s'opérer dans des conditions plus favorables que dans une société qui préconise le nivellement culturel. Dans cette perspective, l'éducation au pluralisme pourrait constituer un des fondements d'une saine gestion de la peur suscitée par les nouvelles religions ou par la présence de minorités ethniques et culturelles.

Ceci nous amène au second élément que nous avons identifié dans la théorie de la communication interculturelle que nous avons brièvement évoquée: la compréhension des différences culturelles. Dans les développements qui suivent, nous considérons, à titre d'hypothèse, les discours généreux sur les valeurs du pluralisme comme témoignant d'un authentique désir de promouvoir la communication interculturelle. Selon l'approche de Porter et Samovar, le problème de la communication interculturelle peut alors se ramener à celui de la compréhension des divergences culturelles ou, pour employer la terminologie que j'utilise dans le cadre d'une recherche que je poursuis présentement avec quelques collaborateurs, à celui de la compréhension interculturelle.

Nous définissons la compréhension interculturelle comme un ensemble cohérent de stratégies cognitives et de réactions affectives qu'une personne met en oeuvre lorsqu'elle cherche à se situer par rapport à une culture différente de celle à laquelle elle a été acculturée.

Nous avons distingué trois types de stratégies:

- des stratégies *d'auto-interprétation* où l'on tente d'interpréter un trait culturel donné par le biais de l'interprétation fournie par un représentant de cette culture et par rapport au système d'interprétation propre à cette culture;
- des stratégies *d'hétéro-interprétation* où l'on tente d'interpréter une manifestation particulière d'une culture en adoptant le point de vue transculturel des sciences sociales et en faisant référence à l'ensemble du contexte écologique, économique, socio-politique et culturel dans lequel elle s'insère;
- des stratégies de *relativisation* où l'on ne considère pas sa propre culture comme une norme absolue à partir de laquelle on peut porter un jugement sur un trait culturel donné et où l'on est conscient des risques d'introduire des biais culturels lorsqu'on interprète une culture.

Il n'est pas possible de montrer ici comment le développement de la compréhension interculturelle a quelque chose à voir avec chacune des trois stratégies cognitives et des réactions affectives qui s'y rattachent. Mais cette brève évocation permet, il me semble, d'envisager une approche un peu différente de celle proposée par Robbins et Anthony dans la gestion de la peur présumément engendrée par les nouvelles sectes. Une telle approche ne nous oblige pas à porter un jugement de valeur discutable favorisant un type de nouvelle religion (moniste à deux niveaux) aux dépens des autres. On peut signaler en passant qu'il existe une contradiction entre la volonté du centre de consultation sur les nouvelles religions proposée par Anthony d'«éviter toute prise de position idéologique» et cette option en faveur des religions de type moniste à deux niveaux.

Enfin, en adoptant une perspective théorique axée sur la communication interculturelle il serait peut-être possible d'identifier des dimensions de la peur suscitées par les nouvelles sectes qui n'apparaissent pas dans la communication de Roland Ghagnon. En s'appuyant trop exclusivement sur la description fournie par les adversaires des nouvelles religions, on risque d'avoir une vue un peu partielle de ce phénomène.

Réponse à la communication de Roland Chagnon: «Une peur contemporaine et sa double gestion»

André Couture

On peut définir la peur comme l'appréhension d'un malheur devant le spectacle terrible d'une force menaçante pour l'ordre individuel ou social [1]. La force menaçante dont il est ici question est celle des sectes, des nouvelles religions. Roland Chagnon distingue deux façons de gérer cette peur. On peut d'abord exacerber cette peur en clamant que les cultes détruisent des valeurs fondamentales de la société américaine (l'esprit de créativité ou d'entreprise, la famille, l'ordre social, le mythe de l'hégémonie américaine, etc.) et qu'ils cherchent à inculquer de nouvelles valeurs par du lavage-de-cerveau dont la société se doit de libérer ses enfants. Surgissent alors spontanément 1) de nouveaux gestionnaires de la collectivité pour colmater les brèches ouvertes par les sectes (ce sont les déprogrammeurs dont l'activité se modèle sur celle des traditionnels exorcistes); 2) des mouvements anti-cultes qui cherchent à contrer l'expansion des sectes en utilisant les ressources ordinaires du politique, du judiciaire, etc. On peut aussi démystifier ou domestiquer la peur des sectes; le discours mis alors en oeuvre s'appuie sur un constat de

---

1. Un texte de théâtre indien, le *Pratāparudrīya* de Vidyānātha définit la peur comme «l'appréhension d'un malheur devant un spectacle terrible».

crise de la religion civile américaine (analyse de Bellah, etc) et utilise des essais de typologie des nouveaux groupements. Dans le cas de Anthony et Robbins, la typologie est apparue comme un instrument pour évaluer le potentiel d'intégration que ces groupements représentent pour les individus et pour la société. Cette nouvelle approche valorise le pluralisme de la société et le respect de la décision individuelle.

En schématisant encore davantage, on pourrait dire que, d'un côté, les sectes sont perçues comme des lésions dans l'unanimité traditionnelle et qu'il est alors naturel que la société américaine (qui est un corps sain) fabrique ses propres anti-corps pour lutter contre ce mal et crée ses propres organismes de répression. D'un autre côté, on peut croire que les valeurs traditionnelles sont dépassées ou du moins en état de crise grave; les sectes deviennent alors elles-mêmes comme des anti-corps engendrés par l'organisme social pour favoriser son propre retour à la santé. La société doit encore veiller, mais cette fois elle exerce une fonction discriminatrice pour encourager les sectes qui ont une plus grande capacité d'intégration sociale.

Donc, dans un cas, la société traditionnelle américaine est valorisée et les sectes sont perçues comme des facteurs négatifs à réprimer. Dans l'autre cas, la société traditionnelle est jugée être en crise et les sectes sont perçues comme les produits d'une réaction normale devant lesquels il y a toutefois lieu d'exercer une certaine vigilance. Ces interprétations sont diamétralement opposées: elles se fondent sur des réactions, à mon avis, aussi viscérales que la peur elle-même et donnent lieu à des prises de position irréconciliables.

La typologie apparaît dans l'étude de Roland Chagnon comme étant le moyen par excellence dont dispose la science pour procéder à une analyse plus ouverte et plus nuancée d'un phénomène comme celui des nouveaux groupements religieux (cf. p. 153). Le recours à la typologie permet en effet une interprétation beaucoup plus précise: il augmente le pouvoir séparateur de sa propre lunette d'approche, fait voir dans un amas informe plusieurs éléments bien distincts. Mais peut-être faudrait-il ajouter que la démarche dite savante (avec utilisation de typologies, ou références à la typologie) peut elle-même s'inscrire dans diverses idéologies, des idéologies qui ne sont pas nécessairement très ouvertes et très nuancées face aux nouvelles religions. On pourrait alors dire que la démarche savante reflète en fait sur un mode sophistiqué des sentiments, des impulsions, des croyances antérieures. Ces considérations m'amènent à me demander si la véritable opposition dans la façon de réagir face aux sectes si situe vraiment entre une position savante éclairée et la position plus fermée des gestionnaires traditionnels de la société[2]. En d'autres termes, j'ai l'impression que l'univers savant est aussi partagé dans ses réactions vis-à-vis des sectes que le restant de la société.

Je prends un exemple extrême (qui déborde le champ d'observation visé par la présente communication), celui d'une publication de l'Institut d'histoire du christianisme et de la pensée laïque de l'Université libre de Bruxelles: *Les Sectes contemporaines* de MICHÈLE MAT-HASQUIN[3]. Il s'agit d'un ouvrage assez bref à caractère scientifique qui s'inspire d'un séminaire dirigé par le professeur Jean Hadot et Madame Anne Morelli. On y discute d'abord de typologies pour dénoncer leur caractère insatisfaisant et ambigu, la véritable dichotomie se situant entre société religieuse et société sécularisée (ou laïque). Comme il est dit au dos de la couverture,

> ce livre se propose de mettre en évidence des structures dogmatiques et des mécanismes institutionnels, des fonctions et des formes essentielles du phénomène sectaire à partir d'exemples choisis parmi les groupes actifs aujourd'hui en Belgique et en France: prétention à l'exclusivité du discours vrai, instauration de théocraties totalitaires, recours constant à l'argument d'autorité, utilisation dévoyée du discours scientifique, répression sévère de toute déviance, captures de légitimité, élaboration d'impératifs transcendants...

Mais ce livre ne se limite pas au discours sectaire: une Église est «une secte qui a réussi»[4], et par conséquent, le besoin de vérités absolues, de points de repère, les «stratégies d'aliénation», la «piraterie religieuse», les «pieuses escroqueries» sont le fait de toutes religions, anciennes ou nouvelles. Les sectes manifestent uniquement «des résistances au décapage de la sécularisation» (p. 19). Ce constat s'appuie évidemment sur un credo laïc bien affirmé qui postule une évolution de l'homme religieux vers le positivisme scientifique. Le Centre d'action laïque pré-

---

2. Le texte de Roland Chagnon apporte déjà d'importantes nuances.
3. Éditions de l'Université de Bruxelles, 1982, 112 p.
4. Citation de Jean Hadot reprise par M. Mat-Hasquin, p. 14.

sente donc une telle étude comme une démystification scientifique des sectes et de toute religion, une sorte d'exorcisme destiné à chasser les démons de la crédulité. «La crédulité de l'homme est à la mesure de son angoisse», lance Michèle Mat-Hasquin en guise de truisme (p. 49).

Cet exemple ne veut absolument pas mettre en doute la pertinence de l'analyse de Roland Chagnon, mais essayer de la situer dans un cadre plus large. S'il m'était permis de suggérer une petite modification à ce texte, ce serait dans le titre. Au lieu de «Une peur contemporaine et sa double gestion: le mouvement anti-cultes et l'univers savant», je parlerais plutôt d'une double gestion d'une peur contemporaine aux États-Unis, le mouvement anti-secte et l'interprétation sociologique. Ceci, pour laisser entendre qu'il y a sans doute aux États-Unis d'autres façons dites scientifiques de gérer la peur engendrée par les sectes.

*La foi qui assume la peur: la foi comme courage d'être d'après Paul Tillich**

Jean Richard

La foi élimine-t-elle la peur? La peur signifie-t-elle un manque de foi? De prime abord, il semble bien que oui. Le récit de la tempête apaisée dans les évangiles synoptiques ne montre-t-il pas que le degré de la peur est inversement proportionnel à celui de la foi [1]? Car la foi n'est pas seulement croyance intellectuelle à la causalité créatrice de Dieu; elle est avant tout confiance en la protection divine, en la Providence qui nous guide sur tous les chemins de la vie. Mais cela signifie-t-il que la foi élimine tous les dangers, et par conséquent aussi toutes les peurs? S'il en était ainsi, le croyant ne vivrait vraiment pas dans le même monde que les autres. Serait-ce alors que les dangers ne sont pas vraiment des dangers pour le croyant, malgré toutes les apparences contraires? Par exemple, l'automobiliste croyant serait sûr de ne jamais se casser la figure, malgré tous les bris mécaniques et tous les dérapages possibles. Il ne devrait donc pas avoir peur, puisqu'aucun mal ne peut lui arriver, malgré tous les accidents possibles.

---

* Étude réalisée grâce à une subvention du Conseil de recherches en sciences humaines du Canada, accordée au projet «Paul Tillich».

1. Cf. *Mt* 8, 23-27.

Il reste encore cependant une autre interprétation. Le croyant habite un monde dangereux et tous les dangers qui l'entourent le menacent vraiment. Il n'est donc pas plus que les autres soustrait à tous les maux de la vie. Et comme il n'est pas non plus moins sensible que les autres, il ressentira aussi la peur du danger menaçant, tout autant que la souffrance du mal présent. Cependant le danger et la peur n'ont pas pour lui exactement la même signification. Ils sont comme situés dans une perspective nouvelle, dans un horizon plus vaste, de sorte que tout en étant bien réels et présents dans la vie du croyant, ils sont comme désamorcés, n'ayant plus pour lui une importance ultime. Je tenterai ici d'élaborer un peu plus avant cette interprétation, en m'inspirant de Paul Tillich. Mais il importe de retracer d'abord jusque dans la Bible cette problématique de la peur et de la foi.

1. Le caractère paradoxal de la foi

1. *La problématique biblique*

Le psaume 91 constitue ici un excellent point de départ. Il exprime la confiance de celui qui fait de Dieu son refuge, son abri et son rempart. À une première lecture, apparaît d'abord la foi naïve de celui qui se sait protégé par le tout-puissant:

> Lui te dérobe au filet
> de l'oiseleur qui cherche à détruire,
> lui te couvre de ses ailes,
> tu trouveras sous son pennage un refuge (vv. 3-4).

Sous l'égide d'un pareil protecteur, il n'y a donc plus rien à craindre:

> Tu ne craindras ni les terreurs de la nuit,
> ni la flèche qui vole de jour,
> ni la peste qui marche en la ténèbre,
> ni le fléau qui dévaste à midi (vv. 5-6).

Au milieu des dangers, l'impie succombera certainement, mais il n'en sera pas ainsi pour le croyant, qui sera lui-même protégé miraculeusement:

> Qu'il en tombe mille à tes côtés
> et dix mille à ta droite,
> toi, tu restes hors d'atteinte;

sa fidélité est une armure, un bouclier.
Il suffit que tes yeux regardent,
tu verras le salaire des impies,
toi qui dis: Yahvé mon refuge!
et qui fais du Très-Haut ton asile (vv. 7-9).

Cette protection divine s'exprime même ici plus concrètement encore par l'image des anges gardiens:

Le malheur ne peut fondre sur toi,
ni la plaie approcher de ta tente:
il a pour toi donné ordre à ses anges
de te garder en toutes tes voies.
Eux sur leurs mains te porteront
pour qu'à la pierre ton pied ne heurte (vv. 10-12).

Une seconde lecture plus attentive fait voir cependant que cette expression naïve, et somme toute assez banale, de confiance «religieuse» en la divine Providence se trouve comme dépassée, pour autant qu'elle est assumée dans une perspective plus haute, celle de la «foi» biblique au Dieu de l'Alliance. Je reprends ici pour l'essentiel l'interprétation d'Évode Beaucamp, qui a fort bien dégagé la profondeur théologique de ce même psaume[2]. Il dénonce d'abord l'équivoque que recèle notre expression «confiance en Dieu». C'est qu'il faut bien distinguer «l'assurance en Dieu» et «l'assurance sur Dieu». Cette dernière attitude s'identifie précisément à la confiance naïve dont j'ai parlé. On se sent couvert par Dieu, comme d'autres par leur bonne étoile; on est pleinement sécurisé, comme d'autres par une police d'assurance. Mais cette assurance sur Dieu constitue effectivement une mainmise sur Dieu, dont on se sert pour se protéger, comme on le fait avec des amulettes protectrices. Une telle attitude doit donc être dénoncée, non seulement parce qu'indigne de Dieu, mais aussi parce qu'indigne de l'homme, qu'elle installe dans l'illusion d'une fausse sécurité. Il en va tout autrement de la véritable foi biblique, qui est elle-même assurance en Dieu. Se réfugier à l'ombre du Très-Haut signifie alors accepter d'entrer dans le dessein de Dieu. On gardera, bien sûr, ses propres vues sur le monde, ses propres espoirs sur la vie et par conséquent aussi les peurs et les craintes qui s'ensuivent. Mais tout cela n'a plus une importance ultime, puisque tout cela

2. Cf. ÉVODE BEAUCAMP, *Des psaumes ou Pater, III: Israël monte chez son Dieu*, (*pro manuscripto*) Québec, Université Laval, pp. 52-63.

se trouve alors assumé dans un dessein, dans une perspective plus haute, transcendante, qui seule importe finalement.

Beaucamp note encore ici que le refuge qu'on va chercher près de Yahvé n'est pas purement négatif. Ce n'est pas une position de simple défense, et c'est encore moins une position de toute tranquillité, loin du combat et du danger: «la paix dont on jouit chez Dieu ne se confond pas avec le repos qu'on a connu dans le sein maternel, et dont la nostalgie ne cesse de hanter ceux qu'effraient les durs combats de l'existence»[3]. Tout au contraire, le salut qu'assure Yahvé garde partout un aspect offensif. Ce qu'il assure, ce n'est pas d'éviter le combat et ses pleines; la seule certitude qu'il donne, c'est celle de la victoire finale. L'imagerie du combat et de la victoire apparaît ici bien explicitement:

> tu fouleras lion et vipère,
> tu piétineras fauves et dragons (v.13).

L'oracle final montre aussi bien clairement que la protection divine ne nous épargne pas les épreuves ni toutes les peines de la vie. Elle permet seulement de les dépasser, mais en passant à travers, non pas à côté:

> Je suis avec lui dans la détresse.
> Je le délivre et je le glorifie (v.15).

Le psaume 91 se retrouve maintenant dans le Nouveau Testament à un moment décisif de la vie de Jésus, la tentation au désert[4]. Ce qui fait dire à Beaucamp que l'évangile le considère «comme le psaume par excellence de la tentation»[5]. Ce que le diable suggère alors à Jésus, c'est précisément l'assurance sur Dieu. Et avec toute la Bible, Jésus dénonce lui-même cette attitude comme une vulgaire tentation de Dieu. Le fait qu'il soit le fils bien-aimé ne doit donc pas lui épargner «les terreurs de la nuit, ni la flèche qui vole de jour». C'est ce que montre tout particulièrement le récit de la Passion, l'heure où règnent les Ténèbres[6]. Jésus apparaît alors comme le juste par excellence, celui qui accepte pleinement d'intégrer son destin dans le dessein

---

3. *Ibid.*, p. 58; cf. p. 23.
4. Cf. *Mt* 4, 5-7; *Lc* 4, 9-12.
5. É. BEAUCAMP, *op. cit.*, p. 54.
6. Cf. *Lc* 22, 53.

de Dieu son Père, celui dont la victoire s'identifie au salut de Dieu, à la victoire de Dieu lui-même sur les puissances du mal et de la mort. La totale confiance au Père qui marque toute la vie de Jésus signifie donc son assurance en cette victoire finale de Dieu sur tous ses ennemis. Elle n'implique d'aucune façon la certitude que les épreuves lui seront épargnées, à lui-même personnellement. En d'autres termes, la délivrance qu'il espère, et dont il a l'assurance, est la délivrance finale, non pas la délivrance immédiate de tel ou tel danger particulier qui pourra l'affecter. De même aussi, par conséquent, la seule crainte qu'élimine sa confiance en Dieu est celle d'une défaite finale de Dieu, non pas la crainte ou la peur de tel mal particulier qui pourrait survenir.

Paul sait fort bien tout cela. Il sait que Dieu n'a pas épargné son propre Fils, et il ne s'attend pas à être épargné lui-même. L'objet de sa confiance doit donc être tout différent quand il écrit: «Si Dieu est pour nous, qui sera contre nous? Lui qui n'a pas épargné son propre Fils mais l'a livré pour nous tous, comment avec lui ne nous accordera-t-il pas toute faveur? Qui se fera l'accusateur de ceux que Dieu a élus»? [7] Dans sa foi au Christ comme don de Dieu, Paul est certain que Dieu est pour nous, et que nous jouissons par là d'un ultime refuge contre toute attaque de l'adversaire. Cependant, il ne pense pas que nous sommes pour autant protégés des tribulations et des peines de la vie. Il a fait lui-même l'expérience de toutes ces épreuves, et il a fait aussi l'expérience de la victoire dans de telles situations. Le triomphe dont il parle ne consiste donc pas à demeurer intouchable et invulnérable au milieu du danger. Il consiste plutôt à pouvoir traverser l'épreuve victorieusement par la puissance de l'amour de Dieu, cette puissance divine de l'amour qui sait transformer le mal en bien. Finalement, le véritable enjeu de la foi devient le suivant: les puissances du mal sauront-elles triompher de l'amour de Dieu? Voilà, il me semble du moins, comment nous devons comprendre la suite de ce même hymne paulinien à l'amour de Dieu:

> Qui nous séparera de l'amour du Christ? La tribulation, l'angoisse, la persécution, la faim, la nudité, les périls, le glaive? [...] Mais en tout cela nous n'avons aucune peine à triompher par celui qui nous a aimés.

---

7. *Rm* 8, 31-33.

Oui, j'en ai l'assurance, ni mort ni vie, ni anges ni principautés, ni présent ni avenir, ni puissance, ni hauteur ni profondeur, ni aucune autre créature ne pourra nous séparer de l'amour de Dieu manifesté dans le Christ Jésus notre Seigneur [8].

2. *La foi paradoxale en la Providence divine*

Ces deux derniers versets de Paul, constituent précisément le thème d'un sermon de Tillich sur «la Signification de la Providence», publié en 1948. Dans ces mots de Paul, Tillich reconnaît en effet l'expression la plus adéquate de notre foi chrétienne en la Providence divine, et par conséquent aussi l'interprétation la plus authentique du fameux passage du Sermon sur la montagne concernant l'abandon à la Providence [9]. Une telle interprétation est d'autant plus requise que cet enseignement évangélique sur la Providence est le plus souvent fort mal compris. C'est ce qui explique la désillusion et le scandale de tant de croyants au milieu de l'épreuve. Tillich réfère d'abord ici aux soldats de la première guerre mondiale, auprès desquels il exerçait son ministère pastoral. La réalité concrète du monde dont ils faisaient l'expérience leur semblait contredire manifestement l'idée d'une Providence divine, c'est-à-dire l'idée d'un Dieu tout-puissant, sage et juste. Un notable de la communauté juive ouest-allemande lui exprimait encore la même objection à propos de la déportation massive de juifs très agés dans les camps de concentration, au cours de la dernière guerre. Cette immense misère humaine l'empêchait de pouvoir trouver quelque sens que ce soit dans le message biblique sur la divine Providence. Tillich reconnaît toute la force de cette objection, qui n'est pas seulement une critique théorique de l'idée de Dieu, mais qui exprime l'angoisse du coeur humain devant le pouvoir des forces démoniaques à l'oeuvre dans le monde. Il ajoute cependant que Paul a lui-même connu toutes ces horreurs, ainsi que toutes ces forces du mal, et pourtant il a cru. Quel peut donc être alors le contenu de sa foi en la Providence? [10]

Le message évangélique de la Providence divine n'est certainement pas la promesse qu'avec le secours de Dieu tout finira

---

8. *Rm* 8, 35-39.

9. Cf. PAUL TILLICH, *The Shaking of the Foundations*, New York, Charles Scribner's Sons, 1948, p. 104 (*Les Fondations sont ébranlées*, traduit par FRANÇOIS LARLENQUE, Éd. Robert Morel, 1967, p. 145).

10. Cf. *ibid.*, pp. 104-106 (tr., pp. 145-147).

bien par s'arranger; car il y a beaucoup de choses qui finissent mal. De même la foi en la Providence n'est pas la conviction qu'il nỳ a pas de situation désespérée. Et ce qu'on dit de l'individu vaut aussi pour l'histoire universelle. Il ne faut pas croire que le mal qui a détruit des individus trouvera finalement sa solution au cours de l'histoire, que leur sacrifice trouvera un sens dans une période ultérieure de l'histoire, dans un quelconque âge d'or final de l'histoire. La foi en la Providence n'implique d'aucune façon la croyance en une période ultime de l'histoire, plus heureuse que la nôtre. La foi ne nous garantit pas que tout finira par bien s'arranger au terme de l'histoire, pas plus qu'au terme de chaque vie individuelle. La foi est donc essentiellement paradoxale. Elle ne comporte aucune vérification ou confirmation sensible, à l'intérieur des limites d'une vie individuelle ou de l'histoire universelle [11].

La question se pose alors avec plus d'urgence encore: en quoi consiste la foi en la Providence divine, si elle n'est rien de tout cela? Tillich revient ici aux expressions mêmes de Paul. Au coeur de ces profondes misères de la vie et de ces pires catastrophes de l'histoire, la foi proclame que rien de tout cela ne peut nous séparer de l'amour de Dieu. Avec Paul, on pourra dire aussi que toutes choses concourent au bien de ceux qui aiment Dieu, mais il faudra l'entendre alors du bien ultime et transcendant, de l'amour éternel et du Royaume de Dieu. Car ce bien ultime transcendant et divin n'en est pas moins un bien pour nous: il constitue vraiment l'ultime accomplissement de l'homme. La profession de foi de Paul signifie donc qu'aucun mal présent ne peut nous empêcher d'accomplir notre destinée finale. Et Tillich en arrive alors à formuler sa propre définition théologique. La Providence signifie qu'en toute situation aussi négative et hostile soit-elle, est toujours présente une possibilité créatrice et salvatrice, que rien ne peut détruire:

> La foi en la Providence divine est la foi que rien ne peut nous empêcher d'accomplir le sens ultime de notre existence. La Providence ne signifie pas un *planning* divin d'après lequel tout est prédéterminé comme dans une machine efficace. Bien plutôt, la Providence signifie qu'il se trouve en chaque situation une possibilité créatrice et salvatrice qu'aucun événement ne peut détruire. La Providence signifie que les forces démoniaques et destructrices, en nous-mêmes et dans notre monde, n'auront

11. Cf. *ibid.*, p. 106 (tr., pp. 147-148).

jamais sur nous une emprise qui ne puisse être brisée, et que notre lien avec l'amour qui nous accomplit ne pourra jamais être rompu[12].

Trois ans plus tard, dans la *Théologie systématique*, Tillich reprend ce même thème de la foi paradoxale en la Providence, pour l'élaborer davantage[13]. Il ajoute d'abord une perspective historique. La foi chrétienne en la Providence se trouve alors située entre deux extrêmes: la terreur du destin d'une part, la certitude rationnelle de l'ordre du monde d'autre part. Tillich note en effet qu'au temps de l'apparition du Christ «dans le monde ancien le destin l'avait emporté sur la providence, pour établir un règne de terreur parmi les masses; mais le christianisme souligna alors la victoire du Christ sur les forces du destin et de la peur, au moment même où elles semblaient l'avoir subjugué sur la croix»[14]. La foi chrétienne en la Providence élimine donc une certaine peur, la terreur du destin précisément. Mais Tillich est davantage encore préoccupé par l'excès contraire, qui cette fois menace le christianisme lui-même. C'est le risque de considérer maintenant la Providence pour acquise, et d'en faire une évidence rationnelle. Dans la pensée philosophique moderne, ce travers s'est manifesté surtout de trois façons différentes: d'abord tous les signes de finalité dans la nature et d'ordre dans le monde sont interprétés comme autant de preuves de la Providence; il y a ensuite la croyance en l'harmonie préétablie qui doit conduire tous les intérêts particuliers vers le bien commun, croyance tout particulièrement manifeste dans l'économie libérale; ce sont enfin les systèmes dialectiques, hégélien et marxien, qui reconnaissent bien le fait de la négativité et du mal dans le monde et dans l'histoire, mais pour qui ce fait même du mal n'est qu'un épisode, qu'un moment dans le processus dialectique, un fait qui par conséquent doit être bientôt dépassé et trouver sa solution dans la synthèse finale. Tillich se montre ici très critique face à cet optimisme naïf. D'abord, la nature peut bien fonctionner à merveille, il n'en reste pas moins que le bonheur humain est loin d'être assuré par là; tout au contraire, il semble le plus souvent que la nature poursuit son cours sans

---

12. *Ibid.*, pp. 106-107 (tr., p. 148).

13. P. TILLICH, *Systematic Theology*, vol. 1, The University of Chicago Press, 1951, pp. 263-270 (*Théologie systématique*, tome II, traduit par FERNAND OUELLET, Paris, Éd. Planète, 1970, pp. 199-212.

14. *Ibid.*, p. 264 (tr., p. 201).

aucun égard pour la vie humaine. Par ailleurs, les conséquences désastreuses de l'économie libérale capitaliste ont bien montré tout ce qu'avait d'illusoire l'optimisme progressiste du siècle dernier, lui-même fondé sur la conviction de l'harmonie préétablie. Enfin, l'attente d'une solution dialectique prochaine des conflits de l'existence et de l'histoire s'est elle-même avérée purement utopique [15]. En tout cela, Tillich entend maintenir le caractère hautement paradoxal de la foi en la Providence: «La providence est un concept paradoxal. La foi en la providence est une foi 'en dépit de', en dépit de l'obscurité du destin et de l'absurdité de l'existence» [16].

Ces fausses conceptions écartées, il faut dire maintenant ce en quoi consiste vraiment la Providence. Dans ce contexte d'un traité théologique de la création, Tillich la définit d'abord comme la créativité dirigeante de Dieu, c'est-à-dire comme l'activité divine qui conduit toute créature à son actualisation finale, à son accomplissement total [17]. Il faut noter immédiatement que cette fin ultime de la créature humaine est transcendante, qu'elle ne peut être réalisée dans les limites de l'existence temporelle et historique: «ce qui accomplit l'histoire la transcende, tout comme ce qui accomplit la vie de l'individu le transcende» [18]. Il faut noter surtout la façon dont la Providence nous conduit à notre accomplissement final. Ce n'est pas de façon surnaturelle et miraculeuse, en intervenant de l'extérieur pour modifier sensiblement la situation présente. Tout au contraire, l'activité providentielle de Dieu s'exerce de façon immanente, à travers la situation, en respectant tous les éléments de cette situation, même les plus négatifs et les plus destructeurs. Tillich en arrive donc finalement à définir la Providence comme la condition divine présente au coeur de toute situation humaine, qui oriente de façon dynamique et efficace cette même situation vers l'accomplissement final de la créature humaine. On retrouve ainsi, plus élaborée conceptuellement, la possibilité créatrice et salvatrice que mentionnait déjà le sermon sur la Providence:

> La providence agit à travers les éléments bi-polaires de l'être. Elle agit à travers les conditions de l'existence individuelle,

15. Cf. *ibid.*, pp. 264-266 (tr., pp. 201-204).
16. *Ibid.*, p. 264 (tr., p. 201).
17. Cf. *ibid.*, pp. 263-264 (tr., pp. 199-201).
18. *Ibid.*, p. 268 (tr., pp. 208-209).

> sociale et universelle, à travers la finitude, le non-être et l'angoisse, à travers l'interdépendance de tous les êtres finis, à travers leur résistance à l'activité divine et à travers les conséquences destructrices de cette résistance. Toutes les conditions existentielles sont incluses dans la créativité dirigeante de Dieu. Leur pouvoir n'est pas augmenté ou diminué; Elles ne sont pas éliminées non plus. La providence n'est pas interférence: elle est création.
>
> Elle utilise tous les facteurs, ceux qui viennent de la liberté aussi bien que ceux qui dépendent de la destinée, pour diriger créativement toute chose vers son accomplissement. La Providence est une *qualité* de toute constellation de conditions, une qualité qui «conduit» ou «attire» vers l'accomplissement. La providence est la «condition divine» qui est présente dans tout groupe de conditions finies. Elle n'est pas un facteur additionnel, une interférence physique ou mentale miraculeuse en termes de supranaturalisme. Elle est la qualité de directivité interne présente dans toute situation [19].

Une telle définition de la Providence commande évidemment une conception bien différente de la foi et de la confiance en Dieu. Si la Providence n'altère d'aucune façon les conditions de la finitude et de l'aliénation humaines, on ne pourra plus espérer être à l'abri des conséquences négatives de cette situation. Quelle que soit l'intimité de notre relation à Dieu, il nous faudra donc faire l'expérience des limites et des contrariétés de l'existence. La foi signifie alors le courage d'accepter toutes ces conditions négatives de l'existence, et de les accepter en les assumant pleinement, dans la conviction et l'espérance que nous sommes conduits à travers tout cela vers notre accomplissement final. Tillich réfère encore ici au même texte de Paul:

> Celui qui croit en la providence ne croit pas qu'une activité divine spéciale viendra altérer les conditions de la finitude et de l'aliénation. Il croit et il affirme avec le courage de la foi qu'aucune situation, quelle qu'elle soit, ne peut empêcher l'accomplissement de sa destinée ultime, que rien ne peut le séparer de l'amour de Dieu qui est dans le Christ Jésus (*Romains,* chap. 8) [20].

Cette manifestation si personnelle de l'amour de Dieu dans la vie de Jésus confère à la foi chrétienne le caractère d'une rela-

---

19. *Ibid.*, pp. 266-267 (tr., p. 205).
20. *Ibid.*, p. 267 (tr., pp. 205-206).

tion interpersonnelle avec Dieu. La foi en la Providence devient ainsi confiance filiale en la protection divine, confiance qui comporte une assurance indéfectible au milieu de toutes les tribulations de la vie. Mais cette confiance en la grâce créatrice et salvatrice de Dieu présente en toute situation est constamment menacée de dégénérer en sécurité illusoire, en la fausse assurance que Dieu doit intervenir miraculeusement pour modifier une situation négative ou pour protéger d'un danger immédiat. Tillich rappelle donc encore une fois ici, et plus fortement que jamais, le caractère paradoxal de la foi en la Providence. C'est au coeur des situations les plus désastreuses, au moment même où le croyant se trouve écrasé physiquement, moralement et spirituellement, c'est alors précisément que se manifeste au mieux la grâce de la Providence qui confère la vraie certitude de la foi. Ce passage de Tillich pousse à la limite l'expression paradoxale de la foi chrétienne, telle que vécue par Jésus lui-même sur la croix, et par Paul au milieu de toutes ses tribulations:

> Dans le christianisme, la providence est un élément de la relation de personne à personne entre Dieu et l'homme; elle comporte la chaleur de la croyance en une protection aimante et une conduite personnelle. Elle donne à l'individu le sentiment d'une sécurité transcendante au milieu des nécessités de la nature et de l'histoire. Elle est confiance en «la condition divine» présente au coeur de tout ensemble de conditions finies. C'est sa grandeur, mais c'est aussi son danger. La confiance en la conduite divine peut devenir une conviction que Dieu doit changer les conditions d'une situation afin de rendre effective sa propre condition. Et si cela ne se produit pas, la confiance et la foi s'écroulent. Mais c'est le paradoxe de la croyance en la providence que, au moment même où les conditions d'une situation détruisent le croyant, la condition divine lui donne une certitude qui transcende la destruction [21].

II. Le caractère dialectique de la foi

Cette conception de l'action providentielle comme «condition divine» au coeur de toute situation, avec sa conséquence immédiate qu'est le caractère paradoxal de la foi en la Providence, tout cela constitue déjà l'essentiel de la solution à notre problématique du début, celle du rapport de la foi à la peur du danger. Pour prendre cependant la vraie mesure de l'enseigne-

21. *Ibid.*, p. 268 (tr., pp. 207-208).

ment de Tillich sur la question, il nous faudra encore déployer cette problématique jusque dans sa dimension ontologique. Le danger menaçant s'approfondit alors pour devenir la menace du non-être. Par là même, la peur du danger prend la forme de l'angoisse existentielle, et la foi s'identifie elle-même au courage d'être. Notons encore que le parcours ne sera plus le même ici. Suivant le tracé de la méthode de corrélation, on ne partira plus de la notion de Providence ou de l'action de Dieu, mais de la situation humaine, telle qu'exprimée dans l'angoisse existentielle. On passera de là au courage d'être, et finalement à l'Être-Même, source du courage et de la foi. Cette nouvelle perspective se trouve d'abord esquissée par Tillich dans l'analyse ontologique de la finitude qui prend place au premier volume de sa *Théologie systématique*. Elle est reprise ensuite dans *Le Courage d'être*, qui se propose précisément d'élaborer «une ontologie de l'angoisse et du courage» [22].

1. *L'angoisse existentielle*

Pour approfondir tant soit peu le thème de notre atelier et de notre congrès, il nous faut donc ici passer de la peur à l'angoisse. Il y a entre les deux cette différence capitale: la peur porte sur un objet particulier, un danger, une souffrance, un ennemi; tandis que l'angoisse est elle-même indépendante de tout objet déterminé. La peur vient et s'en va, selon qu'un danger imminent menace ou pas. Mais l'angoisse est toujours là présente, le plus souvent latente, comme un bruit de fond dans la conscience. L'angoisse trouve à s'exprimer à travers la peur, dans les situations de danger. La peur devient alors symptôme de l'angoisse. Mais il y a aussi des moments de pure angoisse, où l'effroi nous saisit sans qu'il n'y ait rien de particulier à craindre [23].

Tillich propose ici une interprétation ontologique de l'angoisse. Et c'est par là finalement qu'il distingue les deux termes, pour autant que la peur est psychologique et l'angoisse, ontologique. L'angoisse n'est rien d'autre en effet que la conscience de la menace du non-être. Or cette menace du non-être s'identifie

---

22. P. TILLICH, *The Courage to Be*, New Haven, Yale University Press, 1967 (1952), p. 64 (*Le Courage d'être*, trad. par F. CHAPEY, Casterman 1967, p. 73).

23. Cf. *Systematic Theology, I*, pp. 191-192 (tr., pp. 65-67); *The Courage to Be*, pp. 35-39 (tr., pp. 48-52).

elle-même avec le fait de la finitude; car la finitude, c'est le fait de l'être limité et menacé par le non-être. On pourra donc aussi définir l'angoisse comme la conscience de la finitude. Mais il faudra alors préciser qu'il s'agit de la conscience de sa propre finitude, ou encore de la conscience existentielle du non-être. Car ce n'est pas tout simplement la prise de conscience de la contingence universelle qui produit l'angoisse. Celle-ci est proprement conscience de soi en tant que fini, en tant que menacé par le non-être. Voilà pourquoi nous en parlons ici comme d'une angoisse existentielle. La différence radicale entre la peur et l'angoisse apparaît dès lors bien manifestement à propos de la mort, plus précisément à propos de sa propre mort. La peur de la mort a un objet bien précis: c'est le moment de la mort, pour autant qu'il implique la souffrance et la perte de tout ce que nous avons. Mais ce moment déterminé est aussi l'expression, et l'on pourrait même dire le symbole du non-être qui constitue l'aspect négatif de notre finitude. Ce non-être que signifie la mort imprègne donc tout notre être en chacun de ses aspects, à chaque instant. Et voilà bien la menace qui produit l'angoisse[24].

Vu son caractère ontologique, l'analyse de l'angoisse ne pourra pas se faire comme celle de la peur, en indiquant certains objets ou certaines situations négatives, pas même en décrivant certaines circonstances de la mort. Elle devra plutôt procéder par l'analyse de ces différents aspects ou modalités de l'être que la philosophie classique appelle les «catégories». Elle fera voir alors l'impression dans la conscience de la négativité ou du non-être que comporte et révèle chacune de ces catégories. Cela est tout particulièrement manifeste dans le cas du temps. Exister, c'est être présent; voilà l'aspect positif du temps. Mais le passé de ce même être n'est plus, et son futur n'est pas encore. Bien plus, dans un certain passé reculé cet être n'était pas encore, et dans un certain futur lointain il ne sera plus. Or l'angoisse n'est rien d'autre effectivement que la conscience personnelle de cet écoulement dans le temps de ma propre existence, rien d'autre par conséquent que la conscience personnelle du non-être sous la forme du passé et du futur:

> La conscience mélancolique de la tendance de l'être vers le non-être, un thème qui remplit la littératukre de toutes les nations, est très actuelle dans l'anticipation de sa propre mort. Ce qui est

24. Cf. *loc. cit.*

> significatif ici, ce n'est pas la peur de la mort, c'est-à-dire le moment de mourir. C'est l'angoisse de *devoir* mourir, qui révèle le caractère ontologique du temps. Dans l'angoisse de devoir mourir, on fait l'expérience du non-être «de l'intérieur». Cette angoisse est potentiellement présente à tout moment. Elle imprègne tout l'être de l'homme; elle façonne l'âme et le corps et détermine la vie spirituelle [...] [25].

L'espace constitue un autre mode d'être. Tout ce qui existe se trouve quelque part; tout être prend part à l'espace et possède sa place, son lieu propre. Notre finitude, avec le non-être qu'elle implique, apparaît ici quand nous prenons conscience de la place insignifiante que nous occupons dans l'univers. Et c'est là une prise de conscience typiquement moderne. L'immensité de l'espace sidéral nous a été révélée par l'astronomie moderne, et du même coup notre terre a été rejetée de la position centrale qu'elle occupait dans l'ancienne vision du monde. D'où «l'angoisse profonde du non-être dans un univers sans limite et sans signification accessible à l'homme» [26]. Le terme même «angoisse» (du latin «*angustiae*») retrouve ici son sens étymologique, qui est l'impression pénible d'être pris dans une passe étroite [27]. Telle est précisément la situation ontologique de chacun, qui se manifeste de différentes façons dans certaines circonstances plus particulières de l'histoire et de la vie personnelle. Toutes les guerres territoriales qui ont ponctué l'histoire de l'humanité sont autant de témoignages de l'inquiétude profonde qu'inspire aux nations la préservation de leur espace vital ou l'expansion d'un territoire jugé trop étroit. Et l'on trouve parfois, au niveau des individus, l'équivalent de cette défense collective de l'espace. C'est, par exemple, l'expérience qu'a vécue et racontée Langdon Gilkey dans un camp de prisonniers, au cours de la dernière guerre mondiale. En voyant là chacun défendre avec acharnement chaque pouce de son territoire, il a constaté l'importance capitale de l'espace pour le bien-être et pour l'existence même de toute personne humaine. Et cela ne vaut pas simplement pour l'espace physique. Il en est de même pour notre monde familial et social. D'où l'importance du poste, de la fonction professionnelle, qui nous assure une place

---

25. *Systematic Theology, I*, pp. 193-194 (tr., p. 70).
26. *The Courage to Be*, p. 106 (tr., p. 111).
27. Cf. *Systematic Theology, I*, pp. 191-192, note 8, (tr., pp. 66-67, note 2).

dans la société[28]. Tillich distingue lui-même le lieu physique et l'espace social. Il mentionne aussi la menace du chômage, de la perte de son statut économique, comme un élément majeur dans la crise des années trente, cette crise qui reprend pour nous ces temps-ci toute sa signification[29]. Sans doute, s'agit-il là de craintes et de peurs bien précises, avec des objets bien déterminés: la perte de son emploi ou de son logement. Mais ce n'est là que l'expression particulière d'une insécurité et d'une angoisse beaucoup plus profondes, d'ordre proprement ontologique, qui n'a d'autre motif que la menace du non-être:

> Être dans l'espace signifie aussi être soumis au non-être. Aucun être fini ne possède un espace qui soit définitivement le sien propre. Aucun être fini ne peut se fier à l'espace, car non seulement doit-il envisager la perte de tel ou tel espace, parce qu'il est un «pèlerin sur la terre», mais il doit éventuellement faire face à la perte de tout lieu qu'il a eu ou qu'il aurait pu avoir. [...] N'avoir aucun espace définitif et final représente l'ultime insécurité. Être fini, c'est être insécure. Cela est ressenti dans l'angoisse de l'homme pour le lendemain; et c'est exprimé dans les tentatives angoissées d'acquérir un espace sûr pour lui-même, physiquement et socialement[30].

On pourrait poursuivre encore longuement cette analyse de l'angoisse existentielle, en prolongeant tout simplement l'analyse de la finitude, par l'étude des autres catégories, comme la causalité et la substance. Ce que nous avons vu aura suffi cependant pour nous faire reconnaître le caractère ontologique et existentiel de l'angoisse, et partant sa différence avec la simple peur. Il fallait en effet approfondir notre thématique de la peur jusqu'à ce niveau ontologique, pour prendre la vraie mesure de notre sujet, et pour entrevoir son rapport avec la foi. Tel sera maintenant le sens de notre nouveau parcours: en partant de cette même angoisse existentielle, nous chercherons le chemin qui mène à la foi.

---

28. Cf. LANGDON GILKEY, *Shantung Compound. The Story of Men and Women under Pressure*, New York, Harper and Row, 1966, pp. 80-81.

29. Cf. *Systematic Theology, I*, p. 194 (tr., p. 72); *The Courage to Be*, p. 110 (tr., p. 114).

30. *Systematic Theology, I*, p. 195 (tr., pp. 72-73); cf. *Systematic Theology, II*, p. 73.

Il nous faudra d'abord revenir ici à la distinction initiale entre la peur et l'angoisse, pour noter qu'il est possible de maîtriser la peur, mais non pas l'angoisse. On peut faire face à la peur, la dominer, ou tout simplement l'apprivoiser. Cela est possible précisément parce que la peur est causée par un objet déterminé. Cet objet pourra nous paraître de prime abord absolument étrange et effrayant, mais on finira par se familiariser avec lui: «Le courage peut affronter tout objet de peur, parce que c'est un objet et qu'il rend la participation possible. Le courage peut intégrer la peur produite par un objet défini, parce que cet objet, si effrayant soit-il, a un côté par lequel il participe à nous et nous à lui» [31]. Mais il n'en va pas ainsi pour l'angoisse, qui ne porte elle-même sur aucun objet déterminé, qui n'a d'autre objet que le non-être, la négation de tout objet. Il est donc impossible de s'en prendre directement à l'angoisse, qui reste toujours hors d'atteinte, qui échappe même au plus grand courage. Tillich peut donc conclure ici: «Celui qui est dans l'angoisse, pour autant qu'il s'agit de pure angoisse, est livré à elle sans aucun recours» [32].

Mais ce fait d'être sans secours (*helplessness*) signifie tout aussi bien un état de désespoir (*hopelessness*). Effectivement, Tillich mentionne ici le désespoir comme une caractéristique générale de l'angoisse existentielle, plus précisément comme son ultime aboutissement. Tout comme l'angoisse, ce désespoir est d'ordre ontologique: c'est la conscience d'être sans protection devant la menace envahissante du non-être. Tout comme l'angoisse aussi, il est d'ordre existentiel. On ne fait pas souvent, de façon explicitement consciente, l'expérience du désespoir. Mais ces rares moments sont d'une grande importance, puisqu'ils révèlent le sens profond de toute l'existence [33].

Tillich remarque encore ici bien finement: «Devant ces caractéristiques du désespoir, on comprend que toute vie humaine puisse être interprétée comme une continuelle tentative pour éviter le désespoir» [34]. Lui-même se montre d'ailleurs très perspicace pour détecter les différentes formes que prend cette tentative constante d'échapper à l'angoisse et au désespoir. Il y a

---

31. *The Courage to Be*, p. 36 (tr., p. 49).
32. *Loc. cit.*, cf. pp. 38-39 (tr., p. 51).
33. Cf. *Ibid.*, pp. 54-57 (tr., pp. 64-66).
34. *Ibid.*, p. 56 (tr., p. 66).

d'abord un effort pour transformer l'angoisse en peur, c'est-à-dire pour objectiver l'angoisse dans une représentation plus concrète: «L'angoisse s'efforce de se transformer en peur, parce que la peur peut être affrontée par le courage»[35]. Il en va de même, de façon plus particulière, pour l'angoisse provoquée par l'écoulement du temps. Tillich note ici toutes sortes de résistances: «L'homme cherche à prolonger le petit laps de temps qui lui est donné; il cherche l'instant avec autant de choses passagères que possible; il cherche à se créer un mémorial dans un avenir qui n'est pas le sien; il imagine une continuation de sa vie après la fin de son temps, et une durée infinie sans éternité»[36]. Dans ce contexte, la croyance en l'immortalité naturelle de l'âme, par contraste avec la foi chrétienne en la résurrection et en la vie éternelle, peut être interprétée tout simplement comme une autre forme de résistance à l'angoisse de la mort[37]. Finalement, cette lutte contre l'angoisse peut devenir pathologique, et ce serait là, d'après Tillich, le sens profond de la névrose: «L'angoisse pathologique devant le destin et la mort contraint à une sécurité qui est comparable à celle d'une prison. Celui qui vit dans cette prison est incapable de laisser la sécurité que lui procurent les limitations qu'il s'est imposées. Mais ces limitations ne sont pas fondées sur une pleine conscience de la réalité. Par conséquent, la sécurité du névrotique est irréaliste»[38].

Ce cas extrême de la névrose fait donc apparaître le caractère futile et illusoire de tous les moyens de défense contre l'angoisse existentielle. Tillich le signale d'ailleurs chaque fois. Ainsi, «les tentations pour transformer l'angoisse en peur sont vaines. On ne peut éliminer l'angoisse fondamentale, l'angoisse d'un être fini devant la menace du non-être. Elle appartient à l'existence elle-même»[39]. La résistance contre le caractère annihilateur du temps est aussi vaine, et elle conduit directement au désespoir: «Ce n'est pas l'expérience du temps comme tel qui produit le désespoir; c'est plutôt la défaite dans la résistance contre le temps»[40]. Tillich parlera même à ce propos d'un déses-

---

35. *Ibid.*, p. 39 (tr., p. 51); cf. pp. 65-66 (tr., p. 74).

36. *Systematic Theology, II*, p. 69 (*L'Existence et le Christ*, trad. par F. Chapey, Lausanne, L'Âge d'Homme, 1980, pp. 88-89).

37. Cf. *The Courage to Be*, p. 110 (tr., p. 115).

38. *Ibid.*, p. 75 (tr., p. 82).

39. *Ibid.*, p. 39 (tr., p. 52).

40. *Systematic Theology, II,* p. 69 (tr., p. 89).

poir au carré, puisqu'il s'agit de l'échec de toute résistance au désespoir: «Le désespoir apparaît sous une forme redoublée comme la tentative désespérée d'échapper au désespoir» [41].

Mais c'est alors précisément, quand on atteint le fond du désespoir, que débute une nouvelle recherche, dans un sens tout différent. On abandonne alors toutes ces tentatives et résistances qui se sont avérées vaines et illusoires, et l'on cherche ailleurs une autre solution. Or cette autre solution à l'angoisse existentielle, c'est le courage d'être. Celui-ci sera donc désormais l'objet d'une recherche, comme une inspiration qui nous est donnée, qu'on ne peut pas provoquer soi-même, que l'on reçoit d'ailleurs. Cette quête (*quest*) du courage s'identifie par ailleurs à la question de l'être qui peut dominer le non-être, et telle est précisément pour Tillich la question de Dieu: «On doit poser la question de Dieu, parce que la menace du non-être, dont l'homme fait l'expérience dans l'angoisse, le conduit à la question de l'être faisant la conquête du non-être et du courage faisant la conquête de l'angoisse» [42]. Le seul «encouragement» qu'il soit possible de donner à ceux qui sont dominés par l'angoisse consistera donc à les inciter à cette quête du courage: «Le pasteur soulève la question concernant un courage d'être qui intègre l'angoisse existentielle» [43]. Tillich unit parfois très étroitement l'angoisse et le courage. Les mêmes causes qui provoquent l'angoisse semblent aussi par là même, susciter le courage. À propos des conflits et bouleversements qui ont marqué la fin de la période antique, il écrit en effet: «Tout cela a produit une angoisse terrible, ainsi que la recherche d'un courage qui permette de faire face à la menace du destin et de la mort» [44]. Notons cependant que, d'après ce texte, ce que produit l'angoisse, ce n'est pas le courage comme tel, mais la recherche, la quête (*quest*) du courage. Et cela est bien conforme au principe de la corrélation, selon lequel la réponse ne dérive pas de la question, mais vient d'ailleurs [45]. Mais il nous faut encore ajouter ceci, que la recherche elle-même du courage ne découle

41. *The Courage to Be.*, p. 55 (tr., p. 65).
42. *Systematic Theology, I*, p. 208 (tr., p. 98).
43. *The Courage to Be*, pp. 73-74 (tr., p. 81).
44. *Ibid.*, p. 57 (tr., p. 67).
45. Cf. *Systematic Theology, I*, pp. 64-65 (*Théologie systématique*, t. I, pp. 131-133); cf. *ibid.*, p. 208: «it is impossible existentially to derive courage from anxiety».

pas immédiatement de l'angoisse, puisqu'elle est toujours précédée de vaines tentatives de maîtriser par soi-même cette même angoisse. Le courage d'être ne va donc pas de soi. Ce n'est pas un simple corrélat de l'angoisse. La conséquence immédiate de l'angoisse, c'est plutôt le désespoir, nous l'avons vu. On comprend par là pourquoi Tillich pose toujours la question du courage au terme de chacune de ses analyses de la finitude. Il constate sans doute chaque fois que l'angoisse existentielle se trouve contrebalancée par le courage d'être. Mais chaque fois aussi, il soulève la question: comment un tel courage est-il possible? quel est son fondement? d'où vient-il finalement? [46]

Si nous faisons maintenant une brève rétrospective sur le parcours effectué jusqu'ici, nous constaterons une analogie frappante avec le processus de l'aliénation et du salut, tel que décrit dans la troisième partie du système. Nous avons vu que l'angoisse du non-être conduit immédiatement au désespoir; pour y échapper, on invente alors différents subterfuges, lesquesls s'avèrent bientôt illusoires, et mènent à un désespoir encore plus profond; de cet abîme de l'angoisse et du désespoir, on s'ouvre finalement à l'attente d'un courage venu d'ailleurs. Or nous retrouvons exactement le même parcours à propos de l'aliénation et du salut. L'auto-destruction que comporte l'aliénation existentielle conduit directement au désespoir [47]. Surviennent ensuite différentes tentatives de salut par soi-même, tout aussi infructueuses les unes que les autres [48]. Et c'est finalement l'attente du salut comme Être Nouveau, attente qui pourra prendre elle-même différentes formes [49]. À propos de la voie légaliste de salut par soi-même, Tillich décrit bien clairement ce processus qui mène à la quête de l'Être Nouveau à travers le désespoir existentiel: «L'échec du légalisme dans sa tentative de réunir ce qui est séparé peut conduire au demi-sérieux d'une attitude de compromis, au rejet de la loi, au désespoir, ou bien, à travers le désespoir, à la recherche (*quest*) d'un Être Nouveau» [50]. L'analogie est frappante ici entre la quête du courage d'être et celle de l'Être Nouveau. Et cela nous informe tout au-

---

46. Cf. *Systematic Theology, I*, pp. 194-198 (*Théologie systématique*, t. II, pp. 70-78).
47. Cf. *Systematic Theology, II*, pp. 59-78 (tr., pp. 78-99).
48. Cf. *ibid.*, pp. 80-86 (tr., pp. 101-109).
49. Cf. *ibid.*, pp. 86-88 (tr., pp. 109-111).
50. *Ibid.*, p. 81 (tr., p. 103).

tant sur la nature de l'angoisse que sur celle du courage. Cela nous montre en effet que l'angoisse concrète, existentielle, est tout autant, et en même temps, angoisse de la finitude et angoisse de l'aliénation. Tillich l'affirme d'ailleurs explicitement après avoir distingué les trois grands types d'angoisse: «Les trois types d'angoisse s'entremêlent de façon telle que l'un d'eux confère la couleur prédominante, mais tous contribuent à colorer l'état d'angoisse. Tous ces types, ainsi que l'unité qui les sous-tend, sont existentiels, c'est-à-dire qu'ils appartiennent à l'existence de l'homme en tant qu'homme, à sa finitude et à son aliénation. Ils trouvent leur accomplissement dans la situation de désespoir à laquelle ils contribuent tous»[51]. Quant au courage d'être, il apparaît déjà ici comme l'état de l'Être Nouveau. Par opposition à la fausse voie du salut par la loi, il peut déjà être considéré ici comme la foi qui sauve.

2. *Le courage d'être*

Il nous reste maintenant à scruter plus attentivement ce concept «courage d'être», en suivant l'analyse de Tillich dans l'ouvrage qu'il lui a consacré. Lui-même définit son objectif bien clairement dès le départ. Il entend montrer la signification ontologique du courage, au-delà de son premier sens purement éthique: «Le courage en tant qu'auto-affirmation universelle et essentielle de son être est un concept ontologique»[52]. À l'époque moderne, cette idée d'une affirmation ontologique de soi comme expression de l'acte d'être se trouve tout spécialement élaborée par Spinoza. Ce dernier insiste en effet sur ce qu'on pourrait appeler un instinct ontologique de conservation. C'est la tendance de chaque être de persister dans son être. Or cette auto-préservation ou auto-affirmation constitue l'essence même de toute chose, qui s'identifie par ailleurs à son propre pouvoir d'être. Tillich peut donc conclure: «Nous avons ainsi l'identification de l'essence actuelle, du pouvoir d'être et de l'affirmation de soi»[53].

---

51. *The Courage to Be*, p. 54 (tr., p. 64).
52. *The Courage to Be*, p. 3 (tr., pp. 18-19).
53. *Ibid.,* p. 21 (tr., p. 34; cf. p. 72); «Only in this way is it possible to understand and to actualize man's power of being, his essential self-affirmation, his courage to be».

Le concept ontologique de «courage d'être» ajoute quelque chose cependant à l'idée d'auto-affirmation. À la limite, celle-ci pourrait être conçue comme simple conscience de soi, ou simple identité du soi avec lui-même. Mais le concept de courage implique aussi l'idée d'une force ou d'un pouvoir nécessaire pour surmonter, pour vaincre une résistance: «Le courage est l'affirmation de soi 'en dépit de', c'est-à-dire en dépit de ce qui tend à empêcher le soi de s'affirmer lui-même» [54]. On touche ici à l'aspect dialectique de l'affirmation de soi, et Tillich réfère pour cela aux philosophies de la vie, tout spécialement à Nietzsche. C'est dans la vie en effet qu'apparaît au mieux le processus dynamique de l'être, qui en s'actualisant doit vaincre, en le dépassant, ce qui s'oppose à lui. En d'autres termes, c'est dans le processus de la vie que l'être apparaît le plus manifestement comme pouvoir d'être. Car toute vie implique croissance, et par conséquent dépassement de soi; la loi propre de la vie est celle de l'auto-transcendance. Ainsi, l'affirmation de soi qui est courage d'être est l'affirmation du soi qui se dépasse lui-même. Mais on fait alors un pas au-delà de Spinoza. Car l'affirmation de soi ne signifie plus simplement préservation ou conservation de soi. Elle inclut tout aussi bien son contraire, la négation de soi. Voilà pourquoi Nietzsche conçoit comme la plus grande affirmation de la vie celle qui inclut aussi son contraire, l'affirmation de la mort [55].

Une telle notion du courage est pour Tillich d'une grande importance. Elle ouvre la voie à une plus juste compréhension de l'être. Elle invite à dépasser la conception parménidienne de la simple identité de l'être avec lui-même: l'être est, le non-être n'est pas. Elle introduit une conception dynamique et dialectique de l'être: le non-être appartient à l'être, l'être inclut le non-être. La pensée de l'être doit inclure aussi le non-être: l'être sera conçu comme négation du non-être, c'est-à-dire comme résistance au non-être, ou encore tout simplement comme pouvoir d'être. De même aussi par conséquent, toute position d'être sera faite en opposition au non-être, et toute affirmation d'être sera une affirmatin qui affronte la négation en la dépassant [56]. Le caractère dialectique de l'être se trouve donc révélé dans la con-

54. *Ibid.*, p. 32 (tr., p. 45).
55. Cf. *ibid.*, pp. 25-30 (tr., pp. 38-42).
56. Cf. *ibid.*, pp. 178-179 (tr., pp. 175-176); cf. p. 32 (tr., p. 45).

ception ontologique du courage comme «auto-affirmation de l'être en dépit du fait du non-être»[57].

Il y a plus encore cependant. Car le courage d'être révèle aussi par là même les profondeurs de la vie divine; il introduit à l'intelligence de l'être-même, qui lui aussi doit être conçu de façon dynamique et dialectique. Si Dieu est vraiment vivant, il ne peut être représenté sous le mode de la pure identité avec soi-même. La vie divine est plutôt pouvoir d'être, conquérant parfaitement le non-être qu'elle inclut cependant en elle-même[58]. Cette thèse avait déjà été élaborée par Tillich dans son analyse des attributs divins. La toute-puissance divine se trouve alors définie comme le pouvoir de l'être qui résiste et conquiert le non-être. Par rapport au non-être qu'implique le temps, cette toute-puissance a raison d'éternité. L'éternité alors ne signifie plus simplement l'absence de temps. Elle inclut vraiment le temps, tout en dépassant et conquérant la négativité qu'il comporte. De même, par rapport au non-être qu'implique l'espace, la toute-puissance divine devient omniprésence. Encore une fois, celle-ci n'exclut pas tout simplement l'espace. Elle l'inclut tout en dépassant la finitude qu'elle comporte[59].

Nous avons, dans ce qui précède, décrit d'abord le courage de l'être fini comme auto-affirmation de l'être en dépit du non-être. Et nous avons ensuite retrouvé la même structure dialectique à l'intérieur de la vie divine elle-même. Le rapport entre ces deux thèses apparaît dès lors assez manifestement. Le pouvoir d'être qui se déploie dans la vie divine constitue «le modèle de l'auto-affirmation de tout être fini, ainsi que la source du courage d'être»[60]. C'est donc l'auto-affirmation divine qui fonde et rend possible l'auto-affirmation de l'être fini, laquelle s'identifie avec le courage d'être. Celui-ci participe à l'auto-affirmation de l'être-même, c'est-à-dire au pouvoir infini de l'être qui prévaut contre tout non-être[61]. Notons enfin que Tillich lui-même lisait déjà cette thèse chez Spinoza: «L'affirmation de soi, selon Spinoza, est participation à l'auto-affirmation divine»[62].

---

57. *Ibid.*, p. 155 (tr., p. 155).
58. Cf. *ibid.*, pp. 34, 179-180 (tr., pp. 47, 176).
59. Cf. *Systematic Theology, I,* pp. 272-277 (tr., pp. 216-224).
60. *The Courage to Be*, p. 34 (tr., p. 47).
61. Cf. *Ibid.*, pp. 180-181 (tr., p. 177).
62. *Ibid.*, p. 22 (tr., p. 36).

Le courage, nous l'avons vu, constitue la clé qui ouvre la compréhension de l'être. Mais un coup perçu le caractère dialectique de l'être, nous pouvons maintenant faire marche arrière, et chercher à mieux comprendre, à partir de là, le sens du courage, ainsi que sa relation à l'angoisse. En raison même de ce caractère dialectique, l'être n'exclut pas le non-être; il lui résiste en l'assumant, en l'intégrant et en le dépassant. Ainsi en sera-t-il pour la conscience affirmative de l'être qu'est le courage, par rapport à la conscience du non-être qu'est l'angoisse: «Le courage n'élimine pas l'angoisse. Puisque l'angoisse est existentielle, elle ne peut pas être éliminée. Mais le courage intègre (*takes... into itself*) l'angoisse du non-être. Le courage est affirmation de soi 'en dépit de', c'est-à-dire en dépit du non-être. Celui qui agit courageusement assume (*takes... upon himself*) dans son auto-affirmation l'angoisse du non-être»[63]. Nous pourrions ici revenir encore plus haut, et observer le jeu de cette dialectique en chacune des catégories de l'être. Par exemple le temps et l'espace impliquent l'un et l'autre être et non-être, nous l'avons vu. Mais nous savons maintenant en quel sens va la dialectique. C'est l'être qui résiste au non-être. C'est le présent qui l'emporte, puisque le passé et le futur n'ont d'être et de sens qu'en raison du présent. Ce sera donc aussi le courage du présent qui l'emportera sur l'angoisse du passé et du futur. Ainsi en sera-t-il pour l'espace. Le lieu que j'occupe actuellement peut être très exigu et très peu assuré. Je l'affirme tout de même, et par là je m'affirme moi-même face à l'immense univers. C'est là le courage d'être qui résiste et assume l'angoisse de l'insécurité[64]. Ce courage qui intègre l'angoisse en la dépassant apparaît donc finalement comme l'expression existentielle de la prédominance de l'être sur le non-être: «Dans les catégories, l'unité de l'être et du non-être en tout être fini est manifeste. C'est pourquoi elles produisent l'angoisse. Elles peuvent cependant être affirmées avec courage, si l'on fait l'expérience de la prédominance de l'être sur le non-être»[65].

Nous sommes ramenés par là à la question que nous avons déjà posée au terme de notre analyse de l'angoisee: comment peut-elle être dépassée? qu'est-ce qui assure cette prédominance

63. *Ibid.*, p. 66 (tr., p. 74).
64. Cf. *Systematic Theology, I,* pp. 193-195 (tr., pp. 70-73).
65. *Systematic Theology, II,* p. 68 (tr., p. 88).

de l'être sur le non-être, et par conséquent du courage sur l'angoisse? Nous pouvons maintenant répondre à partir d'en haut. Car nous avons déjà reconnu dans la vie divine elle-même cette victoire sur le non-être; et nous avons reconu là aussi la source de tout courage d'être. Il nous suffira ici d'élaborer un peu plus avant ce principe. Et tout d'abord, si nous admettons un certain non-être en Dieu lui-même, il nous faudra de la même façon y reconnaître aussi une certaine angoisse: «où il y a non-être il y a aussi finitude et angoisse. Si nous disons que le non-être appartient à l'être-même, nous disons que la finitude et l'angoisse appartiennent à l'être-même»[66]. Évidemment, cette angoisse se trouve parfaitement surmontée dans le processus de la vie divine: «Chaque fois que les philosophes ou les théologiens ont parlé de la béatitude divine, ils ont parlé implicitement (et parfois explicitement) de l'angoisse de la finitude qui est éternellement assumée dans la béatitude de l'infinité divine. L'infini englobe lui-même et le fini; le Oui inclut lui-même et le Non qu'il intègre en lui-même; la béatitude comprend elle-même et l'angoisse qu'elle conquiert»[67]. Or ce Oui divin triomphe du Non dans sa créature aussi bien qu'en lui-même. Voilà ce qu'affirmait Tillich quelques lignes plus haut: «C'est le non-être qui fait de Dieu un Dieu vivant. Sans le Non qu'il lui faut surmonter en lui-même et dans sa créature, le Oui que Dieu se dit à lui-même serait sans vie»[68]. Selon que le point de vue sera celui de Dieu ou de la créature, on pourra donc dire que Dieu s'affirme en lui-même et en nous, ou que notre auto-affirmation est une participation à l'auto-affirmation divine. De la même façon, on pourra dire que le pouvoir divin de l'être résiste au non-être en lui-même et en nous, ou encore que notre courage d'être est participation au pouvoir de l'être-même[69]. Et nous rejoignons par là la finale du chapitre sur la Providence: «La confiance de toute créature, son courage d'être, est enraciné dans la foi en Dieu comme en son fondement créateur»[70].

Cette citation nous invite à passer du courage à la foi, et telle sera effectivement la dernière étape de notre recherche. Il semble, de prime abord, y avoir un écart considérable entre les

66. *The Courage to Be*, p. 180 (tr., p. 176).
67. *Loc. cit.*
68. *Loc. cit.*
69. Cf. *ibid.*, p. 89 (tr., p. 96).
70. *Systematic Theology, I,* p. 270 (tr., p. 212).

deux termes: le courage d'être est affirmation de soi, tandis que la foi est affirmation de Dieu. Le rapport entre les deux deviendra plus manifeste cependant, si nous nous rappelons que notre auto-affirmation est participation à l'auto-affirmation divine. Dans la foi et par la foi donc, nous affirmons un Dieu qui lui-même nous affirme, qui est lui-même la condition rendant possible notre propre auto-affirmatin. Ainsi, Tillich définira la foi comme l'accueil de ce pouvoir divin de l'être qui constitue la source de notre courage d'être: «La foi n'est pas une opinion mais un état. C'est l'état d'être saisi par le pouvoir d'être qui transcende tout ce qui est et auquel participe tout ce qui est. Celui qui est saisi par ce pouvoir est capable de s'affirmer lui-même parce qu'il sait qu'il est affirmé par le pouvoir de l'être-même»[71]. Le concept de foi vient ainsi compléter celui de courage d'être, en révélant le fondement divin du courage. Mais l'inverse est tout aussi vrai. Le courage d'être n'est pas seulement révélateur de l'être; il révèle aussi le vrai sens de la foi, comme le montre fort bien Tillich ici: «La foi est l'état d'être saisi par le pouvoir de l'être-même. Le courage d'être est une expression de foi, et ce que le terme 'foi' signifie doit être compris à partir du courage d'être. Nous avons défini le courage comme l'auto-affirmation de l'être en dépit du non-être. Le pouvoir de cette auto-affirmation est le pouvoir de l'être qui est à l'oeuvre dans tout acte de courage. La foi est l'expérience de ce pouvoir»[72]. La foi comme courage d'être ne peut donc plus être soupçonnée de chercher en Dieu une sécurité illusoire, une fausse protection contre le mal menaçant. Comme courage d'être la foi ne fuit pas le danger, elle l'affronte; elle n'élimine pas l'angoisse, elle l'assume avec le pouvoir de l'être-même.

Suite à cette analyse, une dernière question, une question fondamentale, se pose encore concernant la spécificité chrétienne de cette foi comme courage d'être. Il s'agit là en effet d'une foi tout aussi ontologique que le courage qui la définit. Mais alors cette foi ontotogique, qu'on pourrait tout aussi bien appeler philosophique, a-t-elle encore quelque chose de commun avec la foi chrétienne au Sauveur crucifié? Tillich aborde directement cette question, quand il montre la différence entre le courage stoïcien et le courage chrétien. Le premier est caracté-

71. *Courage to Be*, p. 173 (tr., p. 170); cf. pp. 180-181 (tr., p. 177).
72. *Ibid.*, p. 172 (tr., pp. 169-170).

risé par une attitude d'acceptation et de résignation, tandis que le courage chrétien se définit plutôt par la foi au salut en Jésus-Christ, le salut consistant lui-même dans la participation de l'homme à l'être divin qui a pris sur lui l'angoisse de la mort [73]. Cette différence apparaît tout spécialement en deux points plus précis. D'abord, au contraire du christianisme, le stoïcisme ne reconnaît pas l'aliénation humaine universelle du péché. La source du courage qu'il préconise est la raison universelle, le Logos divin, auquel participe l'humanité de par son essence même. Il s'agit donc ici du courage de la sagesse. Mais alors, le stoïcien doit admettre que la masse du peuple est composée d'insensés qui n'ont pas cette sagesse. Il doit même reconnaître en lui-même un germe de cette folie du peuple, qu'il doit combattre pour parvenir à la sagesse et s'y maintenir. Ces deux faits, le stoïcien ne peut pas les expliquer de façon satisfaisante, puisqu'il ne reconnaît pas que l'humanité se trouve effectivement dans un état d'aliénation ou de séparation par rapport à sa nature essentielle. Il ne peut donc pas dire non plus, finalement, comment est possible ce courage de la sagesse. Et comme le stoïcisme ne reconnaît pas l'aliénation humaine, il ne peut pas voir non plus le salut divin. D'après lui, Dieu se trouve *au-delà* de la souffrance, qui ne peut l'affecter d'aucune façon. L'homme courageux qui se tient au-dessus de la souffrance, pour auant qu'il l'assume et la dépasse, dépasse donc aussi par là Dieu lui-même. Il en va tout autrement de la foi chrétienne au salut, qui affirme précisément ce paradoxe d'un Dieu souffrant [74].

À la lumière de cette différence, certains textes de la *Théologie systématique* pourront maintenant nous apparaître dans une perspective nouvelle, en manifestant cette nouvelle dimension du courage d'être. Nous avons vu en effet que chacune des catégories de la finitude, comme le temps et l'espace, produit d'abord l'angoisse, mais peut aussi être affirmée avec courage si l'on fait l'expérience de la prédominance de l'être sur le non-être. Tillich ajoute cepandant: «Dans l'état d'aliénation, la relation au pouvoir ultime de l'être est perdue. Dans cet état, les catégories exercent leur domination sur l'existence et cela entraîne une double réaction à leur égard: la résistance et le

73. Cf. *ibid.*, p. 10 (tr., p. 25).
74. Cf. *ibid.*, pp. 15-17 (tr., pp. 30-32).

désespoir»[75]. Dans l'état d'aliénation, c'est donc bien plutôt la prédominance du non-être sur l'être qui se fait sentir, et qui par conséquent provoque le désespoir. Ainsi, la condition du courage d'être apparaît bien manifestement: c'est la conquête de l'aliénation et la nouvelle expérience du salut. Voilà précisément ce qu'affirme Tillich à propos de l'Être Nouveau en Jésus-Christ: «La conquête de l'aliénation existentielle dans l'Être Nouveau, qui est l'être du Christ, ne supprime pas la finitude et l'angoisse, l'ambiguïté et la tragédie; elle a cependant pour effet de ramener les négativités de l'existence dans une unité sans rupture avec Dieu»[76]. Voilà bien, chez Tillich, l'exacte description du salut comme Être Nouveau en Jésus-Christ. Voilà bien aussi une allusion évidente au courage d'être, qui assume, sans les supprimer, toutes les négativités de l'existence. Cela nous permet de conclure finalement que le courage d'être constitue vraiment chez Tillich une autre expression du salut. La foi qui est courage d'être est donc bien la foi au salut, la foi du salut. Nous comprenons par là aussi pourquoi l'analyse existentiale de l'angoisse présente tant d'analogie avec le processus du salut. C'est qu'il n'y est pas simplement question de finitude, mais encore d'aliénation. De même aussi par conséquent, le courage d'être n'est pas seulement le fait du pouvoir divin de l'être, mais encore de l'Être Nouveau apparu en Jésus, le Christ.

---

75. *Systematic Theology, II,* p. 68 (tr., p. 88); cf. p. 73 (tr., p. 93).
76. *Ibid.*, p. 134 (tr., p. 161).

Les deux sources du caractère paradoxal de la foi en la Providence

Commentaires sur le texte de Jean Richard

Jean-Pierre Béland

Je limiterai mes commentaires à la première partie de la communication, qui porte plus directement sur la foi en la Providence. J. Richard s'attaque ici à une faiblesse que nous avons souvent ressentie au coeur du discours chrétien sur la Providence, et dont nous avons pu constater aussi les funestes conséquences. Cette déficience consiste à parler de la Providence en s'appuyant presque uniquement sur le fondement de la toute-puissance divine. On peut déjà soupçonner tous les désirs inconscients qui trouvent à s'exprimer par là. On devine aussi toutes les désillusions et les déceptions qui suivront.

Dès le départ, Richard pose la question cruciale: «La foi élimine-t-elle la peur?» Question fort complexe, où la foi des plus fervents risque de s'emballer. Une réponse chrétienne adéquate à cette question doit d'une part rester fidèle au message biblique sur la Providence, et d'autre part s'énoncer en un discours qui s'ajuste à la culture d'aujourd'hui. Voilà donc le défi auquel tout théologien se trouve confronté ici: d'une part inviter les chrétiens à garder confiance en la protection divine, et d'autre part reconnaître que la foi n'élimine pas tous les dangers, ni par conséquent toutes les peurs.

Déjà l'Ancien Testament nous invite à purifier notre foi, et à renoncer à l'image illusoire d'un Dieu magicien. Quant au Nouveau Testament, l'exemple même de Jésus montre à l'évidence que l'essentiel de la foi en la Providence consiste dans la confiance en la puissance de l'amour. Voilà ce qui nous permet de triompher de l'épreuve, tout en passant par l'épreuve: cette puissance divine de l'amour, dont la Bible parle aussi comme de l'éternelle fidélité de Dieu à son alliance. Une telle exégèse reste sobre, mais elle n'est pas pour autant réductrice. Elle sauvegarde l'essentiel de la foi biblique en la Providence, tout en évitant les illusions de la ferveur religieuse.

Après avoir posé ce fondement biblique, Richard poursuit en s'inspirant de Paul Tillich, un théologien contemporain qui prend tout particulièrement au sérieux la tâche d'adapter le discours chrétien traditionnel au langage de la culture moderne. Or Tillich ne travaille pas ici de façon purement détachée, comme un fonctionnaire traducteur ou interprète. Il a connu lui-même toutes les horreurs de la première guerre. Il a assisté de près plusieurs victimes de la seconde guerre. Il sait d'expérience que le message évangélique de la Providence divine ne nous promet pas de nous exempter des misères de la vie ni des catastrophes de l'histoire. Il a pu constater par ailleurs la désillusion et le scandale de plusieurs croyants lorsqu'ils se trouvent plongés au coeur de l'épreuve. Quand il parlera de la Providence, il évitera donc de conférer à Dieu le rôle du grand protecteur. Il dira ouvertement qu'on ne doit pas s'attendre de la Providence qu'elle nous exempte de l'épreuve. Elle nous donne plutôt le courage d'affronter les puissances du mal, avec la conviction qu'aucune d'elles ne peut nous séparer de l'amour de Dieu, ni de l'accomplissement final auquel cet amour nous destine.

En tout cela, Tillich insiste sur le caractère *paradoxal* de la foi en la Providence: c'est une foi «*en dépit de*», en dépit de l'obscurité du destin et de l'absurdité de l'existence. Il faut souligner ici l'apport essentiel de la conférence de J. Richard. La question est soulevée: pourquoi la foi en la Providence n'est-elle jamais une évidence rationnelle ou empirique, mais toujours une foi «en dépit de»? À la suite de Tillich, Richard répond en rappelant que l'activité providentielle de Dieu s'exerce de façon immanente, à travers la situation, en respectant tous les éléments de cette situation, même les plus négatifs et les plus destructeurs. Nous ne pouvons ici que signifier notre plein accord. En effet, la Providence divine respecte les lois de la création, tout autant que la liberté humaine. Or ce sont les lois d'une création finie et contingente. La Providence n'altère donc d'aucune façon les conditions de la finitude et de la contingence humaines.

Il me semble cependant qu'on pourrait poursuivre ici encore plus avant la réflexion de Richard, à la suite de Tillich toujours, en indiquant une autre source du caractère paradoxal de la foi en la Providence. Je pense ici à l'aliénation, qui tout autant que la finitude est caractéristique de l'existence humaine. Or en tant que péché, l'aliénation signifie directement le refus de l'alliance; et c'est précisément ce refus qui empêche la Providence, la créativité dirigeante de Dieu, de conduire l'être humain vers son accomplissement. Par ailleurs, en tant que conséquence du péché, l'aliénation transforme la finitude en mal, et finalement en ce mal de l'esprit qu'est l'absurde. On comprend mieux ainsi le caractère hautement paradoxal de la foi en la Providence. En effet, si l'action de la Providence semble si peu évidente et si problématique, c'est que l'existence porte le masque de l'absurde. Et c'est là la conséquence de l'aliénation du péché, tout autant, et plus encore même, que de la finitude de la création. À la fin de son sermon sur la Providence, Tillich réfère lui-même à ce fait de l'aliénation du péché, quand il précise, d'après saint Paul, ce qui peut détruire notre foi en la Providence:

> Il [Paul] se sert de ces mots après avoir indiqué ce qui peut détruire notre foi en la Providence, c'est-à-dire notre refus de croire en l'amour de Dieu, notre méfiance à l'égard de Dieu, notre crainte de sa colère, notre haine de sa présence, notre façon de le concevoir comme un tyran qui nous condamne, et notre sentiment de péché et de culpabilité. Ce n'est pas la profondeur de notre souffrance qui détruit notre foi en la Providence, mais la profondeur de notre séparation d'avec Dieu [1].

Pour conclure, j'aimerais signaler un accent original qui m'a frappé tout au long de cette conférence. Cet accent, je le définirais comme «qualité prophétique»: c'est une ligne de pensée qui dénonce et puis annonce. D'une part, J. Richard dénonce l'attitude passive des chrétiens qui comptent sur un

1. PAUL TILLICH, *Les Fondations sont ébranlées*, trad. F. LARLENQUE, Éd. Robert Morel, 1967, pp. 148-149.

dieu magicien capable d'éliminer tous les dangers, et d'autre part, il annonce que les croyants sont invités à entrer au coeur des situations absurdes de l'existence, avec le courage de la foi, avec la conviction que rien ne peut les séparer de l'amour créateur. La foi n'élimine pas la peur, mais elle l'assume. Le rôle de la Providence ne consiste pas à nous épargner les épreuves, mais à nous les faire traverser de façon créative vers notre accomplissement final. Voilà pourquoi la foi en la Providence n'est pas une évidence rationnelle; voilà pourquoi elle est essentiellement paradoxale.

Le courage d'être comme expression du salut

Commentaires sur le texte de Jean Richard

Jean-Pierre Le May

En guise de réponse à la communication de Jean Richard, je voudrais dégager certains aspects qui constituent là, il me semble, une piste de recherche fort intéressante. Je le ferai à l'aide d'un schéma, qui ressort assez manifestement de la seconde partie de cette conférence.

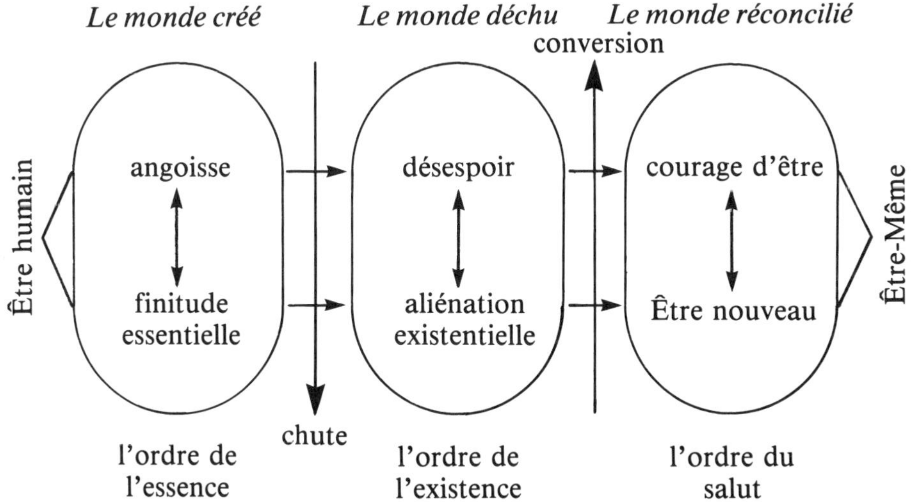

Le monde créé

Paul Tillich part de l'être humain. Or celui-ci est finitude, et il est angoisse; il est angoisse parce qu'il est finitude. La finitude étant l'être limité par le non-être, l'angoisse n'est rien d'autre alors que la conscience de sa propre finitude et du non-être qu'elle comporte. La finitude, et l'angoisse qui en découle, appartiennent donc à l'ordre de l'essence, c'est-à-dire à la situation humaine telle que créée par Dieu. On peut lire au début de la Genèse: «Et Dieu vit que cela était bon» (1, 25). La finitude essentielle n'est donc pas une situation de malheur ou de malédiction; elle n'est que l'expression des limites de notre condition humaine.

Le monde déchu

Entre l'angoisse et le désespoir, comme entre la finitude essentielle et l'aliénation existentielle, il y a une rupture que l'on peut appeler une «chute». Tillich dira que c'est la liberté finie de l'être humain qui rend possible cette «chute» de l'essence à l'existence. Par opposition au monde de la finitude essentielle qui est bon, celui de l'aliénation existentielle sera donc mauvais: c'est le monde déchu. Cette aliénation existentielle, c'est le fait d'être séparé de soi-même et de son monde, parce que tout d'abord séparé de Dieu. C'est elle qui envenime l'angoisse de la finitude et la fait culminer dans le désespoir.

Or le désespoir fait lui-même appel au courage d'être, tout comme l'aliénation fait appel à l'Être Nouveau. Et c'est un des traits de finesse de la communication de J. Richard d'avoir fait ressortir cette particularité du processus du salut che Tillich: l'on ne passe pas directement de l'angoisse au courage d'être, pas plus que l'on ne passe directement de la finitude à l'Être Nouveau. Du fond de sa misère et de son désespoir, l'être humain se met donc en quête d'une force de salut qu'il ne trouve pas en lui-même. En d'autres termes, il pose la question de Dieu.

Le monde réconcilié

Entre le désespoir et le courage d'être, entre l'aliénation existentielle et l'Être Nouveau, il n'y a pas non plus un passage direct, une simple continuité. Il y a ce que le Nouveau Testament appelle une *metanoia*, c'est-à-dire un retournement, un changement de direction, bref une conversion qui ouvre sur un monde nouveau: c'est le monde du salut, qui n'apparaît que lorsque l'être humain renonce à être à lui seul son propre salut, sa propre justification.

Dans son état de désespoir, l'être humain prend conscience non seulement de la menace du non-être, mais également de son impuissance radicale à lui résister. Il fait alors appel à un pouvoir d'être capable de surmonter le non-être. Ce pouvoir d'être capable de surmonter l'angoisse et le désespoir, cette négation de la négation, s'exprime ici dans le «courage d'être».

De même, l'être humain prend conscience de son aliénation — ou en terme religieux, de son péché — et fait appel à un pouvoir de réconciliation. Ce pouvoir de réconciliation, de pouvoir divin de pardon, grâce auquel l'inacceptable est accepté, c'est ici «l'Être Nouveau».

Le courage d'être et l'Être Nouveau appartiennent donc au monde du salut. Ils ont comme source commune «l'Être-Même». C'est cette analogie frappante entre la quête du courage d'être et celle de l'Être Nouveau qui fait de la communication de J. Richard une piste des plus intéressantes pour une recherche sur le courage d'être comme expression du salut.

TROISIÈME PARTIE

L'AVENIR DE LA PEUR: RÉFÉRENCES HISTORIQUES, APOCALYPTIQUES ET HORIZON SPIRITUEL

La peur dans la Règle de la guerre *de Qumrân*

Jean Duhaime

La *Règle de la Guerre* de Qumrân[1] décrit l'affrontement entre les Fils de Lumière et les Fils de Ténèbres qui se soldera par l'extermination du parti de Bélial (*1QM*, i,5) au jour que Dieu s'est fixé depuis longtemps (i,10). La *Règle* traite de l'ensemble de cette guerre fournissant des précisions sur la mobilisation, l'armement, les manoeuvres, etc.; elle contient en outre de nombreuses exhortations et des hymnes à prononcer tout au

1. Le manuscrit le plus complet de ce texte provient de la grotte 1 (1QM) et a été publié par E.L. SUKENIK, *The Dead Sea Scrolls of the Hebrew University*, (Jerusalem, Hebrew University, 1955), planches 19-34 et 47. Des fragments de six autres manuscrits proviennent de la grotte 4 (*4QM*[a-f]): voir M. BAILLET, *Qumrân grotte 4, III*, (Oxford, Clarendon Press, 1983), pp. 12-72 et planches V-VIII, X-XVI, XVIII, XXIV, XXVI. Les traductions et commentaires les plus importants sont: J. CARMIGNAC, *La Règle de la Guerre*, (Paris, Letouzey et Ané, 1958); A. DUPONT-SOMMER, *Les Écrits esséniens découverts près de la Mer Morte*, (Paris, Payot, [1959] 4e éd. 1980), pp. 129-211; B. JONGELING, *Le Rouleau de la Guerre des manuscrits de Qumrân*, (Assen, Van Gorcum, 1962); J.M. VAN DER PLOEG, *Le Rouleau de la Guerre*, (Leiden, Brill, 1959); Y. YADIN, *The Scroll of the War of the Sons of Light Against the Sons of Darkness*, (Oxford, University Press, 1962). Les traductions des textes de Qumrân cités ici sont généralement celles de J. CARMIGNAC, e.a., *Les Textes de Qumrân I-II*, (Paris, Letouzey et Ané, 1961-1963).

long du combat. Pour plusieurs de ses premiers commentateurs la *Règle de la Guerre* est un intéressant spécimen d'écrit apocalyptique; les auteurs récents donneraient plutôt raison à J. Carmignac, lequel notait déjà en 1958 l'absence de «révélation» et des «procédés classiques des apocalypses» dans ce document. J'estime personnellement que cela reflète l'appropriation de la pensée apocalyptique par un groupe de tradition sacerdotale au cours des deux derniers siècles précédant l'ère chrétienne [2]. Quoi qu'il en soit, le thème de la peur est éminemment présent dans cet écrit et il y est traité d'une manière analogue à celle des apocalypses. On pourra le constater en précisant d'abord en quoi le temps présent est un temps de détresse, puis en observant le discours sur la peur dans le parti de Dieu et dans le parti de Bélial. En quise de conclusion, on s'interrogera sur la fonction de la *Règle de la Guerre*, et le déplacement de la peur dans la communauté de Qumrân.

I. Un temps de détresse

Dès l'introduction, la *Règle de la Guerre* présente l'époque à venir comme «un temps de (12) détresse [sur tou]t le peuple de la libération de Dieu. Dans toutes leurs détresses», poursuit le texte, «il n'y en a pas eu comme elle depuis le déclenchement jusquà la consommation de la libération éternelle» (*1QM* i, 11-12). L'expression *hy'h 't ṣrh* est répétée à la colonne xv, au début de la description de la bataille elle-même (xv — xix): car ce sera un temps de détresse pour Isra[ël et de décla]ration de guerre entre toutes les nations et le parti de Dieu, en vue de la libération éternelle (2) et de l'extermination de toutes les nations impies» (*1QM* xv,1-2). On notera que ces deux énoncés évoquent du même souffle la détresse et le salut: en effet, le temps à venir, malgré son caractère angoissant, est aussi le moment de la «libération éternelle» (i,12; xv,1).

Ces passages s'inspirent vraisemblablement de deux textes bibliques dont la formulation est quasi identique et qui lient, eux aussi, détresse et salut. Jérémie parle du châtiment d'Israël

2. Après avoir passé en revue les principales opinions sur la question, j'ai émis cette idée dans un texte à paraître sous peu: «La Règle de la Guerre à Qumrân et l'Apocalyptique». La première partie de cette étude fait également état des divergences de vues en ce qui concerne la date de composition et l'unité littéraire de la *Règle de la Guerre*.

en des termes apparentés: «Malheur! Oui, grand est ce jour-là, aucun ne lui ressemble. Pour Jacob, c'est le temps de la détresse, mais il en sera délivré» (*Jr* 30,7). Daniel, pour sa part, apprend dans sa vision finale (*Dn* 10 — 12) que le temps de la fin «sera un temps de détresse tel qu'il n'en est pas advenu depuis qu'il existe une nation jusqu'à ce temps là» (*Dn* 12,1). Mais l'ange enchaîne: «En ce temps-là ton peuple en réchappera, quiconque se trouvera inscrit dans le livre» (*ibid*). Carmignac attire aussi l'attention sur un verset de la vision du Jour de Yahvé chez Joël (*Jl* 2) où l'auteur a pu puiser pour décrire le caractère unique de ce moment: «Comme l'aurore, se déploie sur les montagnes un peuple nombreux et puissant tel qu'on n'en a jamais vu, tel qu'après lui il n'y en aura plus jamais, jusqu'aux années des générations les plus lointaines» (*Jl* 2,2). Il est intéressant de constater que cette annonce du terrible jour de Yahvé (*vv.* 1-11) est elle aussi assortie d'une promesse de salut (*vv.* 18-27) après un appel à la repentance (*vv.* 12-17); le cadre est différent, mais la dynamique est similaire.

Dans la *Règle de la Guerre*, tout comme dans *Daniel*, l'aspect dramatique de la détresse à venir s'enracine dans le caractère radical et définitif de l'affrontement qui doit se produire. Mais l'issue de cet affrontement est le salut (*1QM* i,5) pour le peuple que Dieu veut libérer (i,12). La guerre finale est présentée comme le passage obligé vers le salut. Elle sera en effet l'occasion pour les forces de Bélial de déployer *toute* leur puissance au cours de six assauts où tour à tour Fils de Lumière et Fils de Ténèbres auront le dessus (i,12-13 [3]). Leur élimination totale (i,5), «sans aucun reste ni rescapé» (xviii,2-3; *cf.* xviii,11) sera l'effet de «la grande main de Dieu» qui, au septième assaut, «humiliera (15) [Bélial, tou]s les anges de sa domination et tous les hommes de [son parti]» (i,14-15; *cf.* xviii,1). Ce temps de détresse sans précédant avec sa densité particulière offrira en outre aux Fils de Lumière l'occasion de témoigner de façon inégalée de leur fidélité à l'alliance (*cf.* xvi,15 — xvii,9 *infra*) avant d'accéder à une plénitude de salut.

L'heure qui vient est donc une heure décisive, une heure de tension extrême. Mais elle sera vécue différemment dans le camp des Fils de Lumière et dans celui des Fils de Ténèbres. Si

3. Pour la discussion et la justification de cette interprétation de *1QM* i,12-13, voir J.M. VAN DER PLOEG, *Le Rouleau de la Guerre*, p. 67.

elle peut être redoutée par les premiers à cause de son intensité inédite, elle doit aussi être source de joie parce qu'elle débouche sur le salut. Ce sont les seconds qui ont le plus à craindre parce qu'ayant Dieu pour adversaire, leur anéantissement est certain. Voyons cela de plus près.

II. La peur dans le parti de Dieu

Le discours sur la peur dans le parti de Dieu est concentré dans quelques exhortations et hymnes. Il s'agit le plus souvent d'un discours qui nie la peur: le fidèle est invité à la confiance, malgré sa faiblesse, puisqu'il est assuré du secours de Dieu.

1QM x,1-8

Ce texte, dont le début manque, est le premier d'une série constituant l'instruction à donner aux troupes pour raffermir leur courage. Il vaut la peine d'être lu intégralement:

> [Moïse]... nous a annoncé que tu es au milieu de nous, Dieu grand et terrible, pour dépouiller tous (2) nos ennemis devant nous. Il nous a instruits jadis pour nos générations en disant: «Quand vous engagerez la bataille le prêtre se lèvera et parlera au peuple (3) en disant: «Écoute Israël. Vous engagez aujourd'hui la bataille contre vos ennemis. N'ayez pas peur, que votre coeur en s'amolisse pas, (4) ne vous effrayez pas, ne vous épouvantez pas devant eux, car votre Dieu marche avec vous contre vos ennemis et pour vous sauver». (5) Et nos fonctionnaires parleront» à tous les (hommes) prêts pour le combat, pour fortifier les coeurs généreux dans la puissance de Dieu et pour que tous les coeurs poltrons s'en retournent (6) ou se fortifient en union avec tous les vaillants guerriers. (Ils répéteront) ce qui f]ut di]t par l'intermédiaire de Moïse disant: «Quand viendra une guerre (7) dans votre pays contre un oppresseur qui vous opprimera vous jouer[ez] dans les trompettes et vous serez présents au souvenir de votre Dieu (8) et vous serez sauvés de vos ennemis.

Ce passage juxtapose, avec de légères variantes, trois citations bibliques traitant des relations avec l'ennemi. La première (*l.* 1) est empruntée à *Dt* 7,21. Le contexte est celui de la guerre sainte contre les nations de la terre promise (*v.* 1) Israël pourrait craindre ces nations plus nombreuses (*vv.* 17.19), mais la présence de Dieu au milieu de lui doit le rassurer: «Ne tremble pas devant eux, car Yahvé ton Dieu est au milieu de toi, Dieu grand et terrible» (*v*. 21).

Le seconde citation (*ll*. 2-5) reprend le discours de *Dt* 20,2-4, prononcé par le prêtre au moment de la mobilisation des troupes «lorsque tu sors pour combattre tes ennemis» (*v*. 1). Dans le *Deutéronome*, la vue de l'ennemi, plus nombreux et mieux équipé en chars et en chevaux, pourrait susciter la peur; mais la présence de Dieu est encore une fois gage de salut: «Tu ne dois pas les craindre car Yahvé ton Dieu est avec toi, lui qui t'a fait monter du pays d'Égypte» (*v*. 1). Le texte du *Deutéronome* se poursuit en indiquant des cas de dispenses (*vv*. 5-8). Avec un *incipit* semblable («et nos fonctionnaires parleront»...), la *Règle de la Guerre* ne retient que «le coeur poltron» auquel le *Deutéronome* enjoignait de s'en retourner pour «qu'il ne fasse pas fondre le courage de ses frères comme le sien» (*v*. 8); ici toutefois, on pense que l'exhortation pourra éventuellement le fortifier «en union avec tous les vaillants guerriers» (*1QM* x,6). Le but positif de l'exhortation est ainsi confirmé.

Enfin les dernières lignes de cette section (*ll*. 6-8) reproduisent un extrait de *Nb* 10,1-10 décrivant l'usage des trompettes d'argent: elles servent non seulement pour mobiliser les troupes et donner le signal des départs (*vv*. 2-7), mais aussi pour attirer l'attention de Dieu qui, ainsi alerté, procurera le salut (*v*. 9, cité ici).

Il y a un point commun entre ces citations: dans chaque cas, l'affrontement avec l'ennemi est imminent et la garantie du salut pour Israël n'est pas dans sa propre force mais dans la présence de Dieu, quelle que soit par ailleurs la puissance de l'ennemi. En plus de ces trois référencs explicites, on pourrait encore rapprocher *1QM* x, 1-8 de nombreux autres parallèles bibliques où l'expression «ne crains pas» figure dans un contexte semblable (*Ex* 14,13; *Nb* 21,34; *Dt* 1,21.29; 3,22; *Jos* 8,1; 10,8.25; 11,6; etc.). Il y aurait lieu, en outre, de considérer un cas de mobilisation des troupes presque contemporain de Qumrân, le rassemblement de Mispa présidé par Judas Maccabée (1*M* 3,46-60; 2*M* 8,16-23). On ferait partout le même constat: le secours de Dieu est l'unique espoir d'Israël et sa seule sécurité (*cf* surtout *Ex* 14,14; *Dt* 1,30; 3,22; *Jos* 10,14.42; 1*M* 3,53; 2*M* 8,23-24). D'autres passages de la *Règle de la Guerre* confirment ce point de vue. Évoquons-les brièvement.

1QM xiv,4b-fin (cf. 4QM[a])

Ce texte contient une action de grâce à réciter au lieu du combat, le lendemain de la victoire (*ll.* 2-4a). L'hymne chante «le Dieu d'Israël qui garde sa faveur à Son Alliance et les promesses du (5) salut au peuple de Sa libération» (*ll.* 4b-5). Pour mieux faire ressortir la grandeur de Dieu, l'auteur se plaît à accumuler les qualificatifs (souvent d'inspiration biblique) décrivant la faiblesse des combattants:

> Il a appelé les *chancelants* à de merveilleux exploits; il a réuni l'assemblée des nations pour une destruction sans (aucun) reste, pour relever (son) jugement (6) le *coeur poltron*, pour ouvrir la bouche aux *muets* en exultant sur les exploits de Dieu, pour enseigner la guerre [aux *mains*] *défaillantes*; il donne aux *genoux tremblants* la solidité du maintient (7) et la robustesse des reins aux *épaules meurtries*; (*ll.* 5-7)...

Ici encore, les fidèles n'ont pas puisé en eux-mêmes la force de vaincre l'ennemi: dans la situation d'oppression où ils étaient plongés, le secours ne pouvait venir que de Dieu seul, et il n'a pas fait défaut.

lQM xv,7-15

Il s'agit maintenant de l'exhortation que le prêtre «désigné pour le temps de la vengeance» (*l.* 6) prononce au moment où la première troupe s'engage dans la bataille. L'exhortation emprunte à la Bible, comme *1QM* x,1-8 (*supra*). Mais on accentue particulièrement, à ce moment crucial, l'encouragement à faire face à l'ennemi sans céder à la tentation de retourner en arrière: «Ne (9) retournez pas en arrière et ne [reculez] pas [devant eux], car ils (sont) une congrégation d'impiété et dans les ténèbres (sont faites) toutes leurs oeuvres» (*ll.* 8-9). De même insiste-t-on davantage pour que les combattants se montrent «pleins de force pour la guerre de Dieu» (*l.* 12), en leur rappelant, encore une fois, qu'ils ne sont pas seuls à combattre: le Dieu d'Israël et les milices célestes sont à leur côté et agissent en synergie avec eux:

> Le Dieu d'Israël lève Sa main dans Sa [puissan]ce merveilleuse (14) [contre] tous les esprits d'impi[été. De même (?) tous (?) les vai]llants des (êtres) divins se ceignent pour la guer[re]. Les formation[s des sa]ints (15) [se prépa]rent pour le jour de [...] (*ll.* 13-15).

1QM xvi,15 - xvii,9 (cf. 4QM[a])

La dernière exhortation qui nous intéresse s'adresse à la deuxième troupe, la «relève» (*l.* 12) quand il commence à y avoir des victimes dans la première troupe, suite à l'aide que Bélial apporte aux siens. Au milieu de ces «tribulations de la guerre» (*l.* 11), les fidèlges ne doivent pas désespérer. La résistance de l'ennemi fait partie des secrets de Dieu (*ll.* 11.16) et le fidèle doit y reconnaître un test pour sa foi, une occasion de s'affermir davantage. L'image du creuset (*mṣrp*) est employée pour exprimer cette idée. Un fragment parallèle de la grotte 4 l'introduit dans la description de la situation en disant: «[commenceront] (11) les tués du creuset à tomber» (*ḥlly hmṣrp 4QM* fg 10,ii,11) plutôt que «les tués des combattants commenceront à tomber» *ḥlly hbynym 1QM* xvi,11). La suite du texte explique que Dieu aiguise par là ceux qu'il éprouve (xvii,1): en conséquence le fidèle est invité à manifester encore plus de courage: «montrez-vous forts dans le creuset de Dieu jusqu'à ce qu'Il agite sa main [et] remplisse ses creusets de Ses secrets pour votre affermissement» (xvii,9).

Une pareille explication a encore des racines bibliques. Carmignac renvoie à *Pr* 17,3[4], mais on pourrait aussi évoquer quelques textes prophétiques. En *Is* 48,10, par exemple, Yahvé rappelle à son peuple comment il l'a «épuré dans le creuset de l'humiliation». *Za* 13,9, annonce qu'un tiers seulement du peuple survivra lorsque son berger sera frappé (*vv.* 7-8); mais ce tiers sera épuré «comme on épure l'argent», éprouvé «comme on éprouve l'or». Dans le même sens, *Dn* 11,35 et 12,10 reconnaissent que la persécution affine les fidèles.

En résumé, dans l'ensemble de ces textes, le fidèle, impuissant devant la force de l'ennemi, pourrait connaître la peur, s'il était laissé à lui-même. Si l'angoisse n'a pas de prise sur lui, c'est que Dieu lui procure le salut au milieu de la pire des détresses. Délivré de la crainte par cette assurance, il peut donc affronter courageusement l'épreuve ultime qui témoignera de son attachement à Yahvé.

III. La peur dans le parti de Bélial

Le discours sur la peur dans le parti de Bélial est plus sommaire. Cela n'a rien d'étonnant si l'on considère que les desti-

4. J. Carmignac e.a., *Les Textes de Qumrân I*, p. 120.

nataires de la *Règle de la Guerre* sont d'abord les membres du parti de Dieu. En dépit de leur brièveté, les affirmations concernant l'armée de Bélial confirment à leur façon les propos d'encouragement adressés aux Fils de Lumière.

L'essentiel de ce discours se résume à ceci: le parti de Bélial, malgré sa puissance apparente, a toutes les raisons de paniquer puisqu'il affronte non seulement les fils de vérité et les armées célestes mais Dieu lui-même, le Dieu grand et terrible (*'l gdwl wnwr' 1QM* x,i), paré pour la bataille:

> Et toi, Dieu te[rrible], dans la gloire de Ta royauté et (dans) la congrégation de Tes saints, (Tu es) au milieu de nous pour une aide éternel[le. De] nous (vient) la dérision pour les rois, la moquerie (8) et le ridicule pour les puissants, car saint (est) le Seigneur. Le Roi de la Gloire (est) avec nous, le peuple des saints, les puis[sances] de l'armée des anges (sont) dans nos enrôlés, (9) le Puissant de la Gue[rre] (est) dans notre congrégation, et l'armée de ses esprits (est) avec nos fantassins et n[os] cavaliers, [comme] des nuages et comme des brouillards de rosée pour cacher la terre, (10) comme une averse de pluie pour arroser de justice toutes ses productions. (*1QM* xii,7-10).

Dans ce passage, on désigne Dieu par une accumulation de qualificatifs qui constituent déjà un jugement sur l'issue de la bataille: le roi saint, terrible et glorieux est le Dieu de l'Exode (*Ex* 15,11) et de la conquête (*Dt* 7,21), celui qui terrifie les peuples et les domine (*Ps* 99,1-3) par sa puissance au combat (*Ps* 24,7-10). Tel est l'adversaire des partisans de Bélial. Leur coeur ne fond pas seulement à la vue des troupes de Dieu (*1QM* i,14) ou au son de la trompe (*1QM* vii,10): c'est une véritable panique de Dieu (*mhwmt 'l*) qui s'abat sur eux. Cette panique de Dieu est évoquée dès le début de la *Règle de la Guerre* à propos des fils de Japhet. Elle va de pair avec la chute d'Assour et la fin de la domination des Kittim:

> Ce] (sera) le temps du salut pour le peuple de Dieu et l'époque de la domination pour tous les hommes de son parti, mais l'extermination éternelle pour tout le parti de Bélial. Et la panique sera (6) gr[ande] parmi les fils de Japhet et Assour tombera sans aucun secours et la domination des Kittim cessera, pour humilier l'impiété sans (aucun) reste, et il n'y aura pas des rescapé (7) chez [tous les Fils] de Ténèbres. (*1QM* i,5-7).

La mention de la panique de Dieu n'étonne donc pas sur une enseigne à déployer au moment d'engager le combat (*1QM* iv,7) à côté d'autres slogans non équivoques: «Droite de Dieu», entendons pas là son bras puissant (*cf. 1QM*, i,14; *Ex* 15,6.12; *Ps* 20,7; 118,14-16), «Moment de Dieu» c'est-à-dire celui de l'extermination des Fils de Ténèbres (*1QM* i,10; xv,6.12) et «Tués de Dieu» désignant les victimes de la main puissante et de la colère de Dieu (*1QM* iii,8; vi,3.5; *etc. Cf. Is* 66,16; *Jr* 25,33). Dans la Bible Moïse annonce pareillement que Dieu jettera une grande panique chez les nations de la terre promise «jusqu'à ce qu'elles soient exterminées» (*Dt* 7,23) par le Dieu «grand et terrible» qui se tient au milieu de son peuple (*Dt* 7,21). L'épisode de l'arche du Dieu d'Israël semant la panique au milieu des Philistins de Gath (*1s* 5,9.11; compar. *1s* 14,20) en offre une illustration concrète. La venue eschatologique du règne de Dieu est encore assortie d'une telle panique provoquée par Yahvé parmi les peuples qui auront combattu contre Jérusalem (*Za* 14,12-14). Cependant la panique peut surgir en Israël même: dans le *Deutéronome*, elle est un prélude à l'extermination d'Israël s'il abandonne son Dieu (*Dt* 28,20). Chez Ézéchiel, ce temps de colère et de jugement est arrivé et sème la panique (*Éz* 7,7). Il y a dans ces deux cas un déplacement qui laisse déjà présager un revirement de la thématique...

Le discours sur la peur dans le parti de Bélial est bref mais percutant et cohérent. La puissance des troupes des ténèbres est un leurre. Poursuivis par un adversaire redoutable, le Dieu grand et terrible, Bélial et les siens sont pleinement justifiés de «paniquer». Ne s'acheminent-ils pas tout droit vers le néant, sans reste ni rescapé (*cf. 1QM* i,5-7; xviii,1-3.11; *etc.*)? On remarque qu'il n'est nulle part question de conversion dans ce discours: c'est que le temps des choix est passé et qu'on en est maintenant à l'époque du jugement, pour le meilleur et pour le pire.

IV. La fonction de la Règle de la Guerre et le déplacement de la peur à Qumrân.

Les énoncés sur la peur dans la *Règle de la Guerre* sont relativement simples et sans grande surprise. D'un document qui oppose de façon aussi radicale le parti de Dieu à celui de Bélial, on s'attend à ce qu'il cherche à dissiper la peur dans un camp et à l'insinuer dans l'autre. Mais une interrogation demeure: quelle est la fonction concrète d'un tel langage au sein de la communauté où il circule? La réponse à cette question dépend largement du rôle qu'on attribue à la *Règle de la Guerre* dans son ensemble. La plupart des commentateurs conçoivent ce rôle en rapport avec la guerre finale, la guerre d'extermination à venir. Les uns y verront un «manuel du parfait combattant» destiné à assurer le déroulement correct de cette guerre [5]; les autres y verront surtout, au moins à un premier niveau d'élaboration, un «livre de piété et d'édification... destiné aux pieux d'Israël pour leur dire de tenir bon, d'avoir courage et d'être préparés aux futurs événements, quand Dieu aiderait les siens» [6]. Cette ouverture vers l'avenir ne saurait être niée, que son accent soit rituel ou parénétique. Toutefois l'examen du langage sur la peur permet de relever à l'extérieur de la *Règle de la Guerre* quelques indices de ce qu'on pourrait appeler une «actualisation» de la guerre finale par la communauté.

La *Règle de la Guerre*, on l'a vu, décrit l'époque à venir comme un temps de détresse (1QM i,11-12; xv,1). Le *Document de Damas* évoque pour sa part un certain nombre de détresses (*mspr ṣrwtyhm CD* iv,5) subies par les membres de la communauté et coïncidant avec le déchaînement de Bélial dont on identifie trois pièges précis: luxure, richesse, profanation du sanctuaire (*CD* iv,12-19). Dans la même logique la *Règle de la Communauté* qualifie de moment de détresse (*mw'dy ṣrwtm 1QS* iii,23) pour les Fils de Lumière les assauts de Bélial cherchant à les faire chanceler (*lhkšyl lQS* iii,24; *cf. 1QM* xiv,5 *supra*). On reconnaîtra sans doute ici le reflet de l'hostilité à laquelle a pu se heurter la communauté [7]. Quelques passages des *Hymnes* pointent aussi dans cette directin. En *1QH* v,28-29 les assauts de Bélial, qui risquent «de faire chanceler l'esprit (*lhkšyl* [*rwḥ*]) et de consumer la force» de l'auteur prennent la forme d'une mutinerie au sein de la communauté (*cf. ll.* 22-28). Dans un autre hymne, l'orant remercie Dieu qui l'a fortifié «devant les guerres de l'impiété» (*lpny mlḥmwt rš'h*) et qui ne l'a pas laissé déserter l'alliance (*l*['']*ḥhtth mbrytkh lOH* vii,8; comparer *1QM* xv,8 où *ḥtt* est employé en parallèle à *yr'*). Là encore on

5. Voir M. DELCOR, «La Guerre des fils de lumière contre les fils des ténèbres ou le 'Manuel du parfait combattant'», *NRT* 77 (1955) 272-399; Y. YADIN, *The Scroll of the War...*, pp. 4-6.

6. J.M. VAN DER PLOEG, *Le Rouleau de la Guerre*, p. 28.

7. Voir mon étude «L'Instruction sur les Deux Exprits et les interpolations dualistes à Qumrân (*1QS* iii,13 - iv,26)», *RB* 84 (1977) 587-589.

peut songer à des dissensions dans le groupe [8]. Enfin l'image du creuset (*mṣrp*) revient à quelques reprises pour décrire la condition «éprouvante» des membres de la communauté: ils ont passé «dans l'alliance à la face de Dieu, pour agir (17) selon tout ce qu'il a prescrit, sans se détourner de Lui sous l'emprise d'une crainte, terreur ou épreuve (*mṣrp*) (18) [endur]ées sous l'emprise de Bélial» (*1QS* i,16-18). Ailleurs la même *Règle* qualifie les fidèles de gens qui subissent «la détresse du creuset» (*ṣrt mṣrp 1QS* viii,4). L'auteur d'un hymne rend grâce à Dieu qui a introduit le pauvre au creuset et l'a purifié. Ce creuset, c'est l'oppression que les impies lui ont fait endurer:

> Tu as agi merveilleusement (16) envers le pauvre et tu l'as introduit au creus[et (*mṣrp*) comme l'o]r travaillé au feu et comme l'argent fondu au haut-fourneau (*kwr*) des souffleurs pour la purifier sept fois. (17) Les (plus) impies des puissants se sont rués sur moi avec leurs tourments et tout le jour ils broyaient mon âme (*1QH* v,15-17).

Un autre hymne, d'interprétation discutée, emploie la même image pour décrire une naissance tourmentée, peut-être celle de la communauté (*1QH* iii,7-12 [9]). Le *Document de Damas* applique enfin la métaphore du haut-fourneau au membre qui se lasse d'observer les préceptes des justes: c'est «l'homme qui a fondu au milieu du haut-fourneau» (*btwk kwr CD* xx,3).

Devant ces quelques indices, on est porté à croire que la *Règle de la Guerre* n'a pas seulement pour fonction de préciser les rites et la stratégie ou d'entretenir avec ferveur l'espérance d'une guerre future mettant définitivement fin à l'impiété. Comme d'autres écrits apparentés à l'apocalyptique, elle vise tout autant à fournir un cadre d'interprétation des réalités présentes. Ce cadre permet de comprendre et de surmonter les difficultés actuelles de la communauté; il confirme en outre sa prétention à être l'authentique peuple de Dieu. Dans cette perspective, l'affrontement décisif est engagé en ce moment même dans le vécu concret du groupe, dans sa lutte pour la fidélité à la volonté de Dieu telle qu'elle s'exprime dans la loi et son interprétation éclairée. Sans doute connaîtra-t-elle une intensité particulière dans l'avenir, à l'approche de son dénouement: mais la guerre n'en est-elle pas moins déjà en cours?

8. J. Carmignac, e.a., *Les Textes de Qumrân I,* p. 229, no 3.
9. *Ibidem*, pp. 192-197 (bibliographie).

Dans ce contexte, au fur et à mesure que la bataille se poursuit, on peut assister à un glissement de la peur. La peur qu'on a cherché à dissiper chez les fidèles peut resurgir quand la pression se fait trop forte et que les défections apparaissent. Les malédictions adressées aux impies se retournent contre les fidèles qui les proféreraient et qui ont fondu au haut-fourneau. Qu'on songe ici aux imprécations contre les simulateurs dans la *Règle de la Communauté* (*1QS* ii,11-17). Dans ce cas, la peur devient un instrument de persuasion, une menace. Ce genre de revirement est connu de la Bible: on l'a signalé à propos de la panique, d'abord jetée par Dieu chez les nations ennemies, mais qui peut tout aussi bien surgir en Israël, si le peuple se rebelle contre son Dieu. Amos inverse de la même façon la thématique du Jour de Yahvé (*Am* 5,18-20). N'est-ce pas le sort quasi inévitable de l'apocalyptique, lorsqu'elle cesse d'être une littérature destinée à aviver l'espérance des convertis? L'apocalyptique commence à faire peur, paradoxalement, lorsqu'elle change de fonction ou de destinataires, lorsqu'elle devient un instrument servant à prévenir les défections des convertis ou à dénoncer l'injustice et la culpabilité de ceux dont on souhaite provoquer la conversion. Cela donne à réfléchir sur les usages contemporains des apocalypses...

La peur dans les apocalypses de la fin du premier siècle: Jean, Esdras, Baruch

Gérard Rochais

Lorsque le saint patriarche Hénoch raconte, pour le bénéfice de ses enfants et petits-enfants, les visites qu'il fit aux demeures de Dieu, il mentionne en passant, ne serait-ce que pour donner quelques frissons à ses lecteurs, le désert et le gouffre où étaient emprisonnés les sept planètes et les anges déchus: «J'entrai, écrit-il, dans cette maison; elle était brûlante comme du feu et froide comme de la neige, et il n'y avait dans cette maison rien des choses agréables de la vie; la crainte m'accabla et le tremblement me saisit» (*1 Hén* 14.13).

À bien des égards, les théologiens ressemblent au saint patriarche Hénoch «suivant en tout les voies de Dieu, engendrant des fils et des filles» et, pour les plus vigoureux, disparaissant au bout de trois cent soixante-cinq ans parce Dieu les a enlevés (cf. *Gn* 5,21-24). Mais l'analogie s'arrête là, car rares sont les théologiens qui visitent, ne serait-ce qu'en rêve, les demeures de Dieu et le lieu de châtiment des anges déchus. Non, quand un théologien déclare: «j'entrai dans cette maison; elle était brûlante comme du feu et froide comme la neige, et il n'y avait dans cette maison rien des choses agréables de la vie; la crainte m'accabla et le tremblement me saisit», il entend parler, par figure, du livre de l'Apocalypse ou de la littérature apocalyptique en général. Peut-être même justifiera-t-il son peu d'intérêt pour l'Apocalypse en disant avec Denys d'Alexandrie: «certains de ceux qui ont vécu avant nous ont rejeté et repoussé de toute manière ce livre; ils l'ont critiqué chapitre par chapitre, en déclarant qu'il était inintelligble et incohérent» (*HE* VII, 25,5). D'aucuns même, plus radicaux, iront peut-être jusqu'à faire leur le jugement de J.H. Herder: «c'est le signe d'un bon équilibre mental de ne s'être jamais occupé de l'Apocalypse» [1].

Avant de parler de la peur *dans* les apocalypses de la fin du premier siècle, il n'est peut-être pas inutile d'exorciser la peur que l'on a *devant* la littérature apocalyptique. Je voudrais m'y employer dans un premier temps. Ce rappel permettra de préciser où se situe la peur dans l'Apocalypse et en quoi la peur que l'on rencontre dans la littérature apocalyptique diffère de la peur que l'on trouve dans les domaines qui lui sont apparentés: l'eschatologie, l'eschatologie réalisée, la gnose.

Je voudrais, en second lieu, étudier la peur dans les textes apocalyptiques eux-mêmes: Jean, Esdras, Baruch. Qui a peur, ou doit avoir peur selon ces apocalypses? En quoi consiste cette peur?

Dans un troisième temps, j'essaierai de montrer pourquoi la littérature apocalyptique a fait peur et continue encore de faire peur. D'où celà vient-il? Il faudrait faire ici la *Wirkungsgeschichte* des textes, c'est-à-dire voir comment ces apocalypses ont été comprises et citées dans les siècles ultérieurs; travail immense! Aussi bien, me limiterai-je à mentionner trois données du 4° Esdras, qui ont été reprises par les Pères et les auteurs du moyen âge et qui ont fortement contribué à faire de la littérature apocalyptique une littérature de peur. J'essaierai de dire pourquoi la littérature apocalyptique qui est, sous forme d'imaginaire, d'abord une littérature de consolation et d'espérance est finalement devenue une littérature qui fait peur.

1. Qu'est-ce que l'apocalyptique? La situation de la peur dans la littérature apocalyptique [2]

Qu'est-ce que l'apocalyptique? Pour répondre à cette question, il est inutile de chercher des réponses dans les définitions

1. Cité dans DONATION MOLLAT. *Une lecture pour aujourd'hui: l'Apocalypse*, Paris, le Cerf (Coll. *Lire la Bible*, no 58), 1982, p. 13.

2. Je résume ici l'article: «Qu'est-ce que l'apocalyptique?», dans *Science et Esprit*.

qui en ont été données. Face à l'apocalyptique, l'exégète et le théologien sont encore, comme l'indique le titre même d'un livre paru en allemand en 1970, désemparés [3]. Et la remarque de G. von Rad vaut toujours: «quiconque utilise le terme d'apocalyptique devrait être conscient du fait que jusqu'à ce jour on n'a pas encore réussi à le définir de façon satisfaisante» [4]. Pour comprendre ce qu'est l'apocalyptique, il faut partir des questions mêmes des apocalypticiens. Quelles sont leurs préoccupations, leurs soucis? Comment se voient-ils dans le monde, dans leur monde, dans leur histoire? Quelles réponses imaginent-ils à ces questions?

La première question, la préoccupation fondamentale des apocalypticiens est: le salut, étant donné la situation extérieure (persécutions, guerres, destructions, etc.) et la condition pécheresse des hommes, est-il possible? Écoutons le 4° Esdras [5]:

> Je repris la parole: Voici ce qui demeure mon premier et mon dernier mot: il aurait mieux valu que la terre ne produisît pas Adam ou que, l'ayant produit, elle le contraingît à ne pas pécher! À quoi sert à tous, en effet, de vivre dans le monde présent de façon affligeante et, une fois morts, d'attendre le châtiment? Ô Adam! Qu'as-tu fait? Car lorsque tu as péché, ce n'est pas seulement ta propre chute qui s'est produite, c'est aussi la nôtre, à nous qui sommes tes descendants! À quoi nous sert d'avoir la promesse du monde immortel, alors que nous accomplissons des oeuvres qui entraînent de fait à la mort? À quoi bon, Seigneur, nous avoir annoncé une espérance éternelle, alors que nous avons à l'esprit les pires inanités? À quoi bon, Seigneur, avoir préparé des demeures où règnent bien-être et quiétude, alors que nous nous conduisons mal? À quoi sert que la Gloire du Très-Haut soit destinée à protéger ceux qui se seront comportés avec pureté, alors que nous suivons les chemins les plus mauvais? À quoi sert que Dieu doive manifester un Paradis dont les fruits ne se dessècheront pas et qui produira l'abondance et le remède, alors que nous n'y pénétrerons pas à cause de notre comportement blâmable? À quoi sert que le visage de ceux qui auront pratiqué l'abstinence doive briller plus que les étoiles,

---

3. K. KOCH, *Ratlos vor der Apokalyptik*, Gütersloh, 1970.

4. G. VON RAD, *Théologie de l'Ancien Testament*, Genève 1967, t. 2, p. 264.

5. Traduction de H. COUSIN, *Vies d'Adam et Ève, des patriarches et des prophètes*, Paris, le Cerf (Supplément au Cahier *Évangile*, 32), 1980 pp. 122-123.

alors que notre visage s'obscurcira plus que les ténèbres? Lorsque, durant notre vie, nous commettons l'iniquité, nous ne pensons pas en effet aux souffrances qui nous attendent pour après notre mort! (7,116-126).

Ces questions sont celles d'un homme angoissé, presque désespéré. Laissons tomber les exclamations et reprenons les questions:

- À quoi sert à tous de vivre dans le monde présent de façon affligeante et, une fois morts, d'attendre le châtiment?
- À quoi sert la promesse d'avoir un monde immortel, alors que nous accomplissons des oeuvres qui entraînent de fait à la mort?
- À quoi bon, Seigneur, nous avoir annoncé une espérance éternelle, alors que nous n'avons à l'esprit que les pires inanités?
- À quoi bon, Seigneur, avoir préparé des demeures où règnent bien-être et quiétude, alors que nous nous conduisons mal?

Etc., et il conclut: «Lorsque durant notre vie, nous commettons l'iniquité, nous ne pensons pas en effet aux souffrances qui nous attendent pour après notre mort».

Esdras est désespéré du salut d'Israël, en raison de la conduite mauvaise des hommes et, pourtant, sachant que ce salut existe, il interroge sur sa possibilité. Est-il possible que, malgré nos péchés, nous soyons sauvés? La version arménienne, en une phrase lapidaire, pose la question: «Personne ne sera-t-il donc sauvé parmi nous? Faudra-t-il mourir comme des bêtes dépourvues de sens, être tourmenté de tourments éternels?» (5,14) [6].

On est ici au coeur même de l'apocalyptique. C'est cette même question que vont poser, de diverses façons, tous les apocalypticiens. en raison du péché des hommes et aussi de la situation extérieure (persécution d'Antiochus IV Épiphane, guerre de Varus, persécution de Domitien, destruction de Jérusalem...) le salut est-il encore possible, au moins pour les justes? Quand viendra-t-il? Telles sont les préoccupations majeures de tous les apocalypticiens.

Quelle sera la *réponse* à cette question angoissante? Oui, le salut est possible, mais pas en ce monde-ci. Le salut n'adviendra qu'à la fin des temps, soit par le règne messianique définitif (*Ps.*

---

6. Traduction de L. GRY, *Les Dires prophétiques d'Esdras*, Paris, Geuthner, 1938, pp. 58-59.

Sal. 17) ou temporaire (*1 Hén : Apocalypse des Semaines; 4° Esdras: Ap. Bar.; Jean*) soit au ciel (*Testament de Moïse: Qumrân; Jubilés*), soit dans un monde totalement renouvelé, après ce monde-ci (*1 Hén: Livre des Songes; 4° Esdras; Ap. Bar.; Jean*). Les justes sont sûrs que Dieu va intervenir pour mettre fin à la situation angoissante dans laquelle ils vivent. Ils sont sûrs de la promesse de Dieu, mais ils n'en attendent pas la réalisation dans ce monde-ci par trop corrompu.

Que faire alors? Attendre, persévérer. «Attendons, car ce qui nous est promis vient, écrit Baruch. Ne considérons pas les délices présentes des nations, mais souvenons-nous de ce qui nous est promis pour la fin. Car les frontières des temps passeront, les âges et tous ce qu'ils contiennent, en une fois. La fin du monde fera éclater la grande puissance de celui qui le dirige, tandis que toute chose s'en va vers le jugement. Vous donc, affermissez vos coeurs dans l'attente de ce à quoi, depuis le début, vous avez cru, de peur d'être tenus à l'écart des deux mondes: ici-bas, vous avez été emmenés en captivité et vous seriez torturés dans l'au-delà» (83,4-8)[7]. Texte, à vrai dire, impressionnant, qui contient presque tous les mots clés de l'apocalyptique. L'attente est l'un des mots clés de l'apocalyptique. Elle peut être angoissée, comme dans le texte du 4° Esdras cité plus haut; elle n'est jamais totalement assurée, car l'apocalypticien vit dans un monde de péché et il sait que lui-même ou les croyants peuvent sombrer, d'où les avertissements, les exhortations à la persévérance qu'il ne cesse de prodiguer. Parce que la fin du monde est proche, le croyant est invité à tenir bon; il n'est pas sûr et certain de son salut; il espère seulement que Dieu va accomplir ce qu'il a promis; il attend la réalisation de cette promesse; il l'appelle; il sait qu'ici-bas il lui faut demeurer fidèle, poursuivre le combat, comme le conseille l'ange interlocuteur à Esdras, dans le texte qui suit immédiatement celui qui a été cité précédemment.

> Voici quel est le sens du combat que doit mener tout homme né sur cette terre: s'il est vaincu, il aura à souffrir ce que tu viens de dire, mais s'il est vainqueur, il recevra ce dont j'ai parlé. Telle est en effet la voie que Moïse indiqua de son vivant quand il disait au peuple: choisis la vie pour que tu vives. Mais ils ne crurent ni lui, ni les prophètes qui vinrent après lui, ni moi-même qui leur

7. Traduction de P. BOGAERT, *Apocalypse de Baruch*, Paris, le Cerf (Coll. *SC* no 144), 1969.

ai parlé. C'est pourquoi leur perte ne provoque pas la tristesse, alors qu'il y aura joie pour les croyants (7,127-131).

Nous cherchons ce qu'est l'apocalyptique, afin de pouvoir situer la peur que peuvent susciter les textes apocalyptiques. Pour ce faire, nous sommes partis de la question centrale que posent tous les apocalypticiens: le salut est-il possible, tant en raison des circonstances extérieures, défavorables, que de la condition pécheresse de la majorité des hommes? Oui, le salut est possible, répondent les apocalypticiens, mais pas en ce monde-ci, dans un autre monde qui viendra à la fin de ce monde-ci, ou après ce monde-ci ou encore dans un monde céleste. Avons-nous trouvé ainsi ce qu'est l'apocalyptique; avons-nous découvert son essence? Non; l'essence de l'apocalyptique n'est pas seulement la question sur la possibilité du salut; elle n'est pas seulement la réponse. L'essence de l'apocalyptique est le rapport entre la question et la réponse; c'est *la tension* dans laquelle vit l'apocalypticien. Car, à l'inverse du gnostique, l'apocalypticien n'est pas assuré de son salut; il lui faut pour celà encore persévérer dans la Loi de Dieu (*4° Esdras; Ap. Bar.*) ou dans la foi au Christ (*Ap. de Jean*). L'apocalypticien, ou le fidèle, est tendu vers ce salut; il l'appelle; il se sait promis mais pas encore advenu; il le sait proche, imminent. Ainsi se distingue l'apocalyptique de l'eschatologie vétéro-testamentaire, qui n'est pas tension, parce que la fin du monde n'est pas imminente: «Et il arrivera à la fin des temps...» Quand? On l'ignore. L'apocalypticien, lui, se croit à la fin des temps; il est tendu vers l'achèvement de ce monde et la venue du monde nouveau. Il a les yeux fixés sur ce monde qui vient; il l'appelle; il se le représente afin de pouvoir supporter le quotidien. Son espérance se recueille dans l'image, dans la promesse passée de Dieu, encore inaccomplie; il projette son salut dans l'image et, par l'image de ce salut ainsi projeté, la situation d'angoisse dans laquelle il vit pointe vers l'aurore d'un autre jour. *C'est cette tension vers un salut promis, qui bientôt adviendra, qui constitue l'essence de l'apocalyptique.* C'est à cette aune, et à l'imaginaire qui façonne le langage apocalyptique, qu'il faut mesurer si un texte est apocalyptique ou non. L'essence de l'apocalyptique est la question tendue vers la venue du salut. Cette question s'exprime dans un cri de détresse, qui est un appel vers le salut qui vient. Appel qui prend la forme de: «jusques à quand?» Appel qui se fait angoissant, car l'apocalypticien se croit à la fin du monde. «Le temps est proche», écrit Jean (*Ap* 1,3). «Le monde se hâte de passer» affirme Esdras (4,26); et Baruch, Baruch le poète, écrit: «La jeunesse du monde est passée; la vigueur de la création est dorénavant consumée. Peu de chose manque encore à l'avènement des temps pour qu'ils soient passés. La cruche est proche du puits, le navire du port. Le tracé de la route s'achève à la ville, et la vie approche de la fin» (85,10).

L'essence de l'apocalyptique est constituée par le rapport, la tension qui existe entre la question que pose l'apocalypticien sur la possibilité du salut et la réponse qu'il sait prochaine. Avant de nous interroger sur la place qu'occupe la peur dans les apocalypses, posons encore cette question: à quoi bon des apocalypses en ces temps de détresse et de manque? *Pour, recueillant le passé, conjurer le présent en l'ouvrant à l'avenir.* Les apocalypticiens rappellent que l'ouverture sur l'avenir est dans la fidélité au passé, au passé possible. Lisant l'histoire avec imagination, les apocalypticiens parlent au future antérieur. Ils nous disent que le futur s'enracine dans la mémoire du passé, qui est «rassemblement de la pensée fidèle» (Heidegger). Leur texte est intertexte, reprise de textes antérieurs ou contemporains, de textes passés, encore inédits, irréalisés. La promesse passée est redécouverte, réinventée, projetée dans le futur devenant ainsi source d'une nouvelle attente. C'est celà, croyons-nous, essentiellement l'apocalyptique. «On continue toujours à croire, écrit Heidegger, que la tradition est passée et qu'elle n'est plus qu'un objet de la conscience historique. On continue toujours à croire qu'elle est ce que nous avons proprement derrière nous, quand elle vient au contraire vers nous parce que nous sommes exposés à elle et qu'elle est notre destin»[8]. Les apocalypticiens rappellent que la promesse salvifique de Dieu est notre destin; ils le rappellent en puisant dans les traditions passées leur espérance, et en la projetant devant nous. Pour comprendre leur message, il faut ressaisir cet appel qui peut facilement s'étouffer quand l'exégèse se promène dans le décrire ou le référent. Il faut saisir cet appel du passé, non pour le reproduire, mais pour vivre dans son écho. Car, pour comprendre comment l'apocalyptique peut porter à l'espérance ou à la peur, il faut que sa

8. M. HEIDEGGER, *Qu'appelle-t-on penser?* Paris, Presses Universitaires de France, 1973, p. 117.

trace en nous demeure, que nous soyons nous-mêmes tendus vers la venue du salut.

L'apocalyptique qui est appel, désir de salut, peut-elle être aussi source d'angoisse et de peur? Comment le langage apocalyptique peut-il allier l'un et l'autre sans les confondre. Nous allons le voir; mais déjà nous pouvons saisir la différence entre le langage apocalyptique et celui de la gnose. Le gnostique interroge: «Qui étions-nous? Que sommes-nous devenus? Où étions-nous? Où avons-nous été jetés? Vers quel but nous hâtons-nous? D'où sommes-nous rachetés? Qu'est-ce que la génération? Et la regénération? (*Ex. Théo.* 78,2; *Sc*, n° 23, p. 203). L'homme gnostique s'interroge sur le salut, mais il n'est pas anxieux; la connaissance que le rédempteur céleste lui a prodiguée l'a délivré à tout jamais de la peur. En est-il de même pour l'apocalypticien? Déjà on peut pressentir qu'il ne peut en être ainsi pour le fidèle qui attend dans la foi le salut à venir, même s'il sait ce salut certain. On peut déjà percevoir également que la peur, pour les apocalypticiens, n'est pas la même que pour ceux qui vivent dans l'attente eschatologique, car il n'y a pas dans l'eschatologie de tension vers une fin imminente. L'homme qui vit dans l'attente de la fin des temps est appelé à la conversion; le fidèle qui vit dans un monde de persécution et corrompu, qui croit à la fin imminente de ce monde, est appelé à la persévérance. La peur dans l'apocalyptique sera-t-elle la même que celle du chrétien qui vit avec la conscience d'être déjà sauvé, même s'il attend encore la réalisation plénière du salut? Non, car dans ce qu'il est convenu d'appeler «l'eschatologie réalisée», la tension n'est pas tant portée vers le futur, que vers la vie du monde d'ici-bas, où le chrétien a à expérimenter la souffrance et la persécution de la part du monde, mais dans lesquelles, paradoxalement, il peut également découvrir la joie, comme Jésus l'explique en *Jn* 16,16-24. Il en est du chrétien comme d'une femme en travail, qui supporte les douleurs de l'enfantement à cause de la joie de mettre au monde un enfant. De ses douleurs jaillit la joie. De même, la souffrance du chrétien dans le monde est-elle, d'une façon paradoxale, source de joie; à cause d'elle, il expérimente la présence de Jésus. L'apocalypticien qui souffre la persécution dans un monde qu'il trouve corrompu et dont il espère la fin ne peut trouver la joie dans les souffrances qui lui sont imposées; il attend d'une intervention céleste la fin de ce monde; mais a-t-il peur devant cette intervention qu'il pense imminente?

2. La peur dans les textes apocalyptiques

L'apocalyptique est l'expression de la tension *entre* la situation matérielle, physique, misérable *et* le salut promis dans la foi; cette tension débouche dans un appel vers la réalisation prochaine et définitive du salut. Mais cet appel provient-il de la peur ou du désir du fidèle? Qui a peur dans les apocalypses de la fin du premier siècle? Le croyant? Mais de quoi aurait-il peur, s'il est confiant dans la réalisation prochaine du salut? Aurait-il peur de sa propre faiblesse, de ne pouvoir résister jusqu'au bout? C'est le premier point qu'il faut élucider. Ou plutôt, ne serait-ce pas l'impie qui devrait avoir peur du jugement qui s'en vient? Mais comment en aurait-il peur s'il l'ignore? Deuxième point à éclairer.

L'appel du croyant dans l'apocalyptique est un cri de détresse. Si, comme le rappelle Heidegger, le cri n'est pas nécessairement un appel, il peut le devenir dans le cri de détresse. Et il ajoute: «L'appel qu'on lance vient en vérité déjà de cet endroit là-bas vers lequel il se dirige. Dans l'appel qu'on lance règne un élan originel vers... Ce n'est que pour cette raison que l'appel peut désirer; le simple cri se perd et s'enlise en lui-même. Il ne peut demander ni à la douleur ni à la joie qu'elle lui permette de demeurer. L'appel au contraire est ce qui parvient là-bas... même s'il n'est pas entendu et s'il n'est pas écouté»[9].

Ce texte de Heidegger peut nous aider à caractériser l'appel du croyant dans l'apocalyptique. «Il est élan originel vers...» Et pour cette raison il désire, il parvient là-bas, et vient même en vérité déjà de cet endroit vers lequel il se dirige. De cet appel de désir, nous avons un écho dans la sollicitation de l'Esprit et de l'Épouse à la fin de l'Apocalypse de Jean: «Et l'Esprit et l'Épouse disent: Viens! Que celui qui entend dise: Viens!» (22,17); appel qui répond à la certitude que l'Agneau est vainqueur et à l'affirmation que le Christ a faite aux versets 7 et 12: «Voici, je viens bientôt, et ma rétribution est avec moi, pour rendre à chacun selon son oeuvre». Appel de désir du croyant qui fait écho à la déclaration du Seigneur; impératif répondant à

9. M. HEIDEGGER, *op. cit.*, note 8, p. 230.

un indicatif et comme suscité par lui; impératif qui n'est pas totalement sans angoise, puisque celui que le croyant désire et appelle est le Sauveur, mais aussi le Juge qui vient «pour rendre à chacun selon son oeuvre». La certitude du salut prochain n'élimine pas totalement la crainte du jugement; la tension vers le salut qui s'en vient exige du fidèle la persévérance (*Ap* 13,10; 14,12; 16,15).

Cette même exhortation à la persévérance se retrouve également dans les Apocalypses d'Esdras et de Baruch.

> Je partis donc, écrit Esdras, comme il me l'ordonnait, et, ayant assemblé le peuple, je lui dis: Israël, écoute ces paroles! En servitude nos pères servirent jadis au pays d'Égypte; ils en furent délivrés, et ils reçurent la Loi de vie; mais ils ne la gardèrent point, et vous-mêmes, après eux, vous l'avez transgressée. Il nous fut donné la terre de Canaan en part d'héritage, mais vous et vos pères vous avec regimbé, ne gardant point les voies que Dieu vous avait ordonné de suivre. Étant un juste Juge, il vous a enlevé dans son temps ce qu'il vous avait donné; maintenant donc, vous voilà ici, et vos frères sont allés en émigration en terre étrangère! Pourtant, si vous disciplinez votre âme par l'enseignement, et dressez votre coeur par la méditation, vous serez gardés en vie et, après la mort, vous obtiendrez miséricorde. Après la mort, en effet, viendra le jugement, alors qu'à nouveau nous revivrons; alors les noms des justes seront révélés, et les oeuvres des impies dénoncées (14,27-35).

Même exhortation encore dans la finale de Baruch:

> Le Très-Haut, lui aussi, est jusqu'ici patient à notre égard; il nous a découvert l'avenir et il ne nous a pas caché ce qui arrivera lors de la fin. Avant donc que le jugement ne réclame son dû et la vérité ce qui lui revient en justice, nous préparerons nos âmes afin de recevoir et de ne pas être emportés, d'espérer, et de ne pas être confondus, de nous reposer avec nos pères et de ne pas être torturés avec ceux qui nous haïssent. Car la jeunesse du monde est passée... et la vie approche de la fin. Encore une fois, préparez vos âmes afin qu'après avoir voyagé et après être remontés du navire, vous vous reposiez, afin qu'une fois arrivés, vous ne soyez pas condamnés (85,8-11).

La venue prochaine du jugement ne va donc pas sans une certaine crainte. Les fidèles attendent ce jugement; ils le savent proche. Cette proximité doit être pour eux un encouragement à la persévérance. «Seulement, ce que vous possédez, tenez-le ferme jusqu'à ce que je vienne», écrit Jean à l'ange de l'église de

Thyatire (2.25). «Tiens ferme ce que tu as» est-il dit à l'ange de l'église de Philadelphie (3,11). Si donc le croyant désire le futur — «ce qui est futur, voilà ce qui est désiré; l'avenir, voilà l'objet de notre espérance», écrit Baruch (44,11) —, il lui faut néanmoins «demeurer dans la crainte du Seigneur» (*Ap. Bar.* 44,7), rester attaché à la Loi de Dieu, demeurer fidèle jusqu'à la mort, même au temps de la persécution (*Ap* 2,10), ne pas s'égarer dans les doctrines gnostiques des Nicolaïtes ou de la prophétesse Jézabel (*Ap* 2,15.20), retrouver sa ferveur première (*Ap* 2,4), fuir la tiédeur (*Ap* 3,15s). Bref, la venue prochaine du jugement est souhaitée, désirée par le croyant; mais elle est toujours liée à une exhortation à la fidélité. Dieu, certes, est fidèle; mais l'homme, lui, peut faillir, pécher; la venue du jugement ne doit pas engendrer la peur chez le croyant, mais la crainte de ne pas demeurer fidèle jusqu'au bout.

L'espérance et la crainte sont donc inséparables. La crainte invite le croyant à la persévérance; l'espérance le porte à la joie, à une double joie. Joie, d'une part, de voir ses ennemis bientôt anéantis; joie, d'autre part, de partager bientôt le bonheur éternel. Car l'apocalyptique n'est certes pas une littérature de chevet pour les défenseurs de l'ordre naturel, pour les profiteurs de l'économie internationale et pour quiconque détient le pouvoir et l'exerce sous forme autoritaire. L'apocalyptique est une littérature qu fut écrite pour des persécutés, pour des hommes et des femmes qui se battaient au nom de leur foi contre le mal et l'idolâtrie. D'où la violence qu'on y rencontre et la joie du fidèle de savoir que bientôt ses ennemis seront anéantis. Écoutons ce cri d'allégresse du prophète quand il prédit la chute prochaine de Rome:

> Réjouis-toi de sa ruine, ciel!
> Et vous aussi, les saints, les apôtres et les prophètes,
> car Dieu, en la jugeant, vous a fait justice.
> Alors un ange puissant saisit une pierre comme une
> lourde meule, et la précipita dans le mer en disant:
>
> Avec la même violence sera précipitée Babylone, la grande cité.
> On ne la retrouvera plus.
> Et le chant des joueurs de harpe et des musiciens,
> des joueurs de flûte et de trompette,
> on ne l'entendra plus chez toi.
> Aucun artisan d'aucun art ne se trouvera plus chez toi.

Et le bruit de la meule,
on ne l'entendra plus chez toi.
La lumière de la lampe ne luira plus chez toi.
La voix du jeune époux et de sa compagne,
on ne l'entendra plus chez toi,
parce que tes marchands étaient les grands de la terre,
parce que tes sortilèges ont séduit toutes les nations,
et que chez toi on a trouvé le sang des prophètes,
des saints et de tous ceux qui ont été immolés sur la terre
(*Ap* 17,20-24).

Magnifique finale, à vrai dire, qui énumère les trois causes de la chute prochaine de Rome; la grande cité tombera pour des raisons économiques: «parce que tes marchands étaient les grands de la terre»; pour des raisons idéologiques: «parce que tes sortilèges ont séduit toutes les nations»; en raison, enfin, des persécutions: «on a trouvé chez toi le sang des prophètes, des saints, de tous ceux qui ont été immolés sur la terre».

Cette joie devant la destruction des ennemis s'entend encore dans le cantique que chante au ciel une foule immense:

Alléluia!
Le salut, la gloire et la puissance sont à notre Dieu.
Car ses jugements sont pleins de vérité et de justice.
Il a jugé la grande prostituée...
et il a vengé sur elle le sang de ses serviteurs.
Et de nouveau ils dirent:
Alléluia!
Et sa fumée s'élève aux siècles des siècles (*Ap* 19,1-3).

À cette joie sauvage de la destruction correspond la joie des élus, de cette même foule immense qui chante:

Alléluia!
car le Seigneur, notre Dieu Tout-Puissant, a manifesté son règne.
Réjouissons-nous, soyons dans l'allégresse et rendons-lui gloire,
car voici les noces de l'agneau.
Son épouse s'est préparée,
il lui a été donné de se vêtir d'un lin resplendissant et pur,
car le lin, ce sont les oeuvres justes des saints...
Heureux ceux qui sont invités au festin des noces de l'agneau
(*Ap* 19,6-9).

Joie devant la destruction des ennemis, et allégresse en raison du salut qui approche se retrouvent encore dans une magnifique hymne au Dieu vengeur du Testament de Moïse.

Après avoir proclamé que Dieu se lèvera pour châtier les nations, l'auteur conclut:

> Alors, Israël, heureux seras-tu!
> Sur la nuque et les ailes de l'aigle tu monteras,
> et elles seront gonflées.
> Et Dieu t'élèvera;
> au ciel des étoiles, au lieu de leur demeure, il te fixera.
> Et regardant d'en haut, tu verras tes ennemis sur la terre;
> et tu te réjouiras en les reconnaissant.
> Et, en lui rendant grâces, tu confesseras ton créateur
> (*Test. de Moïse*, 10,8-10)[10].

À la question: qui a peur dans l'apocalyptique?, nous pouvons maintenant répondre: le croyant n'a pas vraiment peur. Il vit dans une situation de détresse, mais il sait que le salut est proche. Ce salut, il l'appelle, le désire. Il sait que le Sauveur qui s'en vient sera aussi son juge, et c'est pourquoi sa joie peut être mêlée d'une certaine crainte qui le pousse à la persévérance, à la fidélité. «Ne crains pas ce qu'il te faudra souffrir, est-il dit à l'ange de l'église de Smyrne... Sois fidèle jusqu'à la mort et je te donnerai la couronne de vie» (*Ap* 2,10). Le fidèle ne doit pas craindre les épreuves momentanées qui peuvent l'accabler; il n'a pas, non plus, à avoir peur devant le jugement qui s'abattra sur la terre, car il sera alors préservé (*Ap* 7,3); il doit au contraire s'en réjouir, car ce jugement marquera pour lui la fin du temps de l'oppression et le commencement du temps de salut. Ce salut tout proche lui donne la force de supporter le temps d'épreuve où il est plongé. Et tel est bien l'étonnant des récits apocalyptique: l'espérance en eux ne reste pas muette, interdite. Elle est capable de s'élaborer imaginairement, de symboliser, c'est-à-dire d'engendre un corps de signes, et même de se projeter dans ces représentations, pour être aussitôt, par conviction ou illusion, source de soulagement et de réconfort. L'espérance, puisée dans les promesses passées et projetée dans l'image, apporte, par anticipation, consolation et joie. Illusion d'un salut fantasmé, pourrait-on penser. Sans doute, si ce salut n'était pas fondé sur la promesse que le Dieu fidèle fit dans le passé, promesse qu'il tiendra. C'est la foi, en effet, qui crée et porte le langage imaginaire de l'apocalyptique. Et l'interpréta-

10. Traduction de E.M. LAPERROUSAZ, *Semitica*, 19 (1970), 129-130. Il est intéressant de noter que ce texte parle d'un règne céleste d'Israël, et non pas terrestre ou advenant dans un monde renouvelé.

tion que l'apocalypticien fait des textes du passé, grâce à son imagination, vaut bien une exégèse trop rationnelle, uniquement axée sur le référent! Le langage imaginaire de l'apocalyptique permet une autre lecture de la réalité, idéologique peut-être, mais pas forcément illusoire. Car cette lecture fondée sur la promesse du salut voit le côté tragique du moment présent, mais aussi son côté éphémère et futile. L'apocalypticien ne dit pas: le mal présent n'est pas réel; il dit au contraire: le mal est si réel que l'intervention salvifique et vengeresse de Dieu, promise dans le passé, ne saurait tarder. Croyants, soyez fidèles et n'ayez pas peur!

Mais vous, rois de la terre, grands et chefs d'armée, riches et puissants, cachez-vous dans les cavernes et les rochers des montagnes et dites aux montagnes et aux rochers:

> Tombez sur nous et cachez-nous loin de la face de
> celui qui siège sur le trône,
> et loin de la colère de l'agneau!
> Car il est venu le grand jour de leur colère,
> et qui peut subsister? (*Ap* 6,16).

Le jugement de Dieu qui s'en vient sera salut pour les justes qui persévèrent; il sera destruction pour «ceux qui détruisent la terre» (*Ap* 11,18). Car dans l'apocalyptique, *la peur est réservée aux impies.*

Cette crainte, dans l'Apocalypse de Jean, se manifeste lorsque les châtiments de Dieu commencent à s'abattre sur les hommes (9,6) et qu'arrive le jugement de Dieu (15,3). Dans les Apocalypses de Baruch et d'Esdras, la peur s'empare des impies à trois occasions: lors de la manifestation des signes avant-coureurs du jugement; lors du combat eschatologique et lors du jugement proprement dit.

Dans Baruch, la peur elle-même est un signe avant-coureur de la fin des temps:

> Le Tout-Puissant reprit... Tel sera le signe: alors la torpeur saisira les habitants de la terre. Ils tomberont dans de nombreuses tribulations et retomberont dans de cruels tourments. Ils en arriveront à penser, sous le coup de leur terrible frayeur: Le Tout-Puissant ne se souvient plus de la terre. Alors quand ils perdront l'espérance, le temps sera imminent (25,1-4).

Le 4° Esdras mentionne la peur qui s'empare des peuples qui sont assemblés pour combattre le Fils de l'homme, lors du combat eschatologique (13,8), ou encore des habitants de la terre lors du combat final entre le Messie et l'aigle, symbole de la Rome persécutrice:

> Tandis que le lion parlait à l'aigle, la tête de reste disparut. Mais les deux ailerons qui reposaient à côté d'elle se dressaient à la pareille pour dominer: en leur domination, il y eu agitation; puis arriva la fin; ils disparurent aussi. Tout le corps de l'aigle brûlait, la terre était toute terrifiée (12,1-3).

Baruch, enfin, va parler de la peur des damnés, lors de la résurrection qui précède le jugement final:

> Et après cela, quand sera accompli le temps de l'avènement du Messie et qu'il retournera dans la gloire [après son règne temporaire sur la terre], tous ceux qui se sont endormis en espérant en lui ressusciteront. À ce moment, on descellera les réservoirs contenant le nombre fixé des âmes des justes; elles sortiront et la multitude des âmes apparaîtra en une seule assemblée unanime. Les premières se réjouiront, les dernières ne connaîtront pas l'angoisse. Elles auront appris en effet que le jour prédit pour la fin des temps est arrivé. Les âmes des méchants, au contraire, lorsqu'elles verront tout cela, dépériront complètement: elles savent, quant à elles, que le supplice les attend, que leur perdition est arrivée (30,1-5).

La peur, dans l'apocalyptique, est donc essentiellement liée au jugement. Elle s'empare essentiellement des impies, qui craignent lorsque les châtiments de Dieu commencent à les frapper, lorsque le combat eschatologique est engagé et lorsque, finalement, le temps du jugement et de la condamnation est arrivé pour eux. Or, la venue du jugement de Dieu est appelé dans l'Apocalypse de Jean «évangile éternel»:

> Et je vis un autre ange qui volait au zénith. Il avait un évangile éternel à proclamer à ceux qui résident sur la terre: à toute nation, tribu, langue et peuple. Il disait: d'une voix forte: Craignez Dieu et rendez-lui gloire, car elle est venue, l'heure de son jugement (*Ap* 14,6-7).

La venue du jugement est donc présentée comme une Bonne Nouvelle. Pourquoi? Parce que le jugement mettra fin à la persécution, à la domination des impies, et assurera le salut aux élus qui seront demeurés persévérants. Le jugement ne peut et ne doit donc pas engendrer la peur, sauf chez les impies. Pourquoi dès lors l'apocalyptique qui est une littérature de consolation, «une Bonne Nouvelle» a-t-elle fait peur dans le passé, et continue-t-elle encore de faire peur?

3. Une littérature qui a fait peur et continue encore de faire peur.

Si l'on voulait vraiment comprendre comment une littérature de consolation et d'espérance est devenue, au cours des siècles, une littérature apeurante, il faudrait en étudier l'influence sur l'ensemble de la vie religieuse, savante et populaire, à partir du deuxième siècle. C'est là une tâche difficilement réalisable et qui n'a pas encore, à ma connaissance, été réalisée. Et pour cause: les commentaires de l'Apocalypse de Jean, d'Origène à aujourd'hui, ont été peu étudiés. On manque, pour beaucoup, d'édition critique. On ne possède pas encore, pour le 4° Esdras, une bonne traduction française. Et, pourtant, c'est de l'influence de ce livre dont je voudrais parler; je voudrais indiquer pourquoi ce livre a pu contribuer à faire de l'apocalyptique, une littérature de peur.

Le 4° Esdras, oeuvre juive de la fin du premier siècle, nous est parvenu seulement par des mains chrétiennes. Sa diffusion fut considérable, si l'on regarde du moins les nombreuses versions dont on dispose: latine (plusieurs manuscrits), syriaque, éthiopienne, arménienne, arabe (deux versions), géorgienne, et finalement, une version copte fragmentaire. Il était connu tout spécialement de l'Église latine: Tertullien, Cyprien, Commodien, Vigilantius, Priscillien le citent. Il est recommandé et largement cité par saint Ambroise, mais rejeté par saint Jérôme comme un recueil de rêveries, qu'il avoue d'ailleurs n'avoir jamais lu: «À quoi bon prendre en mains ce que l'Église ne reçoit pas?» (PL XXIII, 360: *Contra Vigil.*). Priscillien, grand avocat des Apocryphes, plaida sa cause, ce qui laisse deviner que l'Église latine n'était pas unanime à l'accepter. L'Apocalypse d'Esdras fut beaucoup lue et invoquée au moyen âge, affirme Jacques Le Goff dans son livre sur le Purgatoire, où il étudie l'influence du 4° Esdras sur la conception de l'au-delà, notamment chez saint Ambroise[11]. Notons enfin que le Concile de Trente, avec discrétion et indulgence, refusa d'exclure formelle-

---

11. J. LE GOFF, *La Naissance du Purgatoire*, Paris, Gallimard, 1981, pp. 51-56.

ment des livres qui n'étaient pas reçus, en raison de la considération qui s'attachait à des écrits cités par des Pères de renom, et reproduits dans plusieurs manuscrits de la Bible. Il en retint finalement certains comme suppléments à l'édition officielle des Saintes Écritures: c'est le cas du 4° Esdras toujours édité à la fin de la Vulgate.

Outre le pessimisme assez profond qui marque le 4° Esdras, trois points semblent avoir particulièrement influencé la pensée des Pères et des auteurs du moyen âge: sa conception de l'au-delà; les signes avant-coureurs de la fin des temps et le petit nombre des élus. Il semble bien que les Pèrs et les auteurs du moyen âge ont cherché dans l'Apocalypse d'Esdras des compléments à ce que disaient les Évangiles sur ces sujets.

Il n'est pas du domaine d'un exégète de préciser l'influence du 4° Esdras sur les Pères ou les auteurs du moyen âge; ce travail relève des patrologues et des médiévistes, mais peut-être serait-il bon d'indiquer brièvement comment ces points sont traités dans le 4° Esdras, et pourquoi, lorsqu'ils furent repris, ils purent engendrer la peur.

1. Le «Mystère de la Mort» est traité dans la troisième vision d'Esdras (7,75-115). Il s'agit d'une longue dissertation d'école sur un thème abstrait de théologie: l'état des âmes séparées avant le jugement et les étapes de leur avance vers la béatitude ou les tourments éternels; cette dissertation est suivie d'une question d'Esdras sur la prière d'intercession pour les morts et de sa réponse (7,102-115). Esdras pose la question: au jour du jugement, les justes pourront-ils intercéder pour les impies auprès du Très-Haut. Et l'ange de lui répondre: non, «personne ne pourra intercéder pour autrui. Chacun portera alors ses propres injustices ou ses propres justices» (7,105). Jacques Le Goff a montré l'influence de ce texte sur saint Ambroise et sur la tradition; il est inutile d'y revenir [12]. Ce texte qui porte sur l'au-delà, sur le sort des élus et des damnés après la mort, souvent cité et commenté, a largement contribué à faire, dans les milieux autant savants que populaires, de la littérature apocalyptique, une littérature apeurante; qu'on en juge par ce court extrait:

> Concernant la mort, voici la doctrine. Lorsque est proférée par le Très-Haut la sentence décisive: «Tel homme doit mourir»,

12. J. LE GOFF, *op. cit.*, note 11, pp. 51-56; 88-90.

l'âme se retire du corps et retourne vers Celui qui l'a donnée, afin d'adorer d'abord la Gloire du Très-Haut. Ceux qui ont rejeté la Voix du Très-Haut et ne l'ont pas servie, ceux qui ont méprisé sa Loi, ceux qui ont haï les fidèles de Dieu, leurs âmes ne pénétreront pas dans les demeures éternelles; dès cet instant, elles se mettront à errer dans les supplices, toujours tourmentées et affligées, et elles passeront par sept sortes de souffrances. Une première sorte de souffrance parce qu'elles ont rejeté la Loi du Très-Haut. Une seconde sorte, parce que ces âmes ne peuvent plus opérer une véritable conversion afin de vivre. Une troisième sorte: elles verront la récompense réservée à ceux qui ont cru dans les alliances du Très-Haut. Une quatrième sorte: elles observeront le supplice qui leur est réservé pour les derniers temps. Une cinquième sorte: elles verront comment les anges gardent, dans un profond silence, les demeures des autres âmes. Une sixième sorte: elles verront de quelle manière elles passeront dorénavant par le supplice. Une septième sorte de souffrance, enfin, qui dépassera toutes celles précédemment mentionnées: elles défailleront de confusion, se consumeront de honte et se flétriront d'effroi en voyant la Gloire du Très-Haut devant Lequel elles ont péché, leur vie durant, et devant Lequel elles devront être jugées dans les derniers temps (7, 78-87).

2. Le deuxième thème qui a pu servir à transformer la littérature apocalyptique en une littérature de peur est celui des signes avant-coureurs de la fin du monde. La première partie du 4° Esdras porte précisément comme titre: Livre des Signes (3,1-9,25). Ces signes avant-coureurs sont décrits à trois reprises dans le livre d'Esdras (4,51-5,13; 6,11-25; 8,63-9,6) et évoqués brièvement dans la vision du Fils de l'homme (13,31).

Si donc le Très-Haut accorde un sursis à ta vie, tu verras alors après trois périodes le pays en désarroi. Le soleil brillera tout à coup pendant la nuit et la lune pendant le jour. Du sang ruissellera des arbres; les pierres crieront. Les peuples se soulèveront, les régions célestes seront dans la confusion; et vient alors pour dominer celui que les habitants de la terre n'attendent pas. L'oiseau émigre; la mer de Sodome engendre des poissons et crie pendant la nuit avec un voix que beaucoup ne comprennent pas mais que beaucoup entendent. En de nombreux endroits la terre s'ouvre: le feu s'en échappe pendant de longs instants. Alors les bêtes sauvages délaissent leur tanière, les femmes enfantent des monstres. Dans l'eau douce on trouve tout à coup du sel... Ces signes, j'ai eu commission de te les dire; mais si, priant et pleurant, tu jeûnes sept jours, tu entendras encore des signes plus considérables que ceux-ci (5,4-13).

Ces signes avant-coureurs de la fin des temps sont vraiment fantastiques! Ils sont beaucoup plus développés que ceux que l'on rencontre dans le Nouveau Testament. Ils provoqueront la peur, parce que, à chaque époque troublée de la chrétienté, des prédicateurs zélés chercheront des correspondances entre ce qu'ils observaient de leur temps et les signes bibliques annonciateurs de la fin du monde. Ce qui était décrit sous forme imaginaire trouvait confirmation dans le réel; le réel étant d'ailleurs, parfois, plus effrayant que l'imaginaire apocalypticien.

3. Le troisième thème qui contribuera à faire de l'apocalyptique une littérature de peur est celui du petit nombre des élus. Ce thème, mentionné en passant dans les Évangiles (*Mt* 7,13s; 22,14) est longuement développé, et à plusieurs reprises, dans la troisième vision d'Esdras (8,1-9,22). Esdras demande comment la bonté de Dieu est conciliable avec la perdition des pécheurs. Et l'ange lui répond: «Ce monde, le Très-Haut l'a fait pour beaucoup; le monde à venir pour peu. Je te proposerai, Esdras, une parabole. Interroge la terre et elle te dira qu'elle enfante beaucoup de poussière sans valeur, d'où est faite l'argile, et peu de poussière de valeur, d'où vient l'or. Il en est de même de l'oeuvre de ce monde: beaucoup ont été créés, mais peu seront sauvés» (8,1-3). Et, plus loin, l'ange expliquera que c'est en raison des oeuvres des hommes que le grand nombre sera perdu: «Je considérai le monde et voici qu'il était perdu. Je contemplai le globe et il était en danger à cause des agissements des habitants. Je regardai et j'en épargnai peu. J'épargnai un seul grain d'une nappe et une plante d'une grande forêt. Périsse donc la multitude qui est née en vain, et que soit gardé mon grain, ma plante, eux que j'ai parfaits avec grande peine (9,20-22).

Pourquoi la littérature apocalyptique qui est d'abord une littérature de salut est-elle devenue, au cours des siècles, une littérature qui fait peur? La réponse ici apportée n'est pas complète; il eut fallu, en effet, considérer l'ensemble des écrits et notamment les Apocalypses de Pierre et de Paul; il eut fallu étudier l'influence de cette littérature sur la pensée religieuse des siècles subséquents. Deux raisons néanmoins semblent avoir joué: tout d'abord les thèmes qu'elle développe: le jugement, l'au-delà, les signes avant-coureurs de la fin des temps, le petit nombre des élus, puis, le sort des élus et des damnés. Ces thèmes, que l'on rencontre également dans le Nouveau Testament, furent objectivés par des prédicateurs zélés. Ce que l'apocalyptique annonçait sous forme imaginaire et mythique prenait soudain corps dans leurs discours; le feu purificateur devenait lieu de purification, comme l'a montré J. Le Goff; l'Anté-Christ, grâce aux regards perçants de quelques prophètes, revêtait à chaque siècle, les dépouilles de quelque grand et méchant homme; chaque époque et génération voyaient défiler sous leurs yeux les signes avant-coureurs de la fin du monde; l'image devenait réalité; le mythe, sécularisé. Pourquoi cette transformation? Par attrait pour le fascinant, le merveilleux? Par besoin d'objectivation, presque immanent à l'esprit humain? Par besoin, tout simplement, de faire peur? Les raisons sont multiples, et il faudrait un Michel Foucault ou un Jacques Le Goff pour pouvoir les analyser; et ce serait, sans nul doute, passionnant...

Et pourtant, en soi, l'apocalyptique n'a pas pour but de faire peur. Elle est consolation, espérance. Elle est, comme il a été dit au début, tension entre la détresse présente et le salut promis et espéré: tension qui est appel, désir, beaucoup plus que crainte. Pour la comprendre, il faut vivre dans son écho, écouter la résonnance de son appel, de ce qui est absent, lointain, mais parvient encore jusqu'à nous. «Nous ne compterons jamais les pas de l'absence, mais cependant nous les entendons distinctement... comme les sourds battements dans le coeur ou la poitrine, comme d'une langue morte, l'écho captif de quelque vocable» [13]. Cet écho qui, par les apocalypticiens, parvient jusqu'à nous, résonnant à partir de l'endroit, là-bas, vers lequel pourtant il se dirige, est l'appel, hors de toute crainte, du *Marana tha*: Viens, toi qui es notre Seigneur!

13. E. JABÈS, cité dans le journal *Le Monde*, le 25 février 1983, p. 13.

L'apocalyptique médiévale: Joachim de Fiore et les tensions eschatologiques

Yvon-D. Gélinas

Vers 1112, le clergé de l'Église d'Utrecht envoie une lettre à l'archevêque de Cologne, Frédéric, pour le remercier d'avoir arrêté un certain Tanchelm et ses disciples immédiats. La lettre expose les méfaits attribués à Tanchelm et résume le contenu de sa doctrine: il a séduit des foules en s'attaquant à la valeur des sacrements et en dénonçant les impuretés de l'Église.

> Il prétendait, y lit-on, que l'Église résidait seulement en lui et dans les siens: cette Église que le Christ avait reçue du Père, ces nations qu'il avait en héritage, les limites de la terre qu'Il a en sa possession, cet individu tentait de les ramener aux seuls tanchelmistes [1].

La lettre se termine par un plaidoyer contre ces hérétiques:

> S'ils étaient relâchés, nous vous prévenons et nous vous annonçons sans ambage de la destruction irrémédiable de notre Église et du malheur d'un grand nombre d'âmes... Leur parole, suivant l'Apôtre, se glisse comme le venin du serpent et tue les âmes des

1. *Traiectenses Fridericum I archiepiscopum Coloniensem hortantur, quos cepit, Tanchelmum haereticum...*, éd. PH. JAFFÉ, dans: *Monumenta Bambergensia,* Berlin, 1869, p. 296; trad. franç. CLAUDE CAROZZI, dans: *La Fin des temps,* Paris, 1982, pp. 78-79.

> simples après les avoir séduites. À présent aussi, et dans ce but, notre Antéchrist... s'est transformé en ange de lumière pour tromper d'autant mieux qu'il aura plus habilement simulé l'apparence de la sainteté [2].

Remontons plus haut dans le temps; on trouve déjà vers 590 une situation semblable que Grégoire de Tours nous décrit dans son *Histoire des Francs*. À cette époque:

> une grande famine accabla les Angevins, les Nantais et les Manceaux. C'est, en effet, selon la parole du Seigneur dans l'évangile, le commencement des douleurs. Il y aura, dit-il, des pestes, des famines et des tremblements de terre en divers endroits, et il s'élèvera de faux Christs et de faux prophètes et ils feront des signes et des prodiges... comme cela s'est produit dans le temps présent [3].

Dans ce contexte, un homme frappé de folie se présente sous l'aspect d'un moine, donne l'exemple de la prière et de la pauvreté:

> Pour l'égarer l'ennemi lui accorda le don de la divination... Il franchit les frontières du Gévaudan en se donnant pour un grand personnage et sans craindre de déclarer qu'il était le Christ... Une foule de gens affluait vers lui et lui présentant des malades... Il prédisait également l'avenir et présageait à certains des maladies, à d'autres des malheurs, à bien peu un avenir heureux [4].

Et Grégoire conclut cet épisode:

> D'ailleurs c'est dans toutes les Gaules qu'ont surgi de nombreux hommes qui au moyen de semblables sortilèges s'adjoignaient de petites femmes qui professaient dans leurs orgies que ces hommes étaient des saints; eux-mêmes se présentaient aux populations comme de grands personnages [5].

Si maintenant l'on en vient à parcourir ce qu'écrit l'inquisiteur dominicain Bernard Gui, au XIVe siècle, à propos des sectes des Apostoliques, on retrouve des doctrines similaires, les mêmes prétentions de sainteté, les mêmes vices attribués soit à

---

2. *Id.*, p. 299; trad,: *id.*, p.82.
3. GRÉGOIRE DE TOURS: *Histoire des Francs*, tome II. Traduit du latin par ROBERT LATOUCHE, Paris, 1965, p. 304.
4. *Id.*, p. 305.
5. *Id.*, p. 306.

Gérard Segarelli, de Parme, ou à Dolcino de Novare [6]. Le climat est aussi semblable avec ses allusions à l'Antéchrist et la mention du danger que représentent ces foules abusées par des faux messagers de l'évangile qui vont répétant: Faites pénitence, le Royaume des cieux est proche. Foules qui n'étaient pas que composées de gens simples, illettrés, attirés par la débauche, comme aimeraient le faire croire et le croire les clercs qui les dénigrent. On trouvait là aussi des nobles, des marchands, des femmes de haute naissance, même des clercs. Les faux prophètes peuvent aussi être présentés comme fous ou débauchés, il n'en reste pas moins qu'ils étaient souvent des clercs, prêtres ou moines, lettrés et savants.

Ces trois exemples se situent à trois époques: VIe, XIIe et XIVe siècles. Ils sont cependant des témoins d'un ensemble plus vaste qui va, presque sans interruption ou éclipse, du VIe s. à la veille de la Réforme. Ces témoins parlent tous de dangers présents ou futurs, et par conséquent de peur, surtout d'une peur qui apparaît en présence d'un soi-disant Antéchrist, nous rappelant ainsi que si le moyen âge a connu de nombreuses peurs; peur des phénomènes naturels, des disettes, de la peste, des gens de guerre, et aussi peur des démons et du péché; cette peur s'est souvent cristallisée autour de l'idée de fin des temps. Et cette peur-là a été le moteur de comportements aussi bien individuels que collectifs, et les textes évoquent l'apparition et le diffusion de mouvements religieux, de type populaire, liés à la peur et à l'idée de fin du monde. Mais ces textes sont le fruit de l'action des lettrés, des clercs, des hommes d'Église, distincts des illettrés, de la masse analphabète des fidèles qui fournit des adeptes à ces mouvements. Les lettrés ont charge d'éclairer et de diriger la masse inculte dont la foi est peu ou mal informée. À ce niveau les textes témoignent donc d'une peur réfléchie qui cherche à interpréter, dissiper ou convertir une peur spontanée qui menace de conduire à l'hérésie.

D'emblée nous voilà entrés dans le vaste domaine de l'apocalyptique médiévale. Domaine confus, complexe, ambigu, que nous allons survoler dans son ensemble, en nous attardant toutefois à la figure centrale de Joachim de Fiore. Avant d'aller

6. Cf.: BERNARDI GUIDONIS, *De secta illorum qui se dicunt esse de ordine Apostolorum*, éd. et trad. par G. MOLLAT, dans: *Bernard Gui: Manuel de l'inquisiteur*, t. II, Paris, 1927, pp. 67-119.

plus loin cependant, il nous faut procéder à quelques brèves remarques qui vont éclairer notre démarche.

1. Observations préliminaires

Faut-il préciser le sens du terme «apocalyptique»? Faut-il distinguer entre apocalyptique et eschatologie? Duprè Theseider [7] a proposé, en fonction des manifestations médiévales de ces deux phénomènes, différents critères de distinction. En regard du jugement porté sur la fin des temps, la fin de l'histoire du monde, l'eschatologie s'attache davantage à la phase terrestre, historique, des événements de la fin; l'apocalyptique pour sa part examine surtout la phase supra-terrestre, anhistorique, théorique de l'événement. De même lorsqu'il s'agit d'aborder la lecture de l'Apocalypse de Jean, l'eschatologie se contente souvent d'une interprétation générique, alors que l'apocalyptique procède avec un littéralisme plus appuyé, s'attachant à l'examen de chacune des images, cherchant à solutionner toutes les énigmes des nombres et des figures. En pratique, il est difficile d'isoler dans la production littéraire médiévale, des cas nets d'apocalyptique ou d'eschatologie. Il est même difficle de préciser si une époque est plus attentive à l'apocalyptique ou à l'eschatologie. Je crois qu'il est plus utile de retenir ici l'expression «tension eschatologique» employée par Duprè Theseider [8], et c'est en ce sens que nous emploierons les termes apocalyptique ou eschatologie. La tension eschtologique est un climat général, un sentiment ou un état d'esprit, récurrent et résurgent, qui est fait d'espérance et de crainte à l'idée de la fin, de désir de comprendre, de contrôler l'événement, qui souvent fait appel aux visions millénaristes, qui périodiquement pousse à l'action collective.

Deux composantes majeures de cette tension sont à relever. Tout d'abord on y retrouve le goût et la curiosité qu'a eu le moyen âge pour la recherche et l'identification des sens cachés de l'Écriture. Il faut d'abord reconnaître les signes, les figures, les types qui sont enfouis sous la lettre par volonté divine. Puis, il faut les interpréter; partant des faits annoncés obscurément

---

7. DUPRÉ THESEIDER, E.: «L'attesa escatologica durante il periodo avignonese», dans : *L'attesa dell'età nuova nella spiritualità della fine del medioevo*, Todi, 1962, pp. 71-73.

8. *Id.*, pp. 68-70.

qui ont déjà été accomplis on en vient à découvrir une clef, un système qui permet de prévoir les faits encore inédits mais eux aussi déjà annoncés. On procède ainsi à une sorte de dévoilement progressif d'une révélation déjà toute donnée mais non encore totalement ouverte à l'intelligence.

Ensuite, le goût pour la périodisation de l'histoire en général, de celle de l'Église en particulier. Il s'agit de découper l'histoire en âges, phases, périodes, d'en mesurer les durées, d'en étudier les mécanismes de succession, pour essayer de projeter sur le futur, et partant vers la fin des temps, ce qui a été découvert à propos du passé. Il y a là conviction de l'unité de l'histoire qui se déroule en un sens précis, conviction que l'histoire ne saurait être un donné inerte, indifférent, privé de signification pour celui qui y est engagé ou en est le témoin. Désir aussi de découvrir le mystère de la volonté divine caché sous la temporalité, tentative de pénétrer d'intelligence l'histoire humaine.

En liaison avec ces deux composantes, lecture des signes et interprétation du temps historique, se découvre l'importance de l'interprète. Qu'il soit commentateur de l'Écriture, prédicateur charismatique ou directeur des consciences, il devient dans la tension eschatologique celui qui fait fonction de prophète, révélant la signification du passé et annonçant le futur, dévoilant la réalité de ce qui jusqu'à lui était demeuré caché.

2. Du VIe au XIIe siècle

Jusqu'au XIIe siècle, l'apocalyptique médiévale procédera selon deux voies qui demeureront assez rigoureusement parallèles. La première voie, dominante dans l'institution ecclésiastique, de type pessimiste et ascétique, aspire au jugement final, ultime purification et justice rendue aux fidèles. La seconde voie, présente une apocalyptique plus marginale, comme souterraine, qui n'émerge qu'à l'occasion de crises collectives, de type millénariste, espérant un temps terrestre de paix et de bonheur principalement matériel.

La première voie est surtout le fait de «*litterati*». Elle correspond à une certaine eschatologie devenue pratiquement officielle dans l'Église. C'est celle qui reprend à peu près la position d'Augustin au Livre XXe de la *Cité de Dieu*. La venue de l'Antéchrist et le règne terrestre du Christ et des élus sont identifiés à l'Église actuelle aux prises avec des crises et des opposants, mais engagée en même temps dans l'effort de réforme, de rénovation de ses membres et de sa discipline. Cette position trouvera un renforcement dans la réforme grégorienne. Le plan divin, tracé de toute éternité, ne peut s'accomplir. Le maintien de l'ordre social et ecclésial établi apparaît alors comme le garant le plus sûr contre les épreuves de la fin. Cette tendance de l'apocalyptique entraîne un pessimisme profond face au monde actuel voué à la disparition en tant que tel. Reste cependant l'intérêt pour la lecture des signes et la périodisation, puisque l'usage qui sera fait du temps présent conditionne la situation à occuper dans l'éternité.

La plupart des grands commentateurs de l'Apocalypse de Jean se rattachent à cette tendance, que ce soit, dans l'Espagne du VIIIe s., Beatus de Liebana, ou, au XIIe s., dans la région du Bas-Rhin, Rupert de Deutz. Certains textes, comme la célèbre lettre d'Adson de Montier-en-Der sur la venue de l'Antéchrist [9], écrite vers 954, attachent une certaine importance à l'identification des maux et des figures, mais pour les mettre en relation avec des faits passés. Cependant, même Adson reste très prudent et assez vague sur les signes de la venue de l'Antéchrist et sur la nature de l'épreuve finale qu'il repousse d'ailleurs dans un avenir indéfini. Notons à ce propos que jusqu'à la fin du XIIe siècle les apocalypses se contentent généralement d'identification génériques des figures et des types. Significatif est ce passage d'Adson lorsqu'il parle de l'Antéchrist:

> Cet Antéchrist a de nombreux ministres de sa malignité qui déjà l'ont précédé en ce monde, tels Antiochus, Néron et Domitien. Maintenant aussi, à notre époque, nous savons qu'il y a beaucoup d'Antéchrist. Quiconque en effet, laïque, chanoine, ou même moine, qui vit à l'encontre de la justice et combat la règle de son Ordre et blasphème ce qui est bien, est un Antéchrist et un serviteur de Satan [10].

Cela revient constamment, chez Rupert de Deutz par exemple: les persécuteurs, les disciples de l'Antéchrist, ce sont ceux qui refusent la réforme grégorienne. Ce qui revient à dire que l'on est déjà entré dans la phase finale et qu'il faut désor-

---

9. ADSO DERVENSIS: *De ortu et tempore Antichristi*, Turnhout, 1976 (*Corpus Christianorum, continuatio mediaeualis*, XLV).

10. *Id.*, p. 22.

mais attendre le retour définitif du Christ. On rejoint ainsi un des buts de l'apocalyptique qui est d'apaiser et de consoler les justes en les invitant à l'espérance.

Après le XIIe siècle, on abandonnera volontiers cette sobriété. Parmi les signes fréquemment mentionnés, retenons comme exemple la mort de Louis IX et la chute de Tripoli qui marquent le début de l'épreuve finale et le déchaînement de l'Antéchrist qui doit d'ailleurs venir d'Orient. De même, Frédéric II, cet empereur qui a vécu en milieu arabe, que l'on soupçonnait d'athéisme occulte, de pratiques de magie, est un bon candidat au titre d'Antéchrist. Autre fait troublant: la papauté d'Avignon et la cour pontificale de Jean XXII ne seraient-elles pas ce Gog et Magog de l'Apocalypse? Mais ces attitudes viendront plus tard, pour l'instant restons-en à cette période du VIe au XIIe s. et voyons la seconde voie de l'apocalyptique.

Cette seconde voie ou tendance se manifeste dans l'agitation périodique des foules qui cherchent à échapper à l'ordre établi où elles sont mal à l'aise, y trouvant difficilement leur place. Aidées par le courant de la réforme grégorienne, ces gens appellent le passage à un état meilleur, traduisant de la sorte une certaine impuissance devant les événements du temps présent. Ici les pratiques pénitentielles ont la part assez large, témoignant d'une crainte d'inadéquation face au jugement final et aussi d'un pessimisme marqué à l'égard du monde.

Les groupes tanchelmistes évoqués au début illustrent bien cette tendance. De même ces groupes hérétiques dont parle le prieur prémontré Eberwin de Steinfeld dans sa lettre à Bernard de Clairvaux, lettre rédigée aux environs de 1144[11]. Un trait à retenir de cette description des groupes d'Apostoliques de Cologne: leur souci de détachement à l'égard des biens de ce monde et le sentiment qu'ils sont la vraie Église puisque l'autre a trahi l'exemple des Apôtres par ses compromissions mondaines.

11. *P.L.* 182, col. 676-680. Bernard de Clairvaux a traité du problème de l'hérésie, en partie en réponse à cette lettre, dans les «Sermones in Canticum Canticorum», sermones 65, 66, *P.L.* 183, col. 1080-1102. Il est intéressant de noter que dans le sermon 66, Bernard reproche aux hérétiques de refuser de prier pour les morts, niant ainsi la possibilité d'une rémission des fautes après la mort, parce qu'ils refusent d'admettre l'existence d'un lieu et d'un espace intermédiaire entre la mort et le jugement final.

Encore ici sentiment d'être déjà entré dans la phase finale de l'histoire du monde et d'appartenir au groupe des élus auquel un règne terrestre de bonheur et de paix a été promis. La composante millénariste est d'ailleurs largement présente dans tous ces courants populaires d'apocalyptique.

Les clercs chercheront constamment, en présence de ces tensions apocalyptiques marginales, facilement anarchiques, à ramener les phénomènes à leurs propres normes. On fait alors rentrer ces mouvements dans le cadre connu de l'hérésie, en insistant sur le rôle des puissances diaboliques en tout cela, comme sur la présence en ces groupes des désordres de l'esprit et des moeurs. On crée ainsi une nouvelle peur qui est saine puisqu'elle ramène dans l'orthodoxie et y conserve ceux qui seraient tentés de s'en écarter. D'ailleurs toute hérésie n'est-elle pas partie intégrante d'un plan divin secret, étant l'épreuve par laquelle sera éprouvée et purifiée la foi des fidèles?

3. **Joachim de Fiore**

Jusqu'au XIIe siècle, la tension eschatologique se vivra donc selon l'une ou l'autre de ces deux voies qui de manières différentes traduisent une même frayeur face à l'idée de fin des temps et surtout face à la perspective des épreuves qui doivent précéder cette fin. Notons aussi que, encore une fois de manières différentes, ces deux voies recherchent une assurance et une consolation qui peuvent dissiper la peur; d'un côté l'assurance sera trouvée dans la fidélité à l'orthodoxie doctrinale, de l'autre côté, l'on cherche à se consoler dans des visions millénaristes encore confuses. Ces deux voies toutefois ramènent toujours le croyant aux promesses du Christ, promesses de triomphe pour les élus. Le problème devient alors de se donner la certitude d'appartenir au groupe des élus.

Joachim de Fiore va bouleverser cette situation, sans doute sans avoir conscience d'agir en ce sens, en présentant une sorte de synthèse de ces diverses attitudes. Il voudra rester fidèle à l'Église et en un sens lui assurera une revalorisation sur le plan historique, tout en ramenant, sur le mode utopique, l'ancien millénarisme à un mode nouveau d'intervention divine dans l'histoire du monde. Ses positions, complexes et souples, permettaient de respecter à la fois l'institution et d'intégrer par une conception originale de la «*reformatio*» des aspirations qui risquaient de verser du côté de l'hérésie.

Le personnage même de Joachim est un curieux amalgame, finalement assez cohérent et équilibré, du réformateur de type grégorien et du prophète dans le cadre de la tension eschatologique. Né en Calabre, au sud de l'Italie, vers 1135, il passera une partie de sa jeunesse en Sicile, à la cour de Palerme. Converti, au sens, médiéval du terme, il voyagera en Terre Sainte pour revenir en Calabre, au monastère bénédictin de Corazzo, dont il deviendra abbé après 1171. Plus tard il travaillera à incorporer son monastère à l'ordre cistercien, représentant de la plus saine réforme dans le cadre du monachisme bénédictin. Ceci l'amènera, en 1183, au monastère de Casamari, près de Rome. Là une expérience religieuse, de type mystique, liée à la compréhension de l'Écriture, le lancera sur la voie de l'apocalyptique. Joachim a décrit la démarche qu'il a suivie pour pénétrer le sens de l'Écriture. Retiré dans la solitude, il lit, réfléchit, compare, les textes, jusqu'au moment où l'intuition intérieure lui permet d'atteindre presque soudainement et immédiatement à la compréhension et à l'intelligence. Démarche qu'il compare à un pèlerinage: le départ vers un lieu encore mal connu, les difficultés du voyage, la perception d'abord confuse des lieux, et, finalement, en pleine clarté, la vision du but atteint [12]. Ce mode de connaissance ne saurait être qu'intellectuel, car la pleine saisie par l'intelligence ne peut être confondue avec la seule possibilité d'exprimer verbalement et charnellement un objet connu; elle doit s'accompagner de la sensation, en soi, de la flamme de la grâce spirituelle [13].

C'est alors qu'il rédige ses oeuvres majeures: *Expositio in Apocalypsim* et *Concordia Veteris ac Novi Testamenti* [14]. Il acquiert par la suite une véritable réputation internationale qui

12. *Psalterium decem chordarum*, éd. Venezia, 1527, ff. 227-227v.

13. *Tractatus super quattuor euangelia*, éd. Buonaiuti, Roma, 1930, pp. 189-190.

14. *Concordia Novi ac Veteris Testamenti*, éd. Venezia, 1519; *Expositio in Apocalypsim*, éd. Venezia, 1527. La bibliographie concernant Joachim est abondante; on trouvera les renseignements utiles dans: BLOOMFILED, M.: «Joachim of Flora: a critical survey...», dans: *Traditio*, XIII(1957)249-311, et dans la mise à jour par ce même auteur: «Recent scholarship on Joachim of Fiore and his influence», dans: *Prophecy and millenarism, essays in honor of Marjorie Reeves*, London, 1980, pp. 21-52.

l'amène à rencontrer les papes Lucius III et Alexandre III; il séjournera d'ailleurs à la cour de ce dernier comme conseiller au sein d'un groupe cherchant à élaborer un traité de paix avec l'empereur germanique. En 1190, il fonde un ordre nouveau, à San Giovanni in Fiore, en Calabre. Comme abbé de cet ordre il sera en contact avec les grandes figures politiques du temps, Richard Coeur de Lion, l'empereur Henri IV, l'impératrice Constance, le jeune Frédéric II. Il mourra en 1202.

Sa pensée est dominée par trois thèmes: l'interprétation de l'Écriture, le mystère de la Trinité, l'interprétation de l'histoire dans la perspective de la fin du monde. Pour Joachim, l'histoire du monde est l'image et le reflet, dans le temps, du mystère trinitaire. D'où trois âges ou états: l'âge passé, âge de la Loi, âge du Père, qui va d'Adam à la venue du Christ; l'âge présent, âge de l'Évangile, âge du Fils, qui va du Christ à la fin du XIIe siècle; l'âge à venir, âge où sera levé le voile de la lettre, âge de l'Esprit, qui va de la fin de XIIe siècle à la consommation des temps. Chaque âge connaît des phases successives: trois pour les deux premiers: début (*initiatio*), maturation (*fructificatio*), décadence (*defectio*); le dernier des âges ne connaît que deux phases: l'*initiatio* et la *fructificatio*. Il y a progression qualitative d'un âge à l'autre. La force dynamique de l'histoire conduit à une spiritualisation constante de la société humaine, allant des hommes charnels du premier âge, à la plénitude dans la liberté de l'Esprit au troisième. Joachim découvre ce schème de l'histoire dans l'Écriture par une méthode originale et spécifique d'interprétation. Pour lui, l'exégète est prophète en ce qu'il dévoile le sens caché sous la lettre. Il le fera en mettant en parallèle les faits et personnages de l'Ancien et du Nouveau Testament, puis en comparant rigoureusement les figures typiques, les situations, les générations. Par cette méthode les deux premiers âges sont dévoilés; le troisième sera annoncé par une projection sur l'avenir de ce qui a été vécu depuis la venue du Christ et l'établissement de l'Église visible. Il n'y a pas à proprement parler de succession d'un âge à l'autre, mais chaque état ou âge nouveau naît du précédent et commence son développement dans le cadre de cette période qui tout à la fois le précède et l'engendre. Ainsi s'il prévoit pour les environs de l'année 1260 l'apparition du troisième âge, celui-ci est déjà commencé au moment où il écrit vers 1195. Cet âge est d'ailleurs à la fois le fruit du premier et du second âge, les deux concourant à son engendrement. Il y a ainsi distinction nette en même temps que compénétration des trois âges, reflet du mystère trinitaire: distinction et unité des personnes. Cette disposition permet d'expliquer la présence d'éléments dépassés, voire réactionnaires, au moment de la première phase d'un âge nouveau: ces éléments semblent devoir compromettre l'âge nouveau dans la phase d'*initiatio* mais il seront résorbés au moment de la *fructificatio*.

Le troisième âge qui nous intéresse surtout ici est donc partie intégrante du devenir historique humain et du plan divin intemporel. Vécu sur terre, il n'est pas un retour vers l'âge d'or, le passé, ni la seule vision eschatologique du jugement final. Âge à venir, mais déjà présent et agissant. Il s'agit en fait d'une divinisation progressive de l'histoire humaine par élévation de niveau. Entre l'âge de l'Esprit et la fin des temps, l'histoire humaine rentre dans l'éternité. Le jugement et la fin des temps ne constituent pas la conclusion de l'histoire mais le passage d'un mode d'éternité à l'autre.

Concrètement, l'âge nouveau aura visage d'une société monastique portée à sa perfection. Il ne s'agit pas d'une révolution par rapport à la situation présente, mais d'un saut qualitatif; non pas diversité de croyances ou de pratiques, mais diversité d'usages et de mode d'être, «*accepta meliori forma*», «*Commutatio in melius*. Joachim annonce ainsi la permanence de l'Église et des sacrements, ce que contestaient les apocalyptiques dissidentes, mais d'une Église spiritualisée, libérée de toute contamination politico-mondaine. De même l'ordre social et politique sera aussi sous la conduite de l'Esprit, entièrement voué à la recherche de la paix et de l'unité. Ce troisième âge correspondra à l'ouverture du septième sceau de l'Apocalypse de Jean; ce sera, dit Joachim, un sabbat, un temps bienheureux, semblable à la solennité pascale.

Il faut rappeler ici que l'apocalyptique de Joachim est loin d'avoir encore été étudiée de manière complètement satisfaisante et qu'il est impossible de le faire ici. L'absence d'une édition critique de l'oeuvre littéraire de Joachim explique en partie cette situation, mais c'est surtout la complexité et la plasticité de la pensée joachimienne qui oblige à procéder encore à des études de détails avant d'esquisser une synthèse [15]. Un élément impor-

15. Voir à ce propos: MANSELLI, R.: «Giocchino da Fiore e la fine dei tempi», dans: *Storia e messagio in Gioacchino da Fiore*, Napoli, 1980, pp. 431 ss. Voir aussi: MOTTU, H.: *La Manifestation de l'Esprit selon Joachim de Fiore*, Neuchatel, 1977.

tant de cette apocalyptique doit cependant être ici mentionné, c'est celui de l'Antéchrist qui se dédouble en deux temps. D'abord un premier Antéchrist, symbolique et spirituel, puis celui de la fin des temps. Ce dernier, incarnation satanique, apparaîtra au moment de la connection entre le temps et l'éternité, moment qui sera celui de la condamnation de Babylone. Pour Joachim, Babylone n'est pas uniquement la désignation de l'Orient, lieu traditionnel de l'apparition de cet Antéchrist, mais surtout l'ensemble de méchants qui s'exposent, par choix de mode de vie, au jugement de Dieu [16]. Lors de la lutte finale, cette Babylone sera détruite et les fidèles échapperont à la ruine, conduits par le Christ rédempteur. C'est du moins ce que l'on semble être en droit de déduire de ce qui est dit à propos du cheval blanc et de celui qui le monte «celui qui est mort pour nous et nous a racheté par son sang» [17]. IL est à noter que le jugement final est alors situé aux derniers temps et qu'il fait ainsi partie de l'histoire terrestre.

Cette interprétation de l'Apocalypse de Jean marque un tournant dans l'apocalyptique médiévale. On peut même y voir la synthèse de l'idéal monastique et de l'espérance millénariste. Elle retient les éléments essentiels de l'apocalyptique: lecture des signes et des figures, périodisation. Sa nouveauté est de transformer le pessimisme à l'égard du monde et la crainte de l'épreuve finale en la certitude joyeuse d'une ultime et radicale mutation du monde qui sera bénéfique. En ce sens, l'apocalyptique de Joachim était l'occasion d'évacuer bien des peurs. Ainsi la lecture des signes qui antérieurement conduisait à prévoir le début de l'épreuve finale et de la venue de l'Antéchrist, étaient générateurs de peurs; ils sont désormais à identifier à la crise marquant la fin de second âge et annoncent la naissance de l'âge nouveau. Cela peut sembler s'inscrire dans la lignée des «*litterati*» et chercher à maintenir l'ordre établi. Cela vaut si l'on s'en tient à la description de la «*renovatio*» de l'Église et de la société. Cependant son insistance sur la radicale spiritualisation de la société est directement opposée aux réalités contemporaines, devenant ainsi incitation au changement, à faire advenir le futur. Cette critique est aussi un ferment révolutionnaire qui trouvera son point d'émergence à la fin du XIIIe siècle. Il serait

16. *In Apoc.*, ff. 198-199.
17. *In Apoc.*, f. 207.

intéressant de voir ici la dimension utopique du message joachimien. C'est dans cette dimension que prend place la critique du présent et la présentation d'un modèle possible. C'est une utopie qui «provoque l'imagination prospective à la fois pour percevoir dans le présent le possible ignoré et pour orienter vers un avenir neuf» [18]. À propos de la critique ecclésiale et sociale de Joachim, comme de l'apocalyptique dont elle est un aspect, il faut remarquer qu'elle est le résultat de l'observation du milieu humain que le moine calabrais a connu. L'Italie du sud avec ses relents de féodalisme et ses guerres incessantes, l'état de l'Église et surtout du monachisme qui même dans ses manifestations les plus rigoureuses et les plus audacieuses ne pouvait éviter l'engourdissement, ne pouvaient que provoquer un esprit mystique et réformateur comme celui de Joachim.

L'influence de Joachim fut considérable de son vivant comme après sa mort. Il devenait tout aussi impossible de l'ignorer que de négliger l'Apocalypse de Jean. Ses écrits furent lus et diffusés, commentés souvent aussi en des sens contraires à la pensée de leur auteur. Ce que rendait inévitable la complexité de cette pensée plus imaginative que structurée. Un point surtout était fréquemment retenu: le moyen d'identifier, à l'aide de cette oeuvre, la figure de ce pape idéal, que plus tard Roger Bacon appellera «Pasteur angélique», qui devait présider à l'Église après le triomphe sur le premir Antéchrist. On en vient vite à reconnaître ce pasteur en la personne de Célestin V, le pape démissionnaire, emprisonné par Boniface VIII. Cependant une crise majeure vint arrêter la diffusion du joachimisme. Le IVe Concile de Latran condamnait, en 1215, la critique de Joachim sur la théologie trinitaire de Pierre Lombard. L'oeuvre entière devenait ainsi suspecte aux yeux de plusieurs. À cela il faut ajouter le zèle intempestif de certains disciples. Ce fut une mauvaise manoeuvre de leur part que de diffuser les critiques que Joachim avait adressées à la scolastique naissante. Provoqués, les nouveaux maîtres en théologie avaient beau jeu de démontrer les faiblesses de l'herméneutique de l'abbé de Fiore. Mais le plus mauvais service rendu fut sans contredit la publication, en 1254, par Gerardo de Borgo San Donnino, franciscain, enthousiaste du joachimisme, de *L'Introduction à l'Évangile*

18. PAUL VI: «Lettre apostolique «Octogesima adveniens» du 14 mai 1971, dans: *Documentation Catholique,* 68(1971)509.

éternel. Gerardo y expliquait que non seulement l'année 1260, date de l'inauguration du troisième âge, marquerait l'abrogation de l'Église officielle, mais qu'alors l'oeuvre de Joachim remplacerait définitivement l'Ancien et le Nouveau Testament. Nul besoin d'autres ennemis quand on a de tels disciples.

Enfin arriva cette année 1260 et rien ne vint changer le cours des événements. Déçus, plusieurs abandonnèrent leurs croyances et leur confiance en l'apocalyptique de Joachim. D'autres firent remarquer, avec raison, que cette date n'est pas si clairement indiquée par Joachim lui-même; mais qui voulait désormais les entendre? Cependant le moine calabrais conserva des disciples qui se consolaient, par le récit de visions notamment, en se disant qu'un temps viendrait où l'authentique pensée et le sérieux des prophéties de Joachim seraient reconnus et redeviendraient opérants.

4. **Après le XIIe siècle.**

Ce temps d'ailleurs faillit venir à l'occasion de la crise qui devait déchirer l'ordre franciscain, aux environs de 1280-1330. Le conflit portait sur la pratique de la pauvreté selon l'esprit de François d'Assise. Ceux qui tenaient pour la plus rigoureuse pauvreté, les Spirituels, nous intéressent par l'usage qu'ils firent de l'apocalyptique joachimienne. Retenons la figure du toscan Ubertino de Casale qui vécut de 1259 à 1330. Prédicateur remarquable, chapelain de l'influent cardinal Orsini, il composa, en 1305, l'*Arbor Vitae Crucifixae Iesu*[19]. Comme d'autres spirituels notamment Pierre Jean Olivi ou Ollieux, Ubertino appliquait à l'ordre franciscain ce que Joachim prévoyait de la société monastique du troisième âge. Les disciples de François, les vrais, les Spirituels, n'étaient-ils pas ces hommes nouveaux qui vivaient de la liberté de l'Esprit, persécutés par ces faux chrétiens, disciples de l'Antéchrist. Poursuivant les identifications, domaine où Joachim s'était montré prudent, Ubertino va même jusqu'à reconnaître en Boniface VIII et Benoît XI, papes opposées aux Spirituels, deux aspects de cet Antéchrist qui retarde la pleine émergence de l'âge nouveau. Cette terrible crise des Spirituels et des Conventuels est d'ailleurs un témoin éloquent de la continuelle tension eschatologique au moyen âge.

---

19. éd. Andrea de Bonettis, 1485; surtout: Lib.V, cap. I.

L'apocalyptique médiévale poursuivra sa marche sur cette lancée. D'un côté, retour à l'eschatologie traditionnelle, avec un accent de plus en plus prononcé sur l'aspect individuel du jugement final, avec insistance sur la préparation pénitentielle sacramentaire et ascétique en vue de cette épreuve. Ce courant sera renforçé par la scolastique qui, sous l'influence de l'aristotélisme, s'éloignera de plus en plus de la lecture des signes, du sentiment d'urgence de la fin, pour s'interroger abstraitement sur le comment du passage du temps créé à l'éternité intemporelle [20]. D'un autre côté, la tension eschatologique se réfugiera encore plus en des mouvements religieux populaires, de type pénitentiel, comme celui des flagellants, ou en des évasions millénaristes dans la lignée des Frères du Libre-Esprit ou dans celle, quasi-révolutionnaire, du type des Apostoliques de Dolcino de Novare. La venue, aux XIVe-XVe siècles, de la grande peste, nourrira beaucoup ces mouvements.

Typique à cet égard est la situation en Allemagne, au XIVe siècle, à la veille de la Réforme. Trois faits majeurs y favorisent la tension eschatologique: la corruption de l'Église de Rome, avec son immense appétit d'argent, la faiblesse de l'Empire menacé par les Turcs, les soulèvements populaires, notamment chez les paysans [21]. Tout cela montre le vieillissement du monde, la fin des temps, et invite à se tourner vers les anciennes prophéties millénaristes «pour en sortir».

6. Conclusions

Mais arrêtons ici ce survol, forcément schématisé presqu'à l'excès. Les témoins interrogés, même rapidement, sont éloquents. Ils laissent entrevoir aussi quelles orientations auraient révélées ceux qui furent laissés dans l'ombre. Le temps est venu de poser la question: en tout cela où la peur, et quelle peur?

Que toute cette apocalyptique témoigne d'un climat d'angoisse sinon de peur, cela semble bien évident. Il est peut-être mieux d'ailleurs de parler d'angoisse plutôt que de peur, puisque la peur naît de la présence d'un danger identifiable, alors

20. À propos de l'influence de l'aristotélisme sur l'eschatologie scolastique, voir: GREGORY, T.: «Sull'escatologia di Bonaventura e Tommaso d'Aquino», dans: *Studi Medievali*, 6(1965)77-94.
21. MCGINN, B.: *Visions of the end*, New York, 1979, pp. 270-276.

que l'angoisse vient justement de la difficulté à préciser le danger dans une situation perçue vaguement comme menaçante. Cette distinction entre angoisse et peur est empruntée à Jean Delumeau dans son étude sur le phénomène de la peur en occident[22]. Dans l'apocalyptique médiévale la perspective de la fin du monde ne saurait générer la peur puisqu'elle fait partie d'un plan divin dont la bonté et la rationalité ne sauraient être mises en doute. D'ailleurs l'idée même de retour du Christ est généralement présentée comme une délivrance des malheurs temporels et le triomphe de la justice. Ce qui fait problème et mène à l'angoisse ce sont les événements qui accompagneront la fin, le quand et le comment de cette fin. D'où l'importance de la lecture des signes précurseurs, de l'identification, dans le temps vécu, des acteurs du drame. Le calcul en vue de préciser la date de l'événement est aussi commandé par ce souci de faire la lumière sur ce drame de la fin, et ce calcul est également générateur d'angoisse. Du résultat de cette lecture des signes et de l'identification des temps et moments, la peur naît. Cette peur vise des objets qui prennent un visage repérable: Antéchrist, empereur des derniers jours, pasteur angélique, guerre finale, jugement. La peur conduit aussi à prévoir mieux pour être prêts et si possible conjurer l'événement en étant assez fort pour résister ou assez juste pour échapper à la condamnation. Cette peur finalement se nourrit d'elle-même. Il y a intérêt chez certains à l'entretenir pour maintenir l'état de vigilance, maintenir aussi l'ordre reconnu et établi, seul garant officiel du salut.

On peut parfois espérer trouver ailleurs ce salut. Et c'est le rôle de tant de mouvements religieux populaires qui prétendent garantir à des groupes choisis l'heureuse traversée des épreuves de la fin, parce que pour plusieurs la pratique officielle est demeurée trop abstraite ou semble trop éloignée d'eux, réservée à un monde de clercs et de moines où il n'est pas loisible d'entrer. Les conduites millénaristes, qui mériteraient un traitement spécial, se rattachent à cette sorte de garantie contre les dangers et aident à évacuer la peur. L'apocalyptique de Joachim pouvait apparaître aussi comme un remède à la peur en présentant une réévaluation du sens de l'histoire et une rénovation de l'espérance chrétienne. Mais là encore les limites mêmes de la pensée

---

22. DELUMEAU, JEAN: *La Peur en Occident (XIVe-XVIIIe s.)*, Paris, 1978, pp. 13-17.

et de l'oeuvre du moine calabrais n'apportaient pas la solution adéquate, de même que la complexité de l'oeuvre la maintenait éloignée des masses populaires. Après cet effort de solution, la peur reprit ses droits, favorisée par les échecs inhérents à ces systèmes de défense et par la répression qu'ils suscitaient, cette peur qui en vint à être reconnue comme salutaire puisqu'elle incitait à travailler à «faire son salut».

Finalement cette apocalyptique médiévale témoigne également d'un autre type d'angoisse ou de peur. Faute de mieux, je la décrirais comme un malaise en présence du temps historique. Ce temps, voulu par Dieu, quelle est sa signification par rapport à un terme? Épreuve? Tentation? Comment l'utiliser? Comment des gestes posés dans un temps humain limité peuvent-ils avoir tant de répercussions dans une éternité supra-terrestre, intemporelle? Faut-il alors l'ignorer ce temps, le fuir à la manière de l'ermite ou du moine? Faut-il se résigner à le voir constamment se répéter à la manière d'une roue de fortune jusqu'au jour où brusquement le créateur y mettra fin, ou au contraire a-t-il un sens, direction et signification, qui inéluctablement conduit à la fin? La réponse à ces questions se trouve-t-elle dans une espérance abstraite qui laisse sans solution les événements du jour actuel, ou bien dans un effort de déchiffrement qui est une invitation aussi à l'utiliser ce temps devenu condition de l'éternité bienheureuse? Voilà formulé en une série de questions ce malaise face au temps historique qui a été perçu de manière diffuse, parfois dramatiquement, et qui a été vécu de façons diverses selon les époques tout au long du moyen âge.

Comment ne pas voir que ce problème est aussi de toutes les époques, à travers l'histoire de l'humanité jamais complètement absente chez bien des individus, cette angoisse face au temps semble redevenir collectivement opérante de ces périodes où la dimension des crises de toutes sortes lient la question des sens de l'histoire au sens de l'existence elle-même. Problème sans solution qu'il faut peut-être accepter de porter comme tel, ou bien, pour le chrétien, problème qui renvoie au sens de l'espérance. Si l'historien peut voir cette question posée avec acuité dans la tension eschatologique au moyen âge, il doit avoir cependant la prudence de laisser à d'autres, philosophes ou théologiens, l'examen des solutions.

L'apocalypticien d'aujourd'hui a-t-il peur?

Maurice Boutin

S'interroger sur la peur et l'apocalyptique dans le cadre d'une rencontre qui a pour thème: «N'ayez pas peur», c'est rien moins qu'une invitation à ne pas devenir apocalypticien. Encore faut-il se demander comment situer la peur dans l'apocalyptique actuelle, et peut-être même si peur il y a.

Cette dernière question semble ne pas faire problème. Spontanément, on pense que l'annonce de la fin imminente du monde ne peut qu'engendrer un climat de peur et provenir elle-même de la peur. Mais peut-on conclure de l'objet apparemment central du discours apocalyptique actuel, que la peur serait comme sa tonalité profonde? À quel manque le renouveau apocalyptique des dernières années renvoie-t-il ceux qui seraient tout disposés à le ramener sans plus à une sorte de peur panique? Chose certaine en tout cas: autant chez le texan Hal Lindsey que pour les apocalypticiens québécois Jean-Paul Régimbal, Eric M. Renhas de Pouzet et Jacques Paquette, l'annonce de l'imminence de la fin des temps n'est pas un message de peur, mais au contraire un message d'espoir, et même de joie

Il serait toutefois superficiel et prématuré de conclure pour autant que l'apocalypticien actuel réussit à bannir la peur de sa vie. Ce qu'on peut dire, c'est que l'annonce d'une fin des temps imminente n'est pas en rapport direct avec la peur, bien que les assurances répétées qu'une telle annonce n'a rien d'apeurant (chez Régimbal par exemple, dans ses quatre conférences de 1974 sur le thème de la Parousie) pour les vrais croyants peuvent faire surgir certains doutes. L'apocalypticien d'aujourd'hui jouerait-il donc à celui qui chante dans la nuit pour se prouver à lui-même qu'il n'a pas peur et tenter d'habiter l'obscurité, ne serait-ce que par l'écho de sa propre voix?

Il n'est pas possible, faute de temps, d'examiner les positions d'apocalypticiens comme Maurice Châtelet ou Pierre-Jean Moatti qui s'inspirent moins directement de la Bible que les apocalypticiens qui retiendront ici notre attention et qui, selon toute apparence, sont les principaux responsables du renouveau apocalyptique au Québec: Hal Lindsey, Jean-Paul Régimbal, Éric M. Renhas de Pouzet et Jacques Paquette. Il est possible que d'autres apocalypticiens actuels accordent une plus grande place à la peur dans leur discours et donnent dans un alarmisme de pure démagogie. Mais ces cas taillés sur mesure lorsqu'il s'agit de s'interroger sur la peur dans l'apocalyptique actuelle risqueraient de masquer la complexité du langage apocalyptique lui-même.

Cette complexité peut être considérée sous les angles suivants: l'apocalypticien actuel se donne pour tâche une double annonce; il pratique une double lecture; il est habité par un sentiment d'impuissance radicale; enfin, le texte biblique n'est pour lui rien d'autre qu'une grande forme vide. À l'aide de ces quatre repères, examinons comment il serait possible de situer la peur dans l'apocalyptique actuelle.

1 - Une double annonce

Les apocalypticiens qui retiennent ici notre attention annoncent essentiellement deux choses: d'une part, la fin imminente de l'ordre présent du monde qui s'enfonce de plus en plus, et irrémédiablement, dans le chaos, la fin de l'avant-dernière grande période de l'histoire humaine; et d'autre part, le début d'une 7e et dernière période historique avant la destruction totale et définitive de ce monde, et l'absorption complète de toute l'histoire humaine dans l'éternité de Dieu. Cette dernière période sera inaugurée bientôt par le retour visible, physique, et terrestre du Christ. Ce retour signe la destruction à peu près complète de l'ordre présent et marque l'instauration du règne visible du Christ pour une durée, réelle ou seulement «symbolique» (Régimbal), de mille années.

Même du point de vue des apocalypticiens qui retiennent ici notre attention, la fin définitive du monde n'est donc pas pour bientôt. Auparavant, il «faut» que le Christ règne visiblement sur toute la terre depuis Jérusalem, qu'il instaure son gouvernement mondial sur les ruines du gouvernement mondial actuel de Satan et de ses suppôts. S'il y a place pour la peur dans le discours apocalyptique actuel, ce ne peut donc être que pour ce qui concerne l'état présent des choses. Ce qui domine, c'est toutefois l'espoir de régner bientôt avec le Christ revenu sur terre si l'on a radicalement opté, dès aujourd'hui, pour lui et son règne. Ceux et celles qui le font seront miraculeusement épargnés de la Grande Tribulation précédant immédiatement l'instauration du règne visible et mondial du Christ sur terre.

L'hypothèse à examiner est la suivante: dimension secondaire de l'apocalyptique actuelle, la peur prend racine dans la ferme conviction que le monde actuel échappe complètement à la maîtrise humaine. L'apocalypticien comprend une chose: qu'il n'y a plus rien à comprendre à ce monde si l'on s'en tient aux seules lois internes de son organisation et de son évolution. C'est pourquoi les apocalypticiens actuels sont généralement aussi, bien qu'à des degrés divers, des anti-évolutionnistes.

2 - Une double lecture

Tant sur le plan socio-politique qu'économique et technique, le monde actuel a d'ores et déjà dépassé un seuil tolérable de complexité. On ne s'y reconnaît plus, c'est déjà le chaos. «Regardez simplement le Québec depuis dix ans, et voyez où nous en sommes, de dire Régimbal en 1974: le plus grand progrès qu'on a fait sur le plan de l'éducation, c'est qu'au lieu de perdre la foi en première année d'université, on la perd en première année de polyvalente. On la perd plus vite, c'est tout!»

À défaut de comprendre le chaos actuel du monde en ayant prise sur lui, il est toujours possible de déchiffrer ce chaos au moyen d'une double lecture. Dit dans une formule concise empruntée à Régimbal: «Je prends mon *Apocalypse* d'une main et le *Time Magazine* de l'autre; c'est étonnant comme il y a des correspondances!» En effet, comme le dit Hal Lindsey, la Bible est le meilleur livre d'histoire qu'on puisse jamais trouver (p. 143). Tout y est écrit: non seulement l'histoire du peuple élu, ancien et nouveau, mais tout particulièrement et surtout l'histoire présente.

Un exemple récent: la rubrique «Lettres au *Devoir*» publiait en date de samedi, 24 septembre 1983, la réaction suivante à un article sur la situation actuelle en Lybie paru deux jours auparavant et signé par Michel Solomon:

> La libre opinion de M. Michel Solomon sur Lybie (*Le Devoir* du 22 septembre) est très intéresante mais ne devrait pas intriguer outre mesure l'auteur, puisque tout le comportement du «pion le plus avancé de la puissance militaire soviétique» est parfaitement décrit dans la Bible, pour l'époque où nous sommes.
>
> Le prophète Daniel précise que, au temps de la fin, Lybiens et Kuschites seront à ses pieds... Aux pieds de qui? Mais de la Russie, laquelle, dans Ézéchiel, prend le nom de Gog — le pays barbare qui doit apporter les dernières épreuves au monde.
>
> Malheureusement, le monde reste aveugle, combat Reagan au lieu d'Andropov, brandit des pancartes pour la paix, lesquelles ne servent qu'à camoufler les jeux diaboliques des suppôts de Kadhafi.
>
> Que M. Solomon, homme de vérité, il me semble, n'oublie jamais d'ouvrir sa Bible... en lisant son journal, et rien ne l'étonnera, même pas l'indifférence du monde qui court à sa propre perte.

Est-ce là la réaction de quelqu'un qui a peur? On peut avoir raison d'en douter. En décrivant par avance et de manière précise la situation actuelle au Moyen-Orient, la Bible permet de comprendre cette situation et offre aussi une orientation pour l'action. Rien ne peut étonner quiconque s'adonne à une lecture simultanée de la Bible et du journal. Cette lecture simultanée libère de l'aveuglement qui empêche d'apporter tout son appui à l'Amérique de Reagan et de se conformer, même à l'âge nucléaire, à l'adage romain: «*Si vis pacem, para bellum*», forgé dans une perspective de guerre plutôt très conventionnelle, c'est le moins qu'on puisse dire.

Si c'est du côté de l'interprétation du chaos actuel qu'il faut chercher des traces éventuelles de la peur dans le discours apocalyptique actuel, il faudra donc pousser l'investigation plus avant vers ce que le langage apocalyptique aujourd'hui ne dit pas explicitement. Les apocalypticiens qui retiennent ici notre attention ne font pas peur; ils aident à comprendre. Et même s'il leur arrivait de céder à la tentation de faire peur pour convaincre, ils ne feraient par là que débusquer une peur cachée qu'une lecture scientifique de la Bible laisse, quant à elle, à peu près intacte.

On ne peut déceler des traces de la peur dans l'apocalyptique actuelle que par l'examen des processus mis en place dans le but de détecter les puissances à l'oeuvre dans le chaos présent et d'en identifier les véritables acteurs. Méthode indirecte donc, qui exige une attention constante au langage apocalyptique lui-même, et surtout à la manière dont fonctionne le texte biblique dans ce langage. C'est par ce biais, me semble-t-il, qu'on pourrait éventuellement arriver à situer, avec quelque succès, la peur apocalypticienne.

3 - Un sentiment d'impuissance radicale

Comme l'hypothèse formulée plus haut le suggère, cette peur tient d'un sentiment d'impuissance radicale: non seulement l'incapacité de pouvoir changer quoi que ce soit à la situation actuelle, mais encore l'impossibilité même de comprendre ce qui se passe et ce qu'«on» est en train de faire de nous.

Ce sentiment d'impuissance peut engendrer une peur bien réelle, mais qui provient peut-être de l'absence d'un horizon qui, seul, permettrait d'accéder à la compréhension du monde présent. On s'en souviendra, la nécessité d'un horizon dans le processus de compréhension a été fortement souligné par la phénoménologie. L'accès direct aux choses et même leur utilisation, la rencontre d'autrui et les rapports avec autrui sont possibles seulement de par autre chose que les choses, qu'autrui, que le sujet connaissant. Bref, ils sont possibles par ce qu'on appelle un horizon de compréhension qui fonde l'intentionnalité, le tendre-vers. En l'absence présumée d'un tel horizon, c'est l'angoisse et la peur qui s'installent: tout devient menaçant, de toutes les directions, à tout moment.

Pour mettre à distance cette menace obscure et constante, il faut, pense l'apocalypticien, lui donner plus de profondeur, c'est-à-dire reporter les tendances inhérentes au monde d'aujourd'hui et les forces en présence dans l'ordre actuel des choses sur un ailleurs qui marque en même temps aussi le présent et le proche avenir.

Comment parvenir à comprendre la complexité du monde actuel? De deux manières constamment imbriquées l'une dans l'autre: en dénonçant cette complexité comme chaotique et précipitant le monde actuel vers la catastrophe prochaine, et en considérant cette complexité comme simple phénomène de surface relié à une structure profonde dont les pôles sont Dieu et Satan. Loin d'être disjonctifs, ces pôles sont au contraire inséparables: impossible de croire authentiquement en Dieu sans croire aussi à Satan qui est «vivant et qui se porte bien sur la planète terre» (H. LINDSEY, *Satan Is Alive and Well on Planet Earth*, Grand Rapids, Mich., 1972).

L'opposition Dieu-Satan est essentielle à l'apocalypticien. Ce dernier n'a pas peur de Satan, il a peur de la complexité; il ne pense la comprendre qu'en la dénonçant et en la réduisant à l'action de Satan, d'où l'efficace certain du discours apocalyptique actuel. Ce processus de dénonciation et de réduction est commandé obligatoirement par une option radicale pour le Christ qui revient bientôt sur terre, et pour son règne mondial.

4 - Le texte biblique, une grande forme vide

Pour donner sens à la complexité croissante du monde actuel, il faut disposer d'un cadre de référence capable de recevoir, ou d'être rempli par des situations et phénomènes perçus d'emblée comme manifestations d'un chaos grandissant. Cette grande forme vide, elle existe: c'est le texte biblique, qui dit d'avance tout ce qui se passe aujourd'hui sous nos yeux et tout ce qui doit se passer d'ici le retour imminent du Christ sur terre, et même jusquà la fin du monde — la vraie celle-là, totale et définitive. À cette grande forme vide qu'est le texte biblique correspond, comme de juste, un contenu sans forme, chaotique donc, de soi incompréhensible et partant, d'autant plus menaçant qu'on n'a pas une foi authentique. Ce contenu chaotique, c'est l'histoire, présente et prochaine.

Si l'apocalypticien actuel a peur de quelque chose, ce n'est pas de la fin imminente de l'ordre présent; c'est plutôt de la confusion, de la désorientation, et de la complexification croissante du monde. À tout cela, il faut non pas tant opposer un texte biblique simple, enfin libéré du fatras philologique et archéologique et herméneutique de ceux qui prennent un malin plaisir à rendre ainsi la Bible muette sur la condition humaine présente; il faut surtout relier la complexité de surface du monde actuel au texte biblique qui, en retour, trouve à coup sûr dans l'époque actuelle son contenu authentique.

Par exemple, ce n'est pas la Rome impériale persécutrice des chrétiens à la fin du premier siècle qui retient l'attention de l'apocalypticien actuel qui lit l'Apocalypse de Jean; c'est bien plutôt la Rome... du Traité de Rome signé le 25 mars 1957 et instituant le Marché Commun d'Europe. Le chiffre de la Bête, sans lequel on ne peut ni acheter ni vendre (*Ap* 13,17)? Mais il n'y a qu'à constater la prolifération des cartes de crédit ces dernières années, et l'uniformisation croissante des transactions qui en résulte! Les sauterelles dont parle *Ap* 9,7-10, et dont le bruit des ailes ressemble au vacarme de chars aux multiples chevaux se livrant au combat? Ce que Jean a vu n'est rien d'autre que des avions de chasse modernes; il les décrit comme il peut, de tels engins de guerre n'existant pas de son temps. Sur ce point comme sur bien d'autres d'ailleurs, Régimbal n'est aucunement original. Ces versets de l'Apocalypse sont interprétés dans ce sens au moins depuis les années 40 dans la littérature apocalyptique. Dans son livre *Prophéties face à la science,* en traduction française (Editions Sand, 1983 — original allemand: Genève, Ed. Ariston 1981), le géophysicien JOSEF GIEBEL cite le livre de BERNHARD PHILBERTH, *Prophétie chrétienne et énergie nucléaire* (*Christliche Prophetie und Nuclear-Energie*, Stein, Ed. Christiana, 1972), qui commente la vision de Jean en ces termes:

> Jean voit les escadrons de destruction descendre du ciel et s'abattre sur les hommes comme les nuées de sauterelles se posent sur les champs. Avec la forme de ses ailes et de sa cuirasse, avec la rigidité et l'éclat métallique de sa carapace, avec la nature de son comportement et de son vol, la sauterelle ressemble plus à l'avion que n'importe quel autre animal capable de voler. Il voit le revêtement métallique des avions, et le compare à l'équipement des chevaux de combat. Il voit la carlingue métallique percée de jours, et la compare à des couronnes qui ressemblent à de l'or. Il voit le pilote regarder à travers la carlingue et reconnaît le visage de l'homme — l'idée selon laquelle c'est ici l'*homo sapiens* lui-même qui agit dans son uniforme de pilote d'avion ne semble pas lui être venue à l'esprit, et serait aussi gro-

> tesque du point de vue antique. Il voit des traînées de condensation comme un enchevêtrement de minces fils de nuage le long des lignes d'ionisation des particules de gaz qui se chargent électroniquement, et les compare à des cheveux de femme. Il voit les cannelures et les crénelures dans la carlingue, et les compare à des dents de lion. Il reconnaît les alliages de métaux légers du recouvrement de l'avion dans leur constitution métallique semblable au fer mais remarque qu'ils se distinguent du fer. Il entend le bruit énorme des rouages qu'il assimile au battement des ailes, et le compare au bruit de nombreux chars d'assaut entrant dans la bataille. Il voit les tubes des armes de bord comme des queues et des dards, et ressent que c'est précisément de ceux-ci — comme de la queue d'un scorpion — qu'est expulsée la substance qui nuit aux gens et les fait souffrir (Giebel 1983, p. 147).

Ces trois exemples reliés respectivement aux domaines politique, économique et technologique montrent que l'apocalypticien actuel ne récuse aucunement le rapport à l'histoire. Mais il procède à un investissement unilatéral du texte biblique par l'histoire. C'est précisément cela, son littéralisme: prendre le texte biblique «à la lettre», c'est s'adonner à son hyperactualisation, jusque dans les moindres détails, dans et pour les temps «décisifs» que nous vivons présentement.

Si l'apocalypticien actuel a peur de quelque chose, c'est de l'imprévisible, de l'aléatoire. Il a peur non pas de la complexité croissante du monde actuel, mais de ne pas comprendre cette complexité même dont le développement interne semble échapper radicalement à la maîtrise humaine. L'autolégitimité d'un monde de plus en plus «mondanisé», la «*weltliche Welt*» célébrée presque dans les «théologies du monde» depuis le milieu des années 60, apparaît dans la perspective apocalypticienne comme un vain bavardage, le fruit d'une naïveté stupéfiante. Les tendances négatives et destructrices qui travaillent le monde présent ne font pas peur à l'apocalypticien. Ce monde, il l'abandonne à lui-même d'autant plus allègrement qu'il sait, à l'instar de saint Paul, non seulement que «ce monde-ci est mauvais», mais encore qu'«elle passe, la figure de ce monde», bientôt remplacée par le gouvernement mondial du Christ revenu sur terre.

Quand on sait lire la Bible, il n'y a aucune raison d'avoir peur. Seuls les «branleux», dit Régimbal, ceux qui hésitent encore à opter clairement pour le Christ-qui-revient, ceux qui cherchent par tous les moyens à confiner le texte biblique dans son propre passé, à le complexifier à un point tel qu'il devient quasi impossible d'en faire le cadre rassembleur des phénomènes et situations de notre époque, seuls ceux-là ont bien raison d'avoir peur puisqu'ils dissocient ce qui ne peut qu'aller ensemble: un texte biblique qui dit le tout de notre époque, et notre époque qui en est le seul et unique contenu véritable, même sans le savoir le plus souvent.

Quiconque opte dès maintenant pour le Christ-qui-revient et pour son règne mondial n'a pas de raison d'avoir peur; il a toutes les raisons d'espérer. C'est l'axiologique du langage apocalyptique actuel qui fonde et inspire *directement* une éthique de la conversion. «De toute manière, écrit Lindsey, l'histoire poursuit inéluctablement son cours vers le retour du Christ — et de plus en plus rapidement semble-t-il. Êtes-vous prêts?» (p. 207). C'est à partir de ce rapport fondamental entre l'éthique et l'axiologique qu'on peut ensuite tenter de situer la peur en la reliant à l'intertextuel à l'oeuvre dans le langage apocalyptique. L'intertextuel, c'est-à-dire l'occurrence de plusieurs textes dans un même espace discursif et le rapport réciproque de leurs divers éléments (le «*sum-ballein*»), est le pôle positif, pour ainsi dire, de l'axe secondaire formé par le pulsionnel et l'intertextuel. Si la tension dans le rapport fondamental éthique-axiologique (conversion ou option — pour le Christ-qui-revient) est de l'ordre à la fois historico-objectif et historico-existentiel, la tension sur l'axe secondaire comportant les pôles pulsionnel et intertextuel est proprement d'ordre heuristique. Mais ici, impossible de comprendre sans se convertir au Christ-qui-revient. Quand nous sommes ainsi «*bene radicati et fundati in Christo Jesu*», comme le dit Régimbal, alors — et alors seulement — nous devenons capables de mettre en place tous les éléments cognitifs permettant de faire échec à l'incompréhension du monde actuel et à la peur qu'elle peut engendrer.

Grande forme générale et vide, le texte biblique est aussi forme mouvante, constamment engrossée par des contenus qui lui son pourtant propres à mesure que l'histoire présente progresse vers sa destruction et son remplacement par le règne mondial du Christ revenu sur terre; un règne qui, au demeurant, aura assez peu de choses à voir avec l'Église-institution. Le discours apocalyptique actuel parasite et subvertit, à des degrés divers selon les appartenances confessionnelles et culturelles, le discours officiel, «magistériel», des Églises. Mais il subvertit tout autant l'imaginaire de l'apocalypticien en donnant parfois dans un mauvais goût certain, comme c'est le cas surtout chez les apocalypticiens québécois Jean-Paul Régimbal, Éric M. Renhas de Pouzet et Jacques Paquette (Lindsey, quant à lui, est beaucoup plus «sobre»). On peut le constater, par exemple dans les mises en scène concernant l'enlèvement de l'Église — entendons: des «vrais croyants» — chez Régimbal, ou encore dans la manière dont ce dernier décrit diverses possibilités qu'à la tête de l'Eglise, on puisse avoir éventuellement un «faux pape» qui aurait toutes les apparences de la légitimité; ou encore dans la remarque cinglante de Paquette à l'endroit de «chefs religieux d'aujourd'hui supposément chrétiens» et du «savoir diplômé» de beaucoup de théologiens: «Même les simples animaux qui n'ont pas les diplômes ni les connaissances théologiques de ces dirigeants religieux, attendent, eux, le retour du Christ sur la terre pour rétablir la paix et l'harmonie» (p. 128). Un dernier exemple founi par Renhas de Pouzet laisse loin derrrière les plans de sécurité en cas de catastrophes que la ville de Montréal a rendus publics, même si ces «conseils pratiques pour le Jour de Yahvé» datent de 1974:

> Avant de passer outre et de s'ouvrir aux perspectives plus souriantes qui suivront les «Jour de Yahveh», il ne messied pas de présenter quelques conseils. Maints survivants parmi nos contemporains connaîtront ce jour attendu, prévu, annoncé depuis plus de trois millénaires. Quelle contenance avoir? Avant tout rester calme, regretter nos péchés, demander pardon à Dieu, accepter tout, se tourner vers le Seigneur. Aider et soutenir les autres. Trève de gémissements, pleurnicheries ou lamentations, cela ne servirait de rien. Répéter doucement la prière de Jésus illustrée par le récit du pèlerin Russe, prière d'une merveilleuse efficacité: «Jésus, Fils de Dieu, ayez pitié de moi pécheur». Ne vous lassez pas. À cette heure dramatique, elle en rescapera beaucoup de la perdition éternelle, tandis que les trois quarts au moins de l'humanité survivante périront.
>
> Selon une impressionnante convergence de prophéties privées, dont il sera question dans le Tome II, la grande tribulation trouvera sa dimension maxima d'horreur au moment que de finir. Les humains ont rejeté la Lumière du monde. Trois jours et trois nuits de totale obscurité envelopperont la planète. Lors, demeurez en prière dans vos maisons, car l'épouvante et la mort régneront au dehors. Ne sortir sous aucun prétexte. Bon ou mauvais,

qui se risquera dehors périra, bien que le sort éternel sera tout différent pour l'un et pour l'autre. Même blottis au creux de leur maison, les impies impénitents mourront et seront ensevelis en enfer. Avec stupéfaction et horreur, ils expérimenteront alors l'existence de ce monde invisible auquel ils ne croyaient pas, et dont ils se gaussaient. Faites honneur au Dieu vivant et au Christ qui vient. Soyez calmes, humbles et contrits, tandis que la colère du Saint d'Israël déferle sur le monde. Priez seuls ou avec les autres. Ayez votre Bible et consultez-la. Peut-être aussi serait-il intéressant d'avoir à proximité ce tome I sur l'*Imminence de la Parousie*. Ainsi, chacun pourra se rendre compte de la manière dont s'accompliront ces prophéties, rectifier les inexactitudes et combler les lacunes. Le tome II aura paru d'ici là. Ayez-le aussi par devers vous. Ne craignez pas enfin de prier collectivement. Méditez les mystères du Rosaire, lisez les Écritures. Si vous appartenez au mouvement charismatique, faites une réunion normale. Le Très-Haut vous enverra des messages. Parlez, priez en langues, l'Esprit sera avec vous. Il galvanisera vos coeurs. Vous rayonnerez de joie, et votre prière sauvera de fieffés impies.

Priez la Vierge Marie, notre Mère céleste. Avec elle entrez dans les mystères de Jésus. Membres d'une Armée de Marie ou non, priez-la. Offrez tout l'ennui que vous ressentez pour l'expiation de vos péchés et la conversion des pécheurs. Le Seigneur va offrir encore sa lumière une fois ultime, oui, la dernière fois à un grand nombre. Plusieurs peut-être avant que de périr accueilleront la lumière de Jésus. Il sera grand temps, mais pas trop tard. Par dessus tout, paix et joie. Le Seigneur vient. Le Royaume s'instaure. Ne vous énervez pas, ce serait fatigant pour les autres. Au contraire, semez ici et là la Parole de Dieu. Priez, éclairez, encouragez. Ne craignez pas de dire qu'il s'agit de la purification planétaire, le fameux «Jour de Yahveh» attendu depuis deux millénaires et demi. Oui, éclairez les autres. Évitez de fumer, c'est mauvais pour la santé et incommodant pour les gens de la maison, qui ont interdiction d'ouvrir les fenêtres. Ne cherchez pas non plus à prendre des photos du dehors, car la colère de Dieu est sacrée. Par contre, entre les temps forts de prière, aucun inconvénient à jouer aux échecs ou aux dames en guise de détente. Oui, relaxez dans l'attente joyeuse... Le Christ est tout proche, il revient avec une grande puissance et une grande majesté.

S'il est possible ayez une provision d'eau et un peu de nourriture, des cierges bénis, car aucune lumière ne fonctionnera, hormis la leur, enfin ne vous souciez nullement de ce qui va se produire à la fin de cette effrayante purification. Dieu y pourvoira. Les lendemains chanteront, car le Christ redescend maintenant pour établir son règne terrestre de paix, de justice et de sainteté. En attendant, n'ayez pas la naïveté de chercher à capter un poste de radio ou de télévision. Les perturbations cosmiques seront telles qu'il n'en saurait être question. Contemplez plutôt la Sainte Face du Saint Suaire de Turin. Ce sera plus utile pour vous et pour les autres en ces circonstances. Attendez tout du Sauveur, rien des journaux du lendemain. Il n'y en aura pas (pp. 338-341).

La peur ne peut être considérée, dans le discours apocalyptique, comme un thème parmi d'autres, isolable des autres thèmes et surtout des démarches discursives qu'ils inspirent. Choisir le thème de la peur comme fil conducteur d'une analyse du langage apocalyptique actuel pourrait éventuellement impliquer au moins trois choses:

- la critique impitoyable de l'imaginaire des apocalypticiens étudiés, incapables — précisément parce qu'ils auraient peur — de se rendre compte qu'il y a encore aujourd'hui bien des gens dévoués qui témoignent, dans leur tâche quotidienne, d'un surplus d'amour capable d'humaniser n'importe quel travail;
- la recherche d'une fissure profonde dans l'imaginaire des apocalypticiens étudiés, et qui proviendrait précisément de la peur;
- peut-être aussi une généralisation de la peur, dont la peur apocalypticienne ne serait qu'un cas d'espèce; ce qui reviendrait à relativiser l'apocalyptique actuelle au nom d'un sombre sentiment de fin d'époque. Mais par là, la dimension première et fondamentale de l'apocalyptique actuelle: le rapport direct entre l'éthique et l'axiologique, devrait être relativisée à son tour.

Ici comme toujours, la peur est, me semble-t-il, une bien mauvaise conseillère. Ce qui nous manque, ce n'est peut-être pas une science de l'avenir, mais bien plutôt une science du devenir. L'apocalyptique actuelle, entre autres, surgit dans l'espace de ce manque, mais sans pouvoir l'occuper.

Bibliographie

GIEBEL, JOSEF, *Prophéties face à la science*, Paris, Sand & Tchou 1983, 234 pp.

LINDSEY, HAL, avec CAROLE C. CARLSON, *L'Agonie de notre vieille planète*, Braine-L'alleud (Belgique), Éditeurs de littérature biblique, 1974, 239 pp.

PAQUETTE, JACQUES, *Apocalypse: prophéties de la fin des temps*, 1982, 236 pp. — disponible chez l'auteur a/s «L'Équipe des Jeunes Catholiques à l'Oeuvre Inc.», C.P. 410, Station 'M', Montréal, Québec, H1V 3M5, ou C.P. 3619, St-Roch, Québec, Québec, G1K 6Z7.

RENHAS DE POUZET, ÉRIC M., *Imminence de la Parousie, I: La Parole de Dieu avertit*, Québec, Garneau 1974, 359 pp.

Panique et silence chez les jeunes

En réponse au texte de Maurice Boutin

François Gloutnay

Il y a quelques années encore, le mode de vie des jeunes faisait peur aux adultes, estomaquait les aînés. Il n'était pas rare d'entendre des parents se plaindre des outrages que portaient ces jeunes écervelés à l'honneur familial conquis, disait-on, à force de courage, d'abnégation et de persévérance.

Ces jeunes ne conspuaient-ils pas une carrière toute tracée d'avance au sein d'une profession libérale où leur famille avait brillé, optant plutôt pour une existence plus simple et plus collective à la campagne? Ne troquaient-ils pas stylos et livres universitaires contre une guitare et des partitions de musique de John Lennon ou de Serge Fiori? Ne délaissaient-ils pas le costume du dimanche pour les cheveux longs, les chemises à carreaux, les robes paysannes et le jean le plus délavé possible? Leur ignorance totale du cathéchisme et des classiques littéraires n'etait-elle pas suppléée par un intérêt manifeste pour des pièces en «joual» et, même plus, des pamphlets radicaux venus de Cuba ou de Chine...

Des jeunes, ou du moins, une partie bruyante de la jeunesse, parlaient ouvertement, brisaient les tabous, exprimaient des aspirations personnelles, revendiquaient le droit à la différence dans une société, où, à leur avis, les seuls débats autorisés relevaient de l'allégeance politique entre rouges et bleus, entre libéraux et conservateurs. Une telle prise de parole faisait peur aux adultes pour qui, décidément, «ce n'était pas d'même» dans leur temps. Il se trouvait toujours quelque paternaliste pour oser dire: «laissez-leur le temps de vivre leurs expériences de jeunesse, cela passera».

On n'avait pas tort. En fait, on a réussi à récupérer les nouvelles valeurs qu'apportaient les jeunes. Plus besoin d'aller à la campagne pour cultiver ses propres légumes, des marchés saisonniers fleurissent à tous les coins de rue dans les grandes villes, des commerçants font des millions en vendant des statuettes à l'image de vedettes mortes d'une «overdose» de drogues et plusieurs de nos marxistes d'antan font du jogging à Outremont...

Ces jeunes-là avaient-ils peur? Sans doute vivaient-ils les mêmes angoisses qu'aujourd'hui. Mais le goût du défi l'emportait sur la peur. Aujourd'hui, les jeunes sortant des monstres de béton que sont les polyvalentes et les cégeps ont-ils pris le relais de la dernière génération.?

Visiblement, ces jeunes ont choisi d'autres moyens d'action, plus silencieux. Des adultes s'inquiètent même de leur mutisme. Ainsi, au beau milieu de cette crise économique qui frappait et frappe toujours les plus démunis de notre société, qui donc a élevé la voix et révélé, sur la place publique, les terribles conditions dans laquelle vivent une majorité de jeunes? Un leader issu des groupes de jeunes? Pas du tout! Ce sont les évêques du Québec qui, en septembre 1982, prenaient le parti des jeunes, dénonçaient leur misère et créaient un nouveau slogan: «la génération sacrifiée». «Nous sacrifions une génération, disaient-ils, ce sacrifice peut devenir notre propre suicide collectif.» Troublantes, non, ces retrouvailles entre des évêques et les jeunes que l'on prétendait autrefois sans morale et iconoclastes!

Mon hypothèse est la suivante: assurément, les jeunes ont peur de l'avenir. Mais à la différence de la dernière génération, ils n'entretiennent, eux, aucune illusion face à l'avenir et ce sont leurs moyens de défense contre cette impuissance qui sont nouveaux et qui déroutent maints observateurs.

Leur avenir est bloqué et ils le savent très bien. Nul besoin de lire les journaux d'une main et l'*Apocalypse* de l'autre pour s'en convaincre, nul besoin de gourous pour le leur rappeler, ils le vivent quotidiennement. Depuis des mois, des milliers de jeunes vivent le cycle travail temporaire/chômage/aide sociale. Engagés par des entreprises grâce à des subsides gouvernementaux, pour des contrats de 20 semaines, ils deviennent alors éligibles aux prestations d'assurance-chômage puis à celles du bien-être social à 149,00$ par mois. Puis il recommencent, sous l'oeil cynique de politiciens, champions au ping pong humain. Le marché du travail permanent leur est quasi inaccessible: pas d'expérience/pas d'emploi, pas d'emploi/pas d'expérience.

D'autres, plus audacieux, se sur-scolarisent, n'hésitant pas à faire maîtrise par-dessus maîtrise, en attendant que la situation économique se porte mieux ou que le virage technologique daigne aborder enfin leur spécialité. Mais, leur endettement est proportionnel à leurs années de scolarité.

L'individualisme est la seule réponse qu'apportent les jeunes à cette peur, la seule défense qu'ils possèdent. On sauve sa peau d'abord: on dénonce un collègue de travail, on refuse de passer ses notes de cours à un camarade absent, on se réfugie dans des revendications corporatistes. Ce ne sont plus les aînés qui prétendent que «jeunesse se passera» mais mes amis qui me répètent, question de se déculpabiliser, «qu'est-ce que tu veux, faut bien vivre».

Ceux qui font les frais de cette compétition se consolent avec leur *walkman* sur les oreilles. On ne tient pas à embêter les autres avec notre musique mais, surtout, on préfère ne pas entendre ce que les autres ont à dire.

Le collectivisme de l'autre génération: mort et enterré. Plus aucune cause qui vaille, plus de projets. Sa survie avant tout. On peut regretter cet état de fait mais qui donc peut lancer la première pierre? La génération précédente avait le choix entre la commune ou l'appartement, entre le notariat ou le show business, mais les jeunes d'aujourd'hui n'ont plus, eux, ce choix. Peuvent-ils, à tout le moins, influencer l'avenir? Ils n'y croient même plus...

Dans le milieu universitaire, où les revendications pour la démocratisation de l'enseignement étaient monnaie courante à la fin des années soixante, un regroupement étudiant prétend aujourd'hui qu'il serait inconcevable que tous acquièrent un diplôme. À l'Université du Québec à Montréal, l'association étudiante réfute une telle affirmation mais, depuis deux ans, elle s'est montrée incapable d'obtenir le quorum à ses assemblées pour protester contre la hausse des frais de scolarité ou exiger des réformes dans le système des Prêts et Bourses. Même une revendication telle la gratuité scolaire ne réussit plus à mobiliser.

Les groupes de jeunes chômeurs ou assistés sociaux ont peine à trouver des membres ou même des sympatisants, comme si les jeunes ne croyaient plus à ces lieux de regroupements. Autre exemple, le récent Sommet québécois de la jeunesse qui voulait permettre à quelques 1 000 jeunes d'exprimer leurs revendications, a vu plus de la moitié des inscrits désaffecter la plénière générale pour visiter la vieille capitale.

Les jeunes sont conscients mais peu politisés. En fait, ils laissent à d'autres le soin d'amorcer des réformes. Ils sont désillusionnés de l'engagement social. Peut-on, encore une fois, leur lancer la pierre? Ils ont été bernés par un parti qui, en 1976, leur promettait mer et monde et qui, aujourd'hui, les traite de paresseux et leur envoie un chèque de 149,00$ par mois. En 1980 lors du référendum, la journaliste Lysiane Gagnon parlait des étudiants pour le «oui», le «non» et le «bof»: parions qu'aujourd'hui cette tendance a le plus d'adeptes!

Lorsque la dernière génération vivait une injustice, elle écrivait un manifeste, appelait une manifestation: on aimait le bruit à l'époque. Aujourd'hui, alors que les injustices sont, on ne peut plus, flagrantes, on pose humblement les écouteurs de son *walkman* sur sa tête, on se sauve, on fuit la réalité. Nous sommes bien dociles et, à bien y penser, c'est cela qui, sans doute, fait peur aux adultes qui préféreraient nous entendre dire combien est beau l'avenir qu'ils nous ont préparé...

Ex-journaliste étudiant, M. François Gloutnay est aujourd'hui collaborateur à la revue *Relations* et, comme bien des jeunes, il subvient à ses besoins grâce à des emplois à temps partiel, notamment comme recherchiste dans un mouvement d'Action catholique et comme aide-bibliothécaire à la Ville de Montréal.

La peur chez les milieux populaires

En réponse au texte de Maurice Boutin

Guy Paiement

De l'exposé très suggestif de Maurice Boutin, je retiendrai *deux aspects*. Le premier a trait à l'*attitude* des apocalypticiens québécois. C'est l'absence de maîtrise devant l'inattendu qui expliquerait leur discours. Le second aspect est lié au premier. Dans sa conclusion, l'auteur affirme, en effet, que l'apocalyptique récente *occupe la place d'une science du devenir* qui fait actuellement défaut. Je suis fondamentalement d'accord avec ces propositions, sauf, peut-être, pour ajouter que je préfère parler plutôt d'un *art du devenir* que d'une science. Même si la science n'est pas adéquate, un certain art, une sorte d'«*aikido*» du devenir est possible.

Ma réflexion s'enracine dans une enquête participante de plusieurs années en milieu populaire montréalais. Elle s'appuie aussi sur l'analyse du journal *La Criée*, journal communautaire du Centre-Sud. Elle réfère aux études de Marcel Rioux et de son équipe sur *L'Aliénation et la vie quotidienne des Montréalais* ainsi qu'à l'enquête de ROBERT SÉVIGNY, *Le Québec en héritage*, qui est plus récente (éd. Albert Saint-Martin, 1979). Au plan chrétien, je retiens les témoignages de militants ouvriers (1983) dans l'ouvrage collectif *La Vie dans nos mots*. Enfin, je renvoie tout le monde au film de GÉLINAS, *La Turlutte des années dures* (ONF), qui a l'avantage de nous ramener jusqu'à l'époque de la crise des années 30.

Je vous propose quatre réflexions.

1. De quoi les milieux populaires ont-ils peur?

La question ainsi posée suggère que la peur pourrait être vécue d'une façon particulière par les gens des milieux populaires. Elle implique donc que l'on peut chercher le rapport entre un milieu socio-culturel déterminé et l'attitude de la peur.

À partir de cette perspective, on pourrait alors faire *l'inventaire* des peurs qui sont à l'oeuvre dans les milieux populaires: peur de ne pas rejoindre les deux bouts, peur de ne pas recevoir son chèque de bien-être ou d'assurance-chômage, peur des femmes de sortir seules dans la rue le soir, peur, chez certaines femmes et chez leurs enfants, d'être battus, peur diffuse d'une guerre nucléaire, etc. Mais je pense qu'une telle liste n'est pas propre aux gens des milieux populaires. On trouverait des peurs semblables chez les gens de milieux de classes moyennes. Rien de tellement significatif ne ressortirait.

C'est moins le relevé de toutes les peurs présentes qu'il nous faut rechercher que *les diverses façons qu'ont les gens de les combattre ou de les gérer*. De quelles façons les milieux populaires tentent-ils de gérer la peur? Quelles attitudes adoptent-ils? Même s'il est difficile de répondre de façon exhaustive à de telles questions, on pressent qu'elles permettent de *situer* une référence évangélique et que la théologie peut, par la suite, articuler sa propre démarche. Ces pratiques qui cherchent à instaurer une *rupture* avec la peur sont, en effet, porteuses de sens. Elles ouvrent le champ d'une nouvelle pratique, et ce *déplacement* fournit le matériau pour comprendre la pratique de la foi et du Dieu de Jésus-Christ dont elle se réclame.

Mais le temps ne permet pas d'analyser ici les multiples façons de gérer ainsi la peur. Je crois, d'ailleurs, que cette question est tributaire d'un *cadre socio-culturel* qui la détermine. L'assimilation plus ou moins grande de ce cadre finit par créer un *code* qui détermine la façon de réagir devant l'*inattendu* et le *non maîtrisé*, c'est-à-dire, ici, devant la peur.

Au risque de schématiser, je proposerai deux *codes*, deux *modèles* qui peuvent se dégager de ces questions de l'inattendu. Je nommerai ces deux modèles, le *modèle du cultivateur* et le *modèle du pêcheur*.

2. Deux codes ou deux modèles

2.1 *Le modèle du cultivateur*

Quand j'étais petit, je passais mes étés à la campagne, sur la ferme de mes oncles. Je les ai vus planifier avec soin le choix des terrains et des grains, le temps des semailles et le temps des récoltes, le temps de la couvée des poules, du vêlage des vaches, et quoi encore. En un mot, l'univers mental du cultivateur se comprend comme une sorte de surface définie dont il faut déterminer avec soin toutes les composantes. Son image est le *champ bien délimité avec ses clôtures*. Dans ce modèle, l'avenir doit être prévu. Le devenir aussi. L'imprévision signifie le désastre. Le laisser-aller aussi. On ne peut oublier l'heure de la traite des vaches, pas plus que le temps de la récolte de l'avoine. Il faut même planifier plusieurs sortes de productions au cas où l'une ne rapporterait pas. À un autre niveau, il faut prévoir l'établissement futur des enfants, la dot de la fille à marier, l'héritage. Qu'on se souvienne ici de l'atmosphère des romans de François Mauriac. *Le Noeud de vipères*, par exemple, où des croyants se révèlent si farouches quand il s'agit des querelles autour de l'héritage et du patrimoine. La seule façon de domestiquer la peur de l'avenir, c'est de planifier celui-ci, l'encadrer de clôtures et de défenses.

Ce que je retiens de cette esquisse, c'est que nous sommes en présence d'un code, d'un ensemble de procédures pour gérer l'inattendu et donc la peur. La peur surgira quand l'*imprévu*, une tempête de grêle, la baisse soudaine du prix du grain, la maladie d'un enfant, fera son apparition. Soulignons, au passage, que la *religion* fera spontanément partie de ces procédures pour gérer la peur. Mais, pour ce faire, elle devra se mouler sur les clôtures et les rites qui organisent la vie. Elle suivra les saisons, les rythmes réguliers du travail des gens, les répétitions. La religion contribuera ainsi à gérer l'*acquis*, la *propriété*, la *possession* du ciel.

2.2. *Le modèle du pêcheur*

Mais il existe un autre modèle, que j'appellerai le modèle du pêcheur. Ces dernières années, je suis allé plusieurs fois sur la Côte-Nord et aux Îles-de-la-Madeleine. J'ai été vivement frappé par la présence d'une autre éthique et donc, d'un autre mode de gérer l'inattendu. Aux Îles, par exemple, on ne «demeure» pas quelque part, on est «amarré». Quelqu'un est amarré au Havre-aux-Maisons ou ailleurs, avec cette connotation qu'il est bien attaché à un endroit, à un milieu, à une famille, mais qu'il peut reprendre le large. D'ailleurs, le large, la mer aux limites qui reculent sans cesse semblent situer les clôtures. Il n'y a pas, en effet, de clôtures, aux Îles, mais des «bouchures», c'est-à-dire ce qui bouche la perspective, l'ouverture vers la mer. Il en résulte une organisation du temps et de l'avenir qui est assez particulière. Le pêcheur, en effet, qui part en mer pour la pêche a sûrement prévu son travail: ses filets, ses amorces, la couleur du temps, les marées. La prévision est normale. Pourtant, il doit aussi accepter l'*imprévisible*, l'*inattendu*. Malgré toutes les préparations et les espoirs, il peut revenir bredouille. Il peut également avoir des prises plus nombreuses que prévues. Un orage peut toujours surgir à l'improviste. *Contrairement au cultivateur, l'inattendu fait partie de son mode mental, de ses habitudes quotidiennes* et la façon de le gérer sera alors très différente. Elle sera faite d'adaptation rapide, d'ajustement, c'est-à-dire d'endurance et de souplesse, de risque et de prudence.

Certes, là aussi la religion est traditionnellement présente, mais elle ne cherche pas à conserver l'acquis, comme chez le cultivateur. Elle est peuplée d'êtres spirituels, l'esprit des marins perdus en mer, l'esprit protecteur des saints et des saintes, car il est ici indispensable de maîtriser des *forces*, des *énergies*. Elle semble avoir une parenté avec les vents et les rythmes de la mer et l'essentiel est toujours de savoir *ruser* avec les éléments.

3. Les deux modèles et les milieux populaires

Inutile de souligner que les deux modèles décrits sont assez simplifiés. Ils suffiront pourtant à suggérer que la *question de la peur* sera très différente selon que l'on est *cultivateur* ou *pêcheur*. Pour revenir aux milieux populaires, mon hypothèse est la suivante. Nous aurions, dans ces milieux — en particulier montréalais —, la *prédominance du second modèle*, à savoir celui du pêcheur. Les gens de ces milieux sont, en effet, locataires à 80%. Cela signifie qu'ils ne maîtrisent pas leur milieu et leur environnement. Ils sont habitués à s'adapter à un nouveau logement et à se faire de nouveaux voisins. Ils ont l'habitude de *ruser* avec les fonctionnaires du bien-être social ou du chômage, à recycler les vêtements des enfants, à s'entraider collectivement quand survient un incendie, une mortalité ou l'accident d'un enfant. Ils savent s'ajuster aux multiples partis politiques qui leur font mille promesses. Bref, ils sont moins surpris par les soubresauts de la crise économique actuelle que d'autres. Ils ont développé un *art de survivre*, une *capacité de s'adapter à l'intolérable* qui comporte aussi des façons de gérer la peur. Or, c'est à souligner, ces façons sont ici inséparables d'une *action à entreprendre*, d'un geste à poser avec d'autres. À la limite, comme dans *La Turlutte des années dures*, quand il n'y a plus rien à faire, on contestera encore la situation en inventant une chanson ou un air de musique à bouche, comme si l'on voulait conserver ainsi l'initiative et exprimer le besoin de dépasser les «bouchures».

4. **Pour une théologie des signes**

Inutile de dire que mon hypothèse ne peut évidemment pas se vérifier chez tous les gens des milieux populaires. Au contraire, je soupçonne que la clientèle des apocalypticiens québécois se recrute aussi chez les personnes de ces milieux. Mais ces dernières ont bien des chances d'être précisément les enfants des anciens *cultivateurs* qui n'ont jamais pu accepter d'être *ballottés et plongés* dans les flux et les reflux de la ville.

Si cette piste se vérifiait, il faudrait alors conclure qu'il n'est pas du tout suffisant de *démystifier* les apocalypticiens. Il faut encore proposer *un art de lire le devenir* et *le devenir historique*. Pour parler en théologien, il est ici nécessaire de promouvoir une *théologie des signes des temps*. Quand on a peur de l'avenir et qu'on est tenté de mépriser le présent ou de le mettre entre parenthèses, *il faut valoriser notre devenir*. Un devenir à la fois individuel et collectif, dans lequel non seulement nous tous, mais notre Dieu est impliqué et compromis. Or, on ne pourra développer une telle réflexion sans valoriser l'éphémère, le provisoire, le contingent, comme si ce dernier devenait le lieu privilégié où l'Esprit manifeste, en nous, sa *force de rupture et d'innovation*. Car, soulignons-le, les *signes des temps* ne s'identifient pas simplement aux «tendances fortes» de la prospective. Ils sont, si l'on veut, des «tendances fortes» qui réclament, de la part du croyant, une *pratique nouvelle*. Sans la perception de la *nécessité* d'une telle pratique à promouvoir, il n'y a pas, en toute rigueur, de *signe des temps*. La théologie des *signes des temps* appelle ainsi une spiritualité du *discernement historique* et donc un *art de s'ajuster* de façon créatrice et critique à l'événement. Le «N'ayez pas peur» proposé par l'évangile — et le Congrès —, a ainsi toutes les chances de signifier: «N'ayez pas peur, car votre Dieu et ses enfants vont faire sous vos yeux quelque chose de *nouveau* qui, déjà, bourgeonne. Ne le voyez-vous pas?» (Isaïe 43,19).

Angoisse de la mort, vie de la foi

Isabelle Prévost

Le mystère du Dieu vivant est impénétrable, le mystère de l'être humain situé devant le drame de sa mort m'apparaît tout aussi inaccessible.

> «Mon Dieu, mon Dieu, pourquoi m'as-tu abandonné» (*Mt* 27, 46)

Tous les jours, des personnes qui se disent incroyantes, qui professent même leur incroyance vis-à-vis de Dieu, meurent dans la sérénité, le visage illuminé, toute peur assumée. Elles s'acceptent comme semence en terre humaine; elles partent avec la certitude que la moisson abondante de leur vie servira de nourriture aux petits d'hommes qui naîtront demain et continueront leurs luttes.

Comparée avec celle de l'incroyant, que peut être la mort du croyant? A-t-il droit à des privilèges face à cette épreuve ultime de l'avoir-à-mourir? Car ne pouvant nous défaire de notre habitude d'établir des comparaisons, nous classifions et nous définissons: ce piège reste toujours tendu à l'esprit humain. Mais, selon les catégories de Dieu, qui est le croyant et qui est l'incroyant?

Nous vivons tous tant que nous sommes la même mort qui est rupture définitive, dépossession totale de soi. La différence est dans le cri qui seul peut sortir du coeur du croyant:

«Mon Dieu, pourquoi m'as-tu abandonné?»

Celui qui sait, par grâce, qu'il est entre les mains du Dieu vivant. Celui qui sait que Dieu est «son» Dieu parce qu'il est un Dieu d'hommes et de femmes.

«... pourquoi m'as-tu abandonné?»

Ce cri de reproche et de détresse, c'est paradoxalement le cri de la foi, le cri de la confiance absolue. Le «pourquoi m'as-tu abandonné» révèle paradoxalement beaucoup de cette intime communion avec Celui que le croyant appelle son Dieu. Et interpeller quelqu'un, c'est cela d'abord, croire qu'il est là, présent, qu'il peut entendre notre appel, même si cet appel suppose un absence.

«... pourquoi m'as-tu abondonné?»

Ce cri reste le cri du désarroi absolu, et personne n'échappe à l'essentiel arrachement, celui de la mort.

Dans l'expérience de l'avoir-à-mourir, la foi en Dieu peut-elle assumer et illuminer la peur? Devant la menace radicale que représente la mort, quelle est la position du croyant? Si on sait que l'existence humaine est caractérisée par l'absence de refuge, la foi en Dieu n'est-elle qu'un leurre, une illusion, la quête d'un support, d'un sauf-conduit devant l'ultime insécurité?

* * *

J'ai vécu cette expérience de la proximité de la mort. Diagnostic formel: un sursis de quelques mois avant que la mort n'occupe mon temps et mon espace humains. J'ai pris vite conscience que la blessure du corps que représente une grave maladie est une porte ouverte à la mort qui investit l'être tout entier. Alors ce fut instinctivement le combat pour la vie qui commença. Ce combat acharné m'a permis d'aller jusqu'au bout de moi-même. Le Dieu que j'y ai trouvé était au-delà du dieu-refuge ou du dieu-sécurité. La parabole de *Genèse* 32,23-33, racontant la lutte de Jacob avec Dieu m'a aidée à saisir le sens profond de l'événement expérientiel que j'ai vécu et de dire l'indicible de cet événement.

Je revois Jacob au gué du Yabbok. Après avoir fait passer le torrent à chacun des siens, il reste seul, toute la nuit. Il le sait: son frère s'en vient à sa rencontre avec quatre cents hommes armés. Lui et sa famille pourront-ils s'en sortir vivants? Le texte de Genèse raconte l'aventure spirituelle de Jacob affronté à la menace de la mort, ses heures d'angoisse et de doute.

Essaü l'attend avec ses hommes. Pourtant Dieu avait assuré Jacob de sa protection:

> Je ne t'abandonnerai pas, je rendrai ta descendance comme le sable de la mer (28, 14-15).

C'est lui, Dieu, qui à Béthel avait fait les premiers pas, qui s'était engagé envers le fils d'Isaac:

> Je suis avec toi, je te garderai partout où tu iras et te ramènerai en ce pays, car je ne t'abandonnerai pas que je n'aie accompli ce que je t'ai promis (28,15).

Et Jacob à son tour avait promis:

> Si Dieu est avec moi et me garde en la route où je vais, s'il me donne du pain à manger et des habits pour me vêtir, si je reviens sain et sauf chez mon père, alors Yahvé sera mon Dieu (28,20).

Il avait mis une condition à sa foi. Dieu se rendrait-il à cette condition?

Tout au long de ses vingt années d'exil «au pays des fils de l'Orient» (29, 1), Dieu avait été fidèle. Jacob le reconnaissait. Il se trouvait «indigne de toutes les faveurs et de toute la bonté que Dieu avait eues pour son serviteur» (32, 11). Pendant cette nuit, cette longue nuit d'angoisse et de doute, Jacob prendra conscience que ce Dieu qui l'avait choisi ne lui appartenait pas. Ce Dieu à qui il demandait de le sauver des mains de son frère Esaü était souverainement libre.

> Et quelqu'un lutta avec lui jusqu'au lever de l'aurore (32, 25).

Dans ce combat intime qui dura jusqu'au jour, Jacob se révèle à lui-même et rencontre Dieu au-delà des sécurités terrestres.

Submergé par la peur et l'insécurité, Jacob est confronté au silence de Dieu et à sa propre vérité intérieure. Une question revient sans cesse à son coeur: que fait ce Dieu qui l'a aimé? Est-il devenu soudain un étranger? Après la promesse de vie réitérée tant de fois à l'exilé qu'il était, Dieu semblait se désintéresser de lui. La révolte monte en son coeur, la tentation de rejet se fait plus insistante, une violent combat se livre. Jacob se heurte à lui-même jusqu'à la dislocation de son moi replié, préoccupé de ses intérêts, ténébreux.

Peu à peu, la lumière se trace un chemin dans les ténèbres de sa nuit. Mais que fait-il, lui, en retour? Qu'a-t-il fait pour que Dieu devienne «son» Dieu? Celui qui l'a prévenu de ses faveurs l'appelle aujourd'hui à être tout entier espace ouvert à la lumière. Il l'appelle à la confiance inconditionnelle. Avoir la foi en son Dieu, c'est peut-être cela: accepter qu'Il n'ait pas le visage de ses sécurités; accepter que Dieu ait son propre Visage et affronter sa présence qui brûle, purifie et fait rayonner le coeur humain.

Jacob est allé jusqu'au bout de lui-même. Dieu ne l'a pas sécurisé; il l'a rendu plus fort. Dieu était venu jusqu'à lui, à Béthel; au bord du Jourdain, Jacob va jusqu'à Dieu, par grâce, pour accueillir la foi dans le dépouillement et l'écoute. Quelques jours plus tard, il dira à sa famille et à tous ceux qui étaient avec lui:

> Ôtez les dieux étrangers qui sont au milieu de vous (35, 2).

Dieu était devenu son Dieu.

«Je ne te lâcherai pas, que tu ne m'aies béni (32, 27). Être béni, c'est voir le visage de Dieu, goûter sa paix. Jacob supplie Dieu de le bénir. Bénir c'est accorder le salut. Demander à Dieu de le bénir, c'est pour Jacob, croire en dépit de tout à la toute-puissance de son amour. Dans son intense supplication, Jacob révèle la profondeur de sa foi: sa foi n'a plus aucun contenu concret; elle est tout entière mystère de gratuité et d'abandon. Demander à Dieu de le bénir, c'est lui demander d'être «son» Dieu, celui de sa famille, car son drame reste entier: qu'arrivera-t-il demain?

> On ne t'appellera plus Jacob mais Israël «qui signifie» que Dieu se montre fort (32, 29).

Quand Jacob sort des ténèbres, son choix est fait. Les marques de la lutte resteront gravées au plus profond de son être. Jacob est changé, il a connu Dieu:

> Quel est ton nom? — «Jacob», répondit-il. Il reprit: «On ne t'appellera plus Jacob, mais Israël» (32, 28).

Se confronter avec Dieu, c'est apprendre d'une science intime, tout intérieure, qu'il est le Dieu vivant. Se heurter à

Dieu, c'est, par grâce, éprouver la certitude que Dieu est notre rocher, notre rempart indestructible. Dans ce combat ultime, «Dieu se montre fort»: il se révèle à Jacob comme celui qui l'aime infiniment et qui le sauve au-delà de ses attentes les plus pressantes:

> Contre les hommes, tu l'emporteras (32, 28),

lui prédit l'envoyé de Dieu. Mystérieuse prédiction. L'amour sauveur de Dieu comblera Jacob, même au-delà de ses désirs les plus humains:

> Mais Esaü, courant à sa rencontre, le prit dans ses bras, lui donna l'accolade et pleura (33, 4).

La magnificence de la promesse faite à Jacob ne pouvait être altérée. C'était à lui de découvrir peu à peu la valeur infinie de cet héritage que Dieu lui donnait.

* * *

Je m'inscris à la suite de tous les Jacob de l'histoire, qui ont eu à livrer le combat de la vie et de la mort. Qui ont bu à la souffrance sur les «rives du Jourdain» et l'ont trouvée bonne. Qui ont eu la certitude intérieure de participer à la Vie, et d'être fils et filles du Dieu vivant.

Ces derniers temps, j'ai médité bien des choses en mon coeur afin de vous communiquer ma réflexion sur l'expérience de l'«avoir-à-mourir» qui a marqué mon existence il y a quelques années. À travers des essais de réponse à des questions précises, je vous livrerai certains traits de mon cheminement.

La question la plus fondamentale est celle-ci: Est-ce que notre foi peut assumer la peur que nous ressontons en période difficile, comme celle d'une maladie assez grave? Face à l'«avoir-à-mourir», la foi est-elle illusion ou courage? Le Tout-Puissant qu'on invoque devant le danger ultime de la mort, n'arrive-t-il pas trop à point? Autrement dit, Dieu, notre citadelle, notre rempart dans la détresse, est-ce un autre nom pour parler du dieu-sécurité, idole abhorrée en ce 20e siècle et rejetée très loin, dit-on un peu partout!

Je pourrais vous confier tout d'abord que l'expérience de l'«avoir-à-mourir» ne m'a rien révélé sur le fait même de mourir. Proche de nous, à l'affût, la mort peut faire sentir sa présence; elle peut s'imposer, envahir notre univers, mais elle demeure impénétrable. Connaître la proximité de la mort m'a cependant permis une entrée plus en profondeur dans le mystère de la vie. Exprimer ce paradoxe, c'est aller au coeur de ce qu'il m'a été donné de vivre.

Cette expérience reste inoubliable pour moi. Devant la situation dramatique d'une mort attendue, prévue, datée, c'est le vertige, la descente en chute libre, l'angoisse des profondeurs. Mais perdre pied, c'est aussi et en même temps chercher un appui, un point de résistance, c'est tenter de toucher un terrain solide.

En effet, on ne peut vivre cet événement expérientiel sans chercher instinctivement une force d'être qui puisse s'opposer à la menace absolue que la mort représente. Sans être en quête de la puissance de l'être lui-même. Sans vouloir vérifier les assises de notre être contingent, non nécessaire.

Le sentiment religieux s'exprime justement dans le fait d'être saisi par la puissance de l'être, de participer à cette puissance. Devant un danger imminent de perte totale de soi, nous prenons conscience de façon encore plus claire et plus nette de cette participation.

Vous me direz que la foi est plus que le sentiment religieux, et je vous dirai oui. Faire acte de foi c'est plus qu'éprouver un sentiment religieux. C'est affirmer reconnaître Dieu dans cette puissance de l'être, ce Dieu qui demeure silencieux. Et d'ailleurs, si l'être humain est liberté, Dieu ne peut être que silence. En conséquence, croire est une décision libre du coeur.

Avoir la foi, c'est, par grâce, donner un nom; c'est nommer Dieu comme le fondement de son être; c'est dans le dépouillement, l'audace, la confiance absolue, aller à la rencontre de Celui qui peut et veut nous sauver par delà la vie biologique. Avoir la foi, c'est aussi accueillir Dieu comme source de vie, car la foi est don, état de Grâce.

Pendant cette période de ma vie, tout mon être a été confronté à Dieu, tant ma chair que mon esprit. Alors que la mort est le signe sensible d'un non accomplissement humain, pourquoi cette soif intense d'achèvement? Alors que la mort est rupture, pourquoi ce désir illimité de vie? Tout en nous s'oppose à la mort. Je ne crois pas, pour ma part, avoir jamais accepté de mourir; au contraire, j'ai toujours voulu vivre. De toutes mes forces. Jour et nuit.

Dans mes heures d'angoisse profonde, de peur et de doute, il me semble que c'est Dieu qui me portait. J'ai fait au plus profond de moi, une expérience de salut. Je garde mémoire de cette grâce de lumière qui se fait avec le temps une place de plus en plus grande en moi. La foi est oeuvre de patience. La route est longue qui va au coeur de soi pour puiser à nos sources d'humanité, pour communier dans la confiance au Dieu vivant.

L'expérience de l'«avoir-à-mourir» a été pour moi une expérience de vie, j'ai «touché» à la vie, j'ai été comblée de vie, par grâce. J'ai été bénie.

Dans mon avancée au milieu du désert, j'ai, à certains moments, entendu monter les eaux bienfaisantes de la vie. Participer à l'être a été pour moi goûter à la vie qui vient des profondeurs de Dieu.

* * *

Est-ce que la foi ne serait pas une sorte de subterfuge devant la mort? Cette foi-démission n'est pas la foi, mais besoin de l'être replié sur lui-même, encombré, captif. Dans les moments de radicale insécurité, certes, la tentation de saisir Dieu est très forte, la tentation de le mettre à notre portée. On lui donne un visage, et il devient alors une idole: le dieu, projection de nos désirs de sécurité, le dieu, refuge dans nos peurs y compris celle du vrai Dieu.

Mais la foi n'est pas satisfaction d'un besoin, elle est acceptation de notre insécurité existentielle. La situation de l'«avoir-à-mourir» en est une de radicale insécurité et appelle une confiance inconditionnelle. Les symboles bibliques qui expriment Dieu comme fondement de l'être sont très puissants: «rocher», «citadelle», «forteresse», «appui». L'appel à la confiance s'adresse à ce Dieu, transpersonnel en même temps que personnel. Dieu, le Fondement qui est Vie et Amour; Dieu, la Source de vie et d'amour.

Jésus appelle Dieu, «Abba», «Père». Le «Je» s'adresse à un «Tu» dans une relation interpersonnelle toute de confiance. Le Fils nous révèle que Dieu, fondement de l'être, est Père, et c'est l'entrée dans le mystère d'amour trinitaire. Cependant, ce sur quoi je veux attirer l'attention, c'est que Dieu, mon «rocher», est intime, proche. Je puis dire qu'il est présent en moi plus que moi-même, et qu'il est donc plus qu'un «tu» pour moi; je suis «appuyée sur lui» au plus intime de mon être.

Dieu se révèle mystérieusement comme notre rempart inébranlable, et il nous appelle à une confiance inébranlable justement parce que nous ne pouvons ni le saisir, ni le posséder, parce que nous n'avons aucune prise sur lui. Se fier à Dieu, n'est-ce pas en définitive, croire qu'il y a une possibilité inouïe de vie pour chacun de nous parce qu'il est lui-même source de vie; nous fier au Vivant éternel et infini en dépit de la fragilité de notre être et de la menace absolue que représente la mort.

Les mots sont insuffisants pour exprimer notre déploiement en Dieu dans la confiance. Cette expérience de salut, est pour une part, incommunicable. Lorsque notre corps est atteint, nous prenons davantage conscience de notre finitude; nos limites et nos faiblesses nous apparaissent sous une lumière plus vive. C'est le dénuement, et ce peut être l'état du pauvre, si nous l'acceptions. Le pauvre, c'est celui qui accepte de recevoir.

Certes, la tentation de se replier sur soi est forte. Faire acte de courage, c'est nommer ses peurs et les assumer; c'est faire l'effort pour se redresser, s'ouvrir, se tourner vers Dieu et accueillir le Salut. Se fier à Dieu, c'est croire tout cela possible, s'il est lui-même notre force; c'est croire en la résurrection.

Le repli sur soi est souvent la conséquence de la peur. Il faut se laisser apprivoiser, car on ne s'approche pas plus facilement, je pense, du mystère de la résurrection que de celui de la croix. Les deux pourtant forment l'unique mystère du Salut.

La barrière c'est notre peur de Dieu, notre terrible peur de Dieu. Mais Dieu a manifesté en Jésus-Christ sa façon de nous sauver: le salut par l'impuissance de la croix. Ce Dieu peut-il faire peur? En Jésus, Dieu se fait proche, se met à genoux devant les hommes, les prie de se laisser laver les pieds, de se laisser réconcilier, aimer: ce Dieu peut-il faire peur? Et notre espérance est enracinée dans l'amour d'un tel Dieu!

À cause de Lui, même nos peurs sont illuminées. Dans cette expérience de l'«avoir-à-mourir» que j'ai vécue, Dieu m'a fait signe et il m'a rejointe. Je sais encore mieux, depuis, qu'il est un Dieu de tendresse et de miséricorde.

* * *

Avec le recul du temps, je me suis rendu compte que ma faim et ma soif de vivre avaient avivé à un niveau plus profond mon besoin de salut. Que ma situation d'«avoir-à-mourir» avait creusé en moi un espace plus grand pour la vie.

L'espérance est don de Dieu. Quand il n'a plus le visage de nos désirs humains limités, Dieu devient Dieu, le seul vrai, notre espérance elle-même. Chez ce Dieu, je suis invitée, attendue; je serai reçue, comblée, rassasiée. Il me ressuscite dès maintenant. Je n'y croirai jamais assez. Je n'accueillerai jamais assez le don de Dieu, inépuisable.

Pendant cette période de sursis, d'attente de la fin, ma prière n'a été qu'un cri... indicible.

Au sortir de ce «*no man's land*», de «cette terre d'aucun homme» que j'avais habitée, ma prière au Dieu vivant n'a été encore longtemps qu'un cri... indicible, lui aussi.

Exprimait-il tout simplement ma joie de vivre, je le crois!

Table des matières

3
L'AVENIR DE LA PEUR
RÉFÉRENCES HISTORIQUES, APOCALYPTIQUES ET HORIZON SPIRITUEL

Collection
HÉRITAGE ET PROJET

1. Jacques GRAND'MAISON, *La Seconde Évangélisation.*
   Tome I — Les témoins.

2. Jacques GRAND'MAISON, *La Seconde Évangélisation.*
   Tome 2 — volume 1 - Outils majeurs *(épuisé)*
   — volume 2 - Outils d'appoint *(épuisé)*

3. André CHARRON, *Les Catholiques face à l'athéisme contemporain.*
   Étude historique et perspectives théologiques sur l'attitude des catholiques en France de 1945 à 1965.

4. Rémi PARENT, *Condition chrétienne et service de l'homme.*
   Essai d'anthropologie chrétienne *(épuisé)*

5. Vincent HARVEY, *L'Homme d'espérance.*
   Recueil d'articles (1960-1972).

6. SOCIÉTÉ CANADIENNE DE THÉOLOGIE, *Le Divorce.*
   L'Église catholique ne devrait-elle pas modifier son attitude séculaire à l'égard de l'indissolubilité du mariage?

7. En collaboration, *L'Incroyance au Québec.*
   Approches phénoménologiques, théologiques et pastorales.

8. François FAUCHER, *Acculturer l'Évangile: mission prophétique de l'Église.*

9. En collaboration, *Jésus?*
   De l'histoire à la foi.

10. En collaboration, *Le Pluralisme.*
    Pluralism: its meaning today.

11. Jean-Claude PETIT, *La Philosophie de la religion de Paul Tillich.*
    Genèse et évolution: la période allemande: 1919-1933.

12. En collaboration, *Le Renouveau communautaire chrétien au Québec.*
    Expériences récentes.

13. Louis RACINE et Lucien FERLAND, *Pastorale scolaire au Québec.*
    Niveau secondaire.

14. Viateur BOULANGER, Guy BOURGEAULT, Guy DURAND, Léonce HAMELIN, *Mariage: rêve, réalité.*
Essai théologique.

15. Richard BERGERON, *Obéissance de Jésus et vérité de l'homme.*
Une interpellation.

16. Louis ROUSSEAU, *La Prédiction à Montréal de 1800 à 1830.*
Approche religiologique.

17. En collaboration, *L'homme en mouvement.*
Le sport, le jeu, la fête.

18. Éric VOLANT, *Le Jeu des affranchis.*
Confrontation Marcuse-Moltmann.

19. Guy DURAND, *Sexualité et foi.*
Synthèse de théologie morale.

20. Bernard J.F. LONERGAN, *Pour une méthode en théologie.*

21. En collaboration, *Après Jésus.*
Autorité et liberté dans le peuple de Dieu.

22. Pierre CHARRITTON, *Le Droit des peuples à leur identité.*
L'évolution d'une question dans l'histoire du christianisme.

23. Michel DESPLAND, *La Religion en Occident.*
Évolution des idées et du vécu.

24. Rémi PARENT, *Communion et pluralité dans l'Église.*
Pour une pratique de l'unité ecclésiale.

25. Paul-Eugène CHARBONNEAU, *L'Homme à la découverte de Dieu.*

26. Élisabeth J. LACELLE, Thomas R. POTVIN, dir., *L'expérience comme lieu théologique.*
Discussions actuelles.

27. Thomas R. POTVIN, Jean RICHARD, *Questions actuelles sur la foi.*

28. Bernhard WELTE, *Qu'est-ce que croire?*

29. Guy COUTURIER, André CHARRON, Guy DURAND, dir. *Essais sur la mort.*
Travaux d'un séminaire sur la mort.

30. Arthur METTAYER, Jean-Marc DUFORT, dir. *La peur.*
Actes du Congrès de la Société canadienne de théologie.

31. André NAUD, *La recherche des valeurs chrétiennes.*
Jalons pour une éducation.